NEUROLOGIA BÁSICA

para Profissionais da Área de Saúde

NEUROLOGIA

- A Ciência e a Arte de Ler Artigos Científicos – Braulio Luna Filho
- A Didática Humanista de um Professor de Medicina – Decourt
- A Estimulação da Criança Especial em Casa - Um Guia de Orientação para os Pais de como Estimular a Atividade Neurológica e Motora – Rodrigues
- A Neurologia que Todo Médico Deve Saber 2ª ed. – Nitrini
- A Questão Ética e a Saúde Humana – Segre
- A Saúde Brasileira Pode Dar Certo – Lottenberg
- A Vida por um Fio e por Inteiro – Elias Knobel
- Afecções Cirúrgicas do Pescoço – CBC Kowalski
- Artigo Científico - do Desafio à Conquista - Enfoque em Testes e Outros Trabalhos Acadêmicos – Victoria Secaf
- As Lembranças que não se Apagam – Wilson Luiz Sanvito
- Células-tronco – Zago
- Cem Bilhões de Neurônios? Conceitos Fundamentais de Neurociência - 2ª ed. – Roberto Lent
- CEREDIC - Demências – Ricardo Nitrini
- Coluna: Ponto e Vírgula 7ª ed. – Goldenberg
- Como Ter Sucesso na Profissão Médica - Manual de Sobrevivência 4ª ed. – Mario Emmanuel Novais
- Cuidados Paliativos – Diretrizes, Humanização e Alívio de Sintomas – Franklin Santana
- Demências: Abordagem Multidisciplinar – Caixeta
- Depressão e Cognição – Chei Tung Teng
- Dicionário de Ciências Biológicas e Biomédicas – Vilela Ferraz
- Dicionário Médico Ilustrado Inglês-Português – Alves
- Dor - Manual para o Clínico – Jacobsen Teixeira
- Dor Crônica - Diagnóstico, Pesquisa e Tratamento – Ivan Lemos
- Epidemiologia 2ª ed. – Medronho
- Fisiopatologia Clínica do Sistema Nervoso - Fundamentos da Semiologia 2ª ed. – Doretto
- Gestão Estratégica de Clínicas e Hospitais – Adriana Maria André
- Guia de Consultório - Atendimento e Administração – Carvalho Argolo
- Manejo Neurointensivismo – Renato Terzi - AMIB
- Manual de Eletroneuromiografia, Potenciais Evocados Cerebrais – Nobrega e Manzano
- Manual do Clínico para o Médico Residente – Atala – UNIFESP
- Medicina: Olhando para o Futuro – Protásio Lemos da Luz
- Medicina, Saúde e Sociedade – Jatene
- Memórias Agudas e Crônicas de uma UTI – Knobel
- Memória, Aprendizagem e Esquecimento – Antônio Carlos de Oliveira Corrêa
- Miastenia Grave - Convivendo com uma Doença Imprevisível – Acary Souza Bulle Oliveira e Beatriz Helena de Assis de Pereira
- Nem Só de Ciência se Faz a Cura 2ª ed. – Protásio da Luz
- Neuroemergências – Julio Cruz
- Neurofiologia Clínica 2ª ed. – Pinto
- Neurologia Infantil - 5ª ed. (2 vols.) – Aron Juska Diament e Saul Cypel
- O Livro de Cefaleias – Wilson Luiz Sanvito e Monzilo
- O Mundo das (Minhas) Reflexões – Wilson Luiz Sanvito
- O que Você Precisa Saber sobre o Sistema Único de Saúde – APM-SUS
- Politica Públicas de Saúde Interação dos Atores Sociais – Lopes
- Prescrição de Medicamentos em Enfermaria – Brandão Neto
- Propedêutica Neurológica Básica 2ª ed. – Wilson Luiz Sanvito
- Série da Pesquisa à Prática Clínica - Volume Neurociência Aplicada à Prática Clínica – Alberto Duarte e George Bussato
- Série Neurologia - Diagnóstico e Tratamento - Doença de Parkinson – Ferraz
- Série Neurologia - Diagnóstico e Tratamento – Wilson Luiz Sanvito
    - Vol. 1 - Esclerose Múltipla no Brasil - Aspectos Clínicos e Terapêuticos – Tilbery
    - Vol. 2 - Doença de Parkinson - Prática Clínica e Terapêutica – Ferraz
- Série Terapia Intensiva – Knobel
    - Vol. 3 - Neurologia
- Série Usando a Cabeça – Alvarez e Taub
    - Vol. 1 - Memória
- Síndromes Neurológicas 2ª ed. – Wilson Luiz Sanvito
- Sono - Aspectos Profissionais e Suas Interfaces na Saúde – Mello
- Terapia Intensiva - Neurologia (em espanhol) – Knobel
- Terapias Avançadas - Células-tronco – Morales
- Tratado de Técnica Operatória em Neurocirurgia – Paulo Henrique Pires de Aguiar
- Tratamento Coadjuvante pela Hipnose – Marlus
- Um Guia para o Leitor de Artigos Científicos na Área da Saúde – Marcopito Santos

ROLOGIA BÁSICA

para Profissionais da Área de Saúde

MÁRCIA RADANOVIC

Médica Neurologista pela Faculdade de Medicina da Universidade de São Paulo (FMUSP).
Mestre e Doutora em Neurologia pela FMUSP.
Pós-doutorado em Psiquiatria pela FMUSP.
Docente do Curso de Pós-graduação do Departamento de Neurologia da FMUSP.
Médica Pesquisadora do Laboratório de Neurociências do
Departamento e Instituto de Psiquiatria do Hospital das Clínicas da FMUSP

EDITORA ATHENEU

São Paulo — Rua Jesuíno Pascoal, 30
Tel.: (11) 2858-8750
Fax: (11) 2858-8766
E-mail: atheneu@atheneu.com.br

Rio de Janeiro — Rua Bambina, 74
Tel.: (21)3094-1295
Fax: (21)3094-1284
E-mail: atheneu@atheneu.com.br

Belo Horizonte — Rua Domingos Vieira, 319 — conj. 1.104

CAPA: Paulo Verardo

CRÉDITO CAPA: LENT R. Cem Bilhões de Neurônios? Conceitos Fundamentos de Neurociência. 2ª ed., ATHENEU, São Paulo, Rio de Janeiro, 2010:22 (Fig 1. Qd.1.4)

PRODUÇÃO EDITORIAL: Rosane Guedes

Dados Internacionais de Catalogação na Publicação (CIP)
(Câmara Brasileira do Livro, SP, Brasil)

Radanovic, Márcia
  Neurologia básica para profissionais da área de saúde / Márcia Radanovic. -- São Paulo : Editora Atheneu, 2015.

  Bibliografia.
  ISBN 978-85-388-0586-1

  1. Diagnóstico e tratamento 2. Doenças do sistema nervoso 3. Neurologia I. Título.

14-12976
CDD-616.807
NLM-WL 100

Índices para catálogo sistemático:
1. Neurologia : Aspectos clínicos : Medicina   616.807

RADANOVIC, M.
Neurologia Básica para Profissionais da Área de Saúde

© EDITORA ATHENEU
São Paulo, Rio de Janeiro, Belo Horizonte, 2015

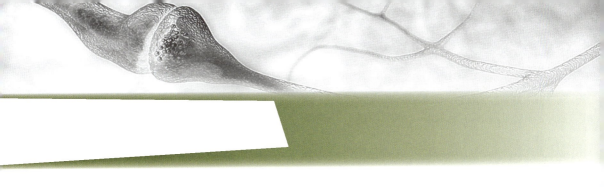

Marcos de Queiroz Teles Gomes
Médico Assistente da Divisão de Clínica Neurocirúrgica – Departamento de Neurologia do Hospital das Clínicas da FMUSP
Neurocirurgião da Equipe DFVneuro

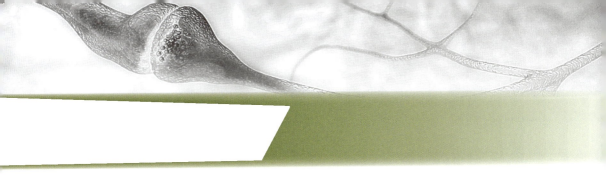

Dedico este livro a todos os meus mestres, os professores e médicos assistentes do Departamento de Neurologia e da Divisão de Clínica Neurológica do Hospital das Clínicas – FMUSP. Agradeço imensamente o que aprendi com todos vocês – de como obter um reflexo patelar a escrever um artigo científico – e quantas coisas mais entre esses dois momentos... Foram muitos anos de convivência em que vocês me contagiaram com o amor pela Neurologia. Mas, acima de tudo, agradeço por terem me ensinado a nunca desistir de tentar o melhor para os pacientes, a lutar pela sua dignidade e a enxergá-los como seres humanos que transcendem as limitações muitas vezes impostas pela doença.

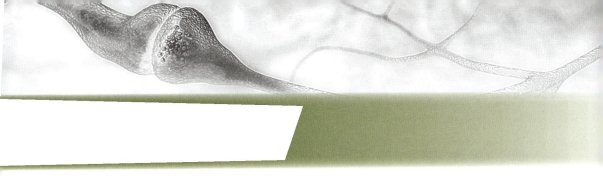

Quando eu ainda era uma neurologista "de fraldas" (e isto já faz muito tempo...), diversas vezes fui incumbida da tarefa de dar aulas sobre doenças neurológicas para alunos e profissionais de diversas áreas de atuação em Saúde. A partir daí, ao longo dos anos, foram surgindo inúmeras oportunidades para participar de cursos voltados para fisioterapeutas, psicólogos, enfermeiros, terapeutas ocupacionais, fonoaudiólogos, farmacêuticos, gerontólogos e biomédicos. Também tenho tido a oportunidade de trabalhar em conjunto com esses profissionais, o que gera uma troca de conhecimentos muito construtiva, em que o maior beneficiado é, sem dúvida, o paciente. Por fim, minha experiência como orientadora de dissertações e teses de mestrado e doutorado tornou ainda mais estreita essa relação acadêmica (e, muitas vezes, pessoal) com os profissionais de reabilitação.

A ideia de escrever este livro nasceu, então, da minha vivência sobre a grande motivação que os alunos e profissionais que atendem pacientes neurológicos têm em compreender melhor as doenças e os fundamentos da Neurologia. Por isso, busquei dar ênfase aos aspectos clínicos e fisiopatológicos das doenças; também por isso, priorizei os grupos de doenças em que a intervenção multiprofissional se faz mais necessária.

Este livro é o somatório de todas as aulas, discussões de caso e horas dedicadas à condução de projetos de pesquisa em conjunto com alunos e profissionais da área de Saúde. Meu desejo é contribuir para que haja cada vez mais aproximação entre os componentes da equipe multidisciplinar, e acredito que o conhecimento compartilhado é um passo essencial para que isso aconteça. A Neurologia é uma especialidade fascinante, e o paciente neurológico, muito especial.

Com meu respeito e admiração a todos vocês que trabalham sem parar para melhorar a qualidade de vida desses pacientes,

Márcia Radanovic

CAPÍTULO 1	Princípios de Neuroanatomia e Neurofisiologia: Organização Estrutural do Sistema Nervoso, *1*
CAPÍTULO 2	Anatomia e Fisiologia Microscópica do Sistema Nervoso, *37*
CAPÍTULO 3	Método Clínico em Neurologia, *47*
CAPÍTULO 4	Coma e Hipertensão Intracraniana, *67*
CAPÍTULO 5	Neurotraumatologia, *87*
CAPÍTULO 6	Acidente Vascular Encefálico, *105*
CAPÍTULO 7	Demências, *125*
CAPÍTULO 8	Epilepsia, *153*
CAPÍTULO 9	Transtornos do Movimento, *169*
CAPÍTULO 10	Infecções do Sistema Nervoso Central, *189*
CAPÍTULO 11	Doenças Desmielinizantes, *205*
CAPÍTULO 12	Tumores do Sistema Nervoso, *215*
CAPÍTULO 13	Doenças Degenerativas do Sistema Motor, *229*
CAPÍTULO 14	Doenças do Sistema Nervoso Periférico, *237*
CAPÍTULO 15	Miopatias e Doenças da Junção Neuromuscular, *251*
CAPÍTULO 16	Cefaleias, *267*
	Índice, *279*

Neuroanatomia e Organização do Sistema Nervoso

1

Márcia Radanovic

INTRODUÇÃO

Existe uma relação indissociável entre a atividade do Sistema Nervoso (SN) e todo o comportamento de um animal, do mais simples ao mais complexo, embora a maneira exata como essa relação se estabelece ainda seja objeto de estudos e não esteja totalmente elucidada. Sendo assim, o estudo de como se organizam e ocorrem os processos cerebrais que geram percepções, sensações, comportamentos e pensamentos começa no entendimento de quais são as estruturas que compõem o SN. Daí a importância de conhecermos alguns princípios de Neuroanatomia, a fim de compreender, a partir de como o SN se organiza, algumas normas de seu funcionamento, o que facilita o entendimento da fisiopatologia dos sintomas das doenças neurológicas.

O SN encontra-se protegido por estruturas ósseas: o crânio e a coluna vertebral. Dentro do crânio, localiza-se o *encéfalo* e o *tronco encefálico*, e no interior da coluna vertebral, localiza-se a *medula espinhal*. Além disso, é envolvido por um sistema de membranas denominadas *meninges*, a *dura-máter* (mais externa), a *aracnoide*, e a *pia-máter* (mais interna, e que se encontra totalmente aderida ao tecido nervoso. O espaço entre o arcabouço ósseo e a dura-máter é denominado *espaço extradural* ou *epidural*; é nesse espaço que se injetam os anestésicos para realização de anestesia peridural. O espaço entre a aracnoide e a pia-máter é denominado *espaço subaracnoide*, e nesse espaço é que se injetam as substâncias anestésicas na raquianestesia e se coleta o líquor para realização de exames.

Sistema ventricular: os hemisférios cerebrais possuem cavidades denominadas *ventrículos laterais* (D e E), que contêm o liquor em seu interior. Os ventrículos laterais comunicam-se com o *III ventrículo* (localizado no interior do diencéfalo, sendo em grande parte circundado pelos tálamos) através dos *forames interventriculares de Monro*. O III ventrículo, por sua vez, comunica-se com o *IV ventrículo* (localizado na ponte e bulbo) através do *aqueduto cerebral* (localizado no mesencéfalo). O IV ventrículo é a continuação do *canal central* da medula.

A *substância cinzenta* do SN é formada pelos corpos celulares dos neurônios, podendo ser encontrada no córtex cerebral, em *núcleos* (agrupamentos celulares) no tronco encefálico, nos *gânglios* e na porção central da medula espinhal. A substância branca é composta pelos feixes de axônios que emergem dos neurônios, e portanto terá sua origem em alguma das estruturas acima; é encontrada na região *subcortical* (abaixo do córtex cerebral), nos *tratos* e vias de projeção do tronco encefálico e medula espinhal, e nos nervos periféricos. Os feixes de substância branca (tratos e nervos periféricos) sempre conectam um grupo de neurônios a outro, um grupo de neurônios a seus efetores finais (músculos, glândulas etc.) ou a seus receptores periféricos (pele, olho etc.). Muitos dos nomes dessas estruturas são descritivos de sua origem, destino e localização relativa, por exemplo: *trato espinocerebelar anterior* designa um trato que sai da medula espinhal, em direção ao cerebelo, e localiza-se na porção anterior do bulbo.

O SN divide-se em Sistema Nervoso Central (SNC) e Sistema Nervoso Periférico (SNP). O limite entre esses dois sistemas é a membrana meníngea pia-máter. O SNC compreende o cérebro, tronco cerebral e tratos ascendentes e descendentes da medula espinhal. O SNP é composto pelas estruturas que se localizam externamente à membrana pia-máter da medula espinhal e tronco cerebral, incluindo as raízes nervosas, plexos e nervos periféricos, até o limite da junção neuromuscular. Os nervos cranianos também fazem parte do SNP, com exceção dos bulbos olfatórios (I nervo) e nervos ópticos (II nervo) (Fig. 1.1).

A divisão *somática* do SNP inclui os neurônios responsáveis pela inervação da pele, músculos e articulações. O sistema nervoso autônomo (SNA), por sua vez, é responsável pela inervação sensitiva das vísceras, e pelo controle motor visceral, dos músculos lisos e das glândulas exócrinas. O SNA possui duas divisões: o parassimpático, responsável pelo controle da homeostase[*] do organismo, como funções digestórias, cardiovasculares, respiratórias etc., e o simpático, responsável pelas reações de "luta ou fuga", que preparam o organismo para lidar com situações de estresse físico e emocional. Podemos então dizer que o Sistema Nervoso Somático (SNS) comunica o SNC com

---

[*]Homeostase: capacidade do organismo (ou do corpo) de regulação do seu sistema, a fim de se manter estável dinamicamente perante as interferências internas e externas que possam alterar seu equilíbrio.

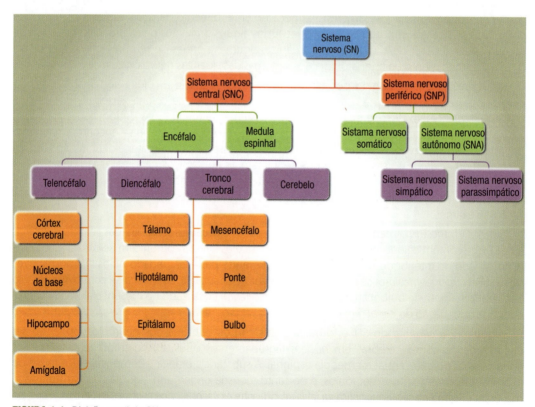

FIGURA 1.1. Divisão geral do SN.

os estímulos do meio externo, e o SNA faz o mesmo com os estímulos vindos do meio interior do organismo (Fig. 1.2).

Como regra geral, cada hemisfério cerebral recebe e envia informações *para* e *da* metade contralateral do corpo, ou seja, o hemisfério direito (D) controla a metade esquerda (E) do corpo, e vice-versa. No entanto, isso não ocorre em todos os sistemas (a inervação é ipsilateral) e existem alguns sistemas em que os dois hemisférios cerebrais participam da inervação sensitiva e motora em determinada região (como exemplos, podemos citar a audição e o controle motor dos músculos do terço superior da face). O ponto em que ocorre o cruzamento (decussação) das fibras nervosas através da linha média é variável. Por exemplo, as vias motoras (trato corticoespinal lateral) principais decussam (cruzam-se) no bulbo (num local anatômico denominado *decussação das pirâmides*); já as fibras que veiculam a sensação térmica e dolorosa (trato espinotalâmico) cruzam a linha média logo ao penetrarem na medula, ascendendo para o SNC já cruzadas, em toda a extensão da medula. Denominamos conexões *aferentes* aquelas que chegam a uma determinada estrutura do SN, e conexões *eferentes* àquelas que partem dessa estrutura.

O SN possui vários sistemas funcionais separados, cada um composto por um conjunto de estruturas e vias de projeção; como exemplo, podemos citar as várias modalidades sensoriais, ou as diversas funções cognitivas. No entanto, embora separados, esses sistemas possuem pontos de intersecção, onde informações são agrupadas e combinadas para construir as percepções e associações complexas que caracterizam a atividade do nosso SNC. Cada sistema funcional envolve várias estruturas que se ligam por vias que carregam diferentes tipos de informação; as estruturas que participam de um sistema são comumente denominadas *relês*, e são ordenados *em série* (sequência); as vias de determinado sistema caminham através de feixes de fibras que ligam um componente do sistema a outro. Nos relês, ocorre mais do que uma simples retransmissão das informações para o centro seguinte: as informações são modificadas, rearranjadas e moduladas, de modo que os dados transmitidos pelas vias de saída de cada relê são diferentes das que foram recebidas pelas vias de entrada. O SN é organizado de forma hierárquica, havendo diversos níveis de processamento para cada sistema funcional, do mais simples ao mais complexo.

O SN é organizado na forma de *mapas neurais*, ou seja, as informações são veiculadas dentro de cada sistema funcional obedecendo a uma organização topográfica. Por exemplo, a informação visual que incide sobre a retina é transmitida através de todo o sistema visual de modo a obedecer a esse princípio de organização: um grupo de neurônios retinianos projeta-se para determinado local do corpo geniculado lateral; o grupo vizinho de neurônios retinianos se projetará para uma

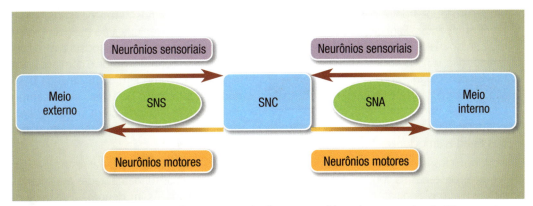

FIGURA 1.2. Representação esquemática da inter-relação entre os vários subcomponentes do SN e os meios externo (ambiente) e interno (visceral).

região vizinha no corpo geniculado lateral, e assim por diante ao longo da via visual, de modo que todas as estruturas que compõem o sistema visual reproduzem o mapa correspondente recebido da estrutura anterior e o projetam de modo organizado para a estrutura seguinte. O sistema motor também apresenta essa organização topográfica.

SUBDIVISÃO ANATÔMICA DO SNC

O SNC é composto pelo *encéfalo* e *medula espinhal*. O encéfalo, que se localiza dentro do crânio, é composto pelo telencéfalo (cérebro), diencéfalo, cerebelo e tronco encefálico. A medula espinhal localiza-se dentro da coluna vertebral:

1. Medula espinhal: recebe as informações sensoriais provindas dos receptores periféricos, como pele, articulações, músculos e tendões dos membros e troncos, através dos nervos sensitivos, transmitindo-as ao *tronco encefálico*. Também controla os movimentos do tronco e membros, através dos nervos motores, que dela emergem. Divide-se em quatro porções: cervical, torácica, lombar e sacral.
2. Tronco encefálico: é composto pelo *bulbo, ponte* e *mesencéfalo*.
   - Bulbo: localizado logo acima da medula espinhal, com a qual se continua, contém o centro de várias funções autonômicas e vegetativas, como batimentos cardíacos, respiração e funções digestórias.
   - Ponte: localiza-se acima do bulbo, é um relê de distribuição das informações sobre o movimento para o cerebelo, além de conter os núcleos do V (trigêmeo), VI (abducente) e VII (facial) nervos cranianos.
   - Mesencéfalo: localizado acima da ponte, é um dos principais centros de controle das funções motoras, motricidade ocular e reflexos visuais e auditivos.
3. Diencéfalo: localizado rostralmente (anteriormente) ao mesencéfalo, é formado pelo *tálamo*, que recebe e processa a maior parte das informações que chegam ao córtex cerebral provindas das várias regiões do SN, *hipotálamo*, envolvido na regulação de funções autonômicas, endócrinas e viscerais. Faz parte do cérebro (ver abaixo).
4. Cerebelo: conecta-se ao tronco cerebral através de feixes de fibras nervosas, denominadas *pedúnculos cerebrais*. Sua função relaciona-se à modulação de força e amplitude dos movimentos, aprendizado de habilidades motoras e aspectos das funções cognitivas.
5. Cérebro (telencéfalo): composto pelos hemisférios cerebrais, que contêm o *córtex cerebral, substância branca, núcleos da base, hipocampo, amígdala* e *bulbo olfatório*. O córtex cerebral divide-se em quatro lobos: frontal, parietal, temporal e occipital, e é a sede de nossas funções cognitivas e comportamentais. Para ele convergem os estímulos sensoriais provenientes do meio ambiente e de nosso meio interno, e dele emergem os nossos comportamentos em resposta a esses estímulos (Fig. 1.3). Os núcleos da base estão relacionados com o controle motor, e com aspectos das funções cognitivas e comportamentais. As estruturas que compõem os núcleos da base são o núcleo caudado, putâmen, globo pálido e núcleo subtalâmico de Luys. O hipocampo relaciona-se principalmente com a codificação das memórias, e a amígdala tem um papel preponderante na regulação das respostas endócrinas e autonômicas do organismo, bem como nos estados emocionais.

Ao longo dos anos, diversas nomenclaturas foram utilizadas para descrever as estruturas do SN, algumas baseadas na contiguidade anatômica entre elas, algumas fundamentadas em critérios funcionais e outras ainda em sua origem embriológica compartilhada. Assim, denomina-se *striatum* ou *corpo estriado* ao conjunto formado pelo núcleo caudado, putâmen e globo pálido; núcleo lentiforme refere-se ao conjunto putâmen e globo pálido.

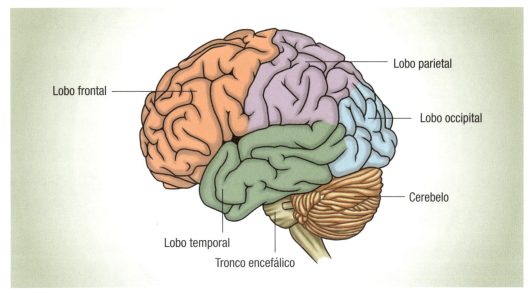

FIGURA 1.3. Córtex cerebral e suas divisões.

SUBDIVISÃO FUNCIONAL DO SNC

Medula espinhal

A medula espinha é a parte mais caudal do SN, estendendo-se da base do crânio (forame magno) até sua porção terminal no *cone medular*, no nível da primeira/segunda vértebra lombar (L1/L2), com cerca de 45 cm de comprimento. Divide-se em porções cervical, torácica, lombar e sacral. A medula espinhal apresenta duas intumescências, uma na região cervical e outra na região lombar, que correspondem aos locais de onde emergem os motoneurônios relacionados com os membros superiores e inferiores. No interior da substância cinzenta medular encontra-se o canal central da medula, uma cavidade preenchida por liquor, que é a continuação caudal do IV ventrículo.

O corte transversal da medula revela uma porção central em forma de H, a *substância cinzenta*, que contém os corpos celulares dos neurônios e é dividida em colunas dorsal e ventral. As colunas dorsais são formadas por neurônios sensoriais que recebem as informações da periferia provenientes da pele, músculos e articulações do tronco e membros, bem como dos órgãos internos; as colunas ventrais contêm os motoneurônios responsáveis pelos movimentos voluntários e autonômicos de músculos específicos. Ao redor da substância cinzenta localiza-se a *substância branca*, composta pelos tratos longitudinais (conjuntos de axônios mielinizados) que formam as grandes vias ascendentes e descendentes de e para o cérebro (Fig. 1.4 e Tabelas 1.1 e 1.2). A medula espinhal possui uma *organização segmentar*, ou seja, cada segmento liga-se a uma região específica do corpo.

A medula espinhal se conecta com os músculos e receptores periféricos através de 31 pares de *nervos espinhais* (8 cervicais, 12 torácicos, 5 lombares, 5 sacrais e 1 coccígeo), cada um contendo uma porção sensorial, que nasce da porção dorsal da medula (raízes dorsais) e uma porção motora, que emerge da porção ventral da medula (raízes ventrais). Os nervos espinhais da região cervical emergem acima das vértebras correspondentes, com exceção do segmento C8, que emerge entre as vértebras C7 e T1 (pois a coluna vertebral humana contém apenas sete vértebras cervicais).

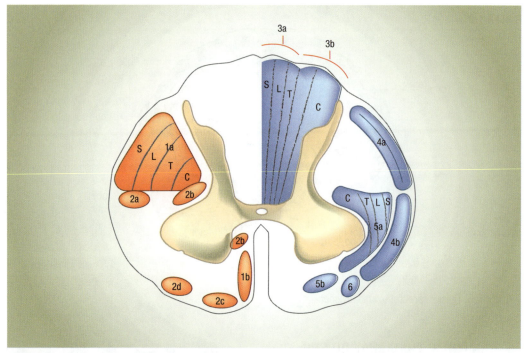

FIGURA 1.4. Corte transversal da medula espinhal mostrando as vias sensoriais ascendentes (em azul) e motoras descendentes (em vermelho). C: cervical; T: torácica; L: lombar; S: sacral.

TABELA 1.1. Vias ascendentes e descendentes da medula espinhal

VIAS MOTORAS DESCENDENTES (EFERENTES)	VIAS SENSITIVAS ASCENDENTES (AFERENTES)

1. Tratos corticoespinais (piramidais)
   1a. Trato corticoespinal lateral
   1b. Trato corticoespinal anterior
	3. Coluna dorsal-lemnisco medial
	   3a. Fascículo grácil
	   3b. Fascículo cuneiforme

2. Tratos extrapiramidais
   2a. Trato rubroespinal
   2b. Trato reticuloespinal
   2c. Trato vestibuloespinal
   2d. Trato olivoespinal
	4. Tratos esoinocerebelares
	   4a. Trato espinocerebelar anterior
	   4b. Trato espinocerebelar posterior
	
	5. Tratos espinotalâmicos
	   5a. Trato espinotalâmico lateral
	   5b. Trato espinotalâmico anterior

	6. Fibras espino-olivares

A partir daí, os nervos espinhais emergem abaixo das vértebras correspondentes (Fig. 1.5). Cada nervo espinhal corresponde a um segmento da medula, e recebe a mesma denominação do segmento a que pertence (por exemplo, C4). Os axônios dos receptores periféricos penetram pela medula através das raízes dorsais e caminham pela porção posterior desta até atingirem os gânglios das raízes dorsais. A Figura 1.6 ilustra o caminho percorrido pelas informações sensitivas (A) e motoras (B) que entram e saem da medula.

TABELA 1.2. Origem, destino e função dos principais tratos da medula espinhal

TRATO	ORIGEM	PONTO DE DECUSSAÇÃO (CRUZAMENTO DAS FIBRAS)	DESTINO	INFORMAÇÃO TRANSMITIDA
DESCENDENTES				
Corticoespinal lateral	Córtex motor primário, pré-motor e área motora suplementar (áreas 4 e 6 de Brodmann) Córtex sensitivo (áreas 1, 2 e 3 de Brodmann)	Junção do bulbo e medula ("decussação das pirâmides")	Motoneurônios medulares (substância cinzenta) contralaterais	Controle dos movimentos voluntários de membros
Corticoespinal anterior	Córtex pré-motor e motor primário (áreas 4 e 6 de Brodmann) que controlam o tronco e pescoço	–	Motoneurônios medulares (substância cinzenta) ipsilateral	Controle dos movimentos axiais (pescoço, ombro e tronco)
Rubroespinal	Núcleo rubro (mesencéfalo)	Mesencéfalo	Motoneurônios medulares (substância cinzenta) contralaterais	Facilitação dos movimentos flexores e inibição dos movimentos extensores de MMSS
Reticuloespinal medial	Formação reticular (ponte)	–	Interneurônios e motoneurônios medulares (ipsilateral)	Facilitação dos movimentos posturais e extensores dos membros
Reticuloespinal lateral	Formação reticular (ponte)	–	Interneurônios e motoneurônios medulares (substância cinzenta) ipsilateral	Facilitação dos movimentos flexores e inibição dos extensores
Vestibuloespinal lateral	Núcleos vestibulares (ponte e bulbo)	–	Interneurônios e motoneurônios medulares (substância cinzenta) ipsilateral	Facilitação dos movimentos extensores e inibição dos flexores
Vestibuloespinal medial	Núcleos vestibulares (ponte e bulbo)			Coordena a atividade dos músculos do pescoço e região lombar, facilita os movimentos flexores e inibe os extensores

Continua

TABELA 1.2. Origem, destino e função dos principais tratos da medula espinhal (cont.)

TRATO	ORIGEM	PONTO DE DECUSSAÇÃO (CRUZAMENTO DAS FIBRAS)	DESTINO	INFORMAÇÃO TRANSMITIDA
Tectoespinal	*Tectum* do mesencéfalo (colículos)	Mesencéfalo	Interneurônios e motoneurônios medulares (substância cinzenta) ipsilateral	Sistema de controle postural
ASCENDENTES				
Fascículo grácil	Fibras sensitivas táteis e proprioceptivas provenientes dos segmentos sacral, lombar e torácico inferior	Lemnisco medial (bulbo)	Núcleo ventral lateral posterior do tálamo (contralateral))	Sensação tátil e proprioceptiva dos MMII e tronco
Fascículo cuneiforme	Fibras sensitivas táteis e proprioceptivas provenientes dos segmentos torácico superior e cervical	Lemnisco medial (bulbo)	Tálamo (contralateral)	Sensação tátil e proprioceptiva dos MMSS e tronco
Tratos espi-nocerebelares (anterior e posterior)	Fibras proprioceptivas provenientes dos MMII	–	Cerebelo (ipsilateral)	Propriocepção inconsciente dos músculos e articulações de MMII
Trato espinotalâmico lateral	Fibras sensitivas térmicas e dolorosas de todos os segmentos medulares (tronco e membros)	Medula (segmento medular de entrada)	Tálamo (contralateral)	Sensação térmica e dolorosa
Trato espinotalâmico anterior	Fibras sensitivas táteis de todos os segmentos medulares (tronco e membros)	Medula (segmento medular de entrada)	Tálamo (contralateral)	Tato protopático e pressão

Tronco encefálico

O tronco encefálico divide-se nas porções *bulbo*, *ponte* e *mesencéfalo*. No tronco encefálico, encontramos *tratos* e *núcleos*. Do tronco encefálico partem 10 dos 12 pares de nervos cranianos, relacionados com as funções oculomotoras, sensibilidade e motricidade da face, audição, equilíbrio, deglutição, fonação, mastigação, paladar, e funções autonômicas e viscerais (Fig. 1.7 e Tabela 1.3).

Os nervos cranianos apresentam uma divisão funcional, podendo ser classificados em *motores* e *sensitivos*, *somáticos* e *viscerais*. Dentro dessa divisão, ainda podem ser subdivididos em gerais e especiais. A Tabela 1.4 ilustra essa divisão funcional.

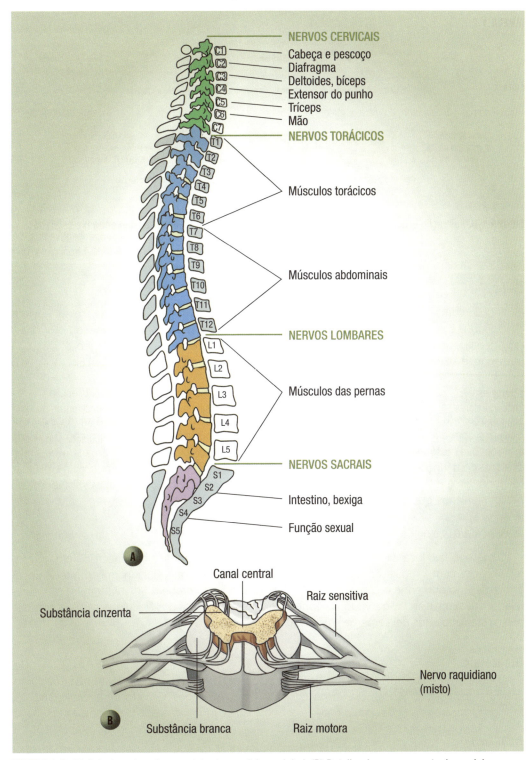

FIGURA 1.5. (A) Estrutura da coluna vertebral e medula espinhal; (B) Detalhe de um segmento da medula espinhal mostrando as raízes motoras e sensitivas.

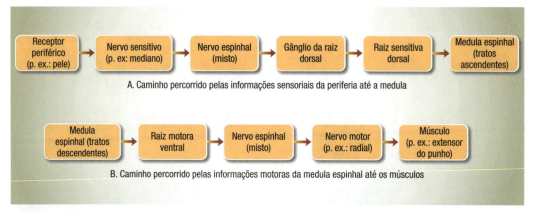

FIGURA 1.6. Ilustração esquemática do trajeto das informações motoras e sensitivas que entram e saem da medula.

Bulbo

O bulbo situa-se em posição intermediária entre a medula espinhal e a ponte. Possui núcleos relacionados com a regulação de funções vegetativas, como respiração, controle vasomotor (pressão arterial) e do ritmo cardíaco. No bulbo, situam-se os núcleos do IX (glossofaríngeo), X (vago), XI (acessório) e XII (hipoglosso) nervos cranianos, que dele emergem (Fig. 1.8 e Tabela 1.5).

Ponte

A ponte situa-se em posição intermediária entre o bulbo e o mesencéfalo. Possui núcleos relacionados com a regulação da motricidade ocular e facial, e núcleos que funcionam como relês de informações motoras e sensitivas entre o córtex cerebral e o cerebelo. Tem também estruturas relacionadas com funções como sono, respiração (centro apnêustico e centro pneumotáxico) e paladar. Na ponte situam-se os núcleos do V (trigêmeo), VI (abducente), VII (facial) e VIII (vestibulococlear) nervos cranianos, que dela emergem (Fig. 1.9).

Mesencéfalo

O mesencéfalo localiza-se em posição intermediária entre a ponte e o diencéfalo. Tem núcleos relacionados com a regulação da motricidade ocular, e núcleos que funcionam como relês de informações motoras entre o córtex cerebral, núcleos da base e cerebelo. Possui também estruturas relacionadas com a audição e visão. Na ponte, situam-se os núcleos do III (oculomotor) IV e (troclear) nervos cranianos, que dela emergem (Fig. 1.10 e Tabela 1.7)

Diencéfalo

O diencéfalo situa-se anteriormente ao mesencéfalo, e divide-se em hipotálamo, tálamo e epitálamo.

Hipotálamo

O hipotálamo é uma estrutura crítica para a regulação da homeostase do organismo, sendo a sede do controle de funções como fome, sede, manutenção da temperatura corporal, ritmo

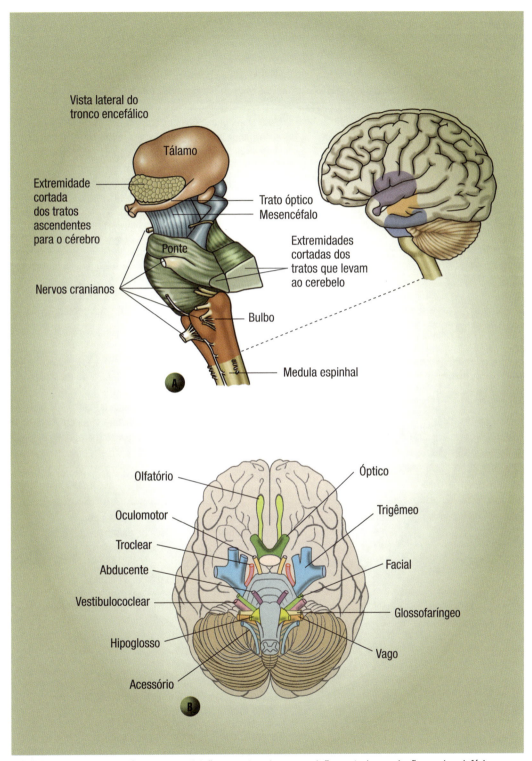

FIGURA 1.7. Tronco encefálico e suas divisões, mostrando sua posição central em relação aos hemisférios cerebrais (A), e a emergência dos nervos cranianos (B).

TABELA 1.3. Pares cranianos: origem e função

PAR	NOME	ORIGEM	FUNÇÃO
I	Olfatório	Membrana olfativa	Olfato
II	Óptico	Retina	Visão
III	Oculomotor	Mesencéfalo	Motora: inervação dos músculos oculares responsáveis pela adução e elevação dos olhos (reto medial, reto superior, reto inferior, oblíquo inferior), convergência dos olhos; elevação da pálpebra Autonômica: constrição pupilar; acomodação do cristalino
IV	Troclear	Mesencéfalo	Inervação do músculo responsável pelo abaixamento do olho quando aduzido (oblíquo superior)
V	Trigêmeo	Ponte	Motora: inervação dos músculos da mastigação, tensor do tímpano e tensor do véu palatino Sensitiva: inervação sensitiva da face e boca (cutânea e proprioceptiva); inervação sensitiva dos dentes
VI	Abducente	Ponte	Inervação do músculo reto lateral, responsável pela abdução do olho
VII	Facial	Ponte	Motora: inervação dos músculos da face e do músculo estapédio Sensitiva: inervação sensitiva cutânea do canal auditivo externo; paladar dos dois terços anteriores da língua Autonômica: glândulas salivares (exceto parótida) e glândulas lacrimais
VIII	Vestibulo-coclear	Bulbo	Audição e equilíbrio (sensação de movimento angular e aceleração linear)
IX	Glossofaríngeo	Bulbo	Motora: inervação do músculo estilofaríngeo Sensitiva: inervação sensitiva do palato posterior, fossa tonsilar e seio carotídeo; paladar do terço posterior da língua Autonômica: inervação da glândula parótida
X	Vago	Bulbo	Motora: inervação dos músculos da faringe e laringe Sensitiva: inervação sensitiva da faringe posterior; inervação sensitiva visceral da faringe, laringe, órgãos torácicos e abdominais; paladar da porção posterior da língua e cavidade oral Autonômica: inervação dos músculos lisos e glândulas dos sistemas cardiovascular, pulmonar e gastrointestinal
XI	Acessório	Bulbo	Inervação dos músculos esternocleidomastóideo e trapézio
XII	Hipoglosso	Bulbo	Inervação dos músculos da língua

TABELA 1.4. Divisão funcional dos pares cranianos do tronco encefálico

Nervo Sensitivo	Somático geral (tato, dor, temperatura, propriocepção)	Pele, músculos esqueléticos (cabeça e pescoço), mucosa da boca, dentes	V, VII, IX, X
	Somático especial (audição, equilíbrio)	Órgãos vestibulares, cóclea	VII
	Visceral geral (estímulos mecânicos, químicos)	Faringe, laringe, pescoço, vísceras	V, VII, IX, X
	Visceral especial (olfato, paladar)	Papilas gustativas, epitélio olfatório	I, VII, IX, X
Nervo Motor	Somático geral (músculos esqueléticos)	Músculos oculares (extrínsecos), língua	III, IV, VI, XII
	Visceral geral (controle autonômico)	Glândulas sudoríparas e salivares, vísceras	III, VII, IX, X
	Visceral especial (músculos esqueléticos)	Músculos faciais (expressão facial) mandíbula, faringe e laringe	V, VII, IX, X, XI

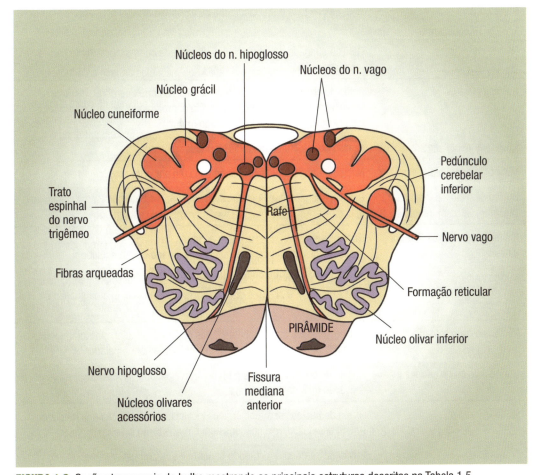

FIGURA 1.8. Seções tranversais do bulbo mostrando as principais estruturas descritas na Tabela 1.5.

TABELA 1.5. Principais estruturas do bulbo e suas funções

ESTRUTURA	FUNÇÃO
Trato corticoespinal (pirâmide)	Veicula informações do córtex motor aos motoneurônios da medula
Lemnisco medial	Veicula informações provenientes dos núcleos grácil e cuneiforme (após o cruzamento destas) para o tálamo
Fascículo longitudinal medial	Centro de comunicação entre os núcleos motores oculares D e E, permitindo a realização dos movimentos conjugados do olhar; recebe fibras dos núcleos vestibulares e conecta-se com o nervo acessório, sendo importante para a coordenação dos movimentos entre a cabeça e os olhos
Trato espinotalâmico	Veicula informações sobre temperatura, dor e tato epicrítico até o tálamo
Trato espinhal do trigêmeo	Veicula informações sensitivas provenientes do nervo trigêmeo para o núcleo do trato espinhal do trigêmeo
Pedúnculo cerebelar inferior	Feixe de fibras compostas por tratos que se dirigem ao cerebelo (olivo-cerebelar, espinocerebelar)
Núcleo grácil	Relê de chegada do fascículo grácil, de onde partem fibras para o lemnisco medial
Núcleo cuneiforme	Relê de chegada do fascículo cuneiforme, de onde partem fibras para o lemnisco medial
Núcleos olivares	Relês de chegada de fibras provenientes do córtex cerebral, medula espinhal e núcleo rubro do mesencéfalo, projetando-as para o cerebelo; está relacionado com o aprendizado motor
Núcleo do nervo vago	Núcleo de origem do nervo vago (X par craniano)
Núcleo do nervo hipoglosso	Núcleo de origem do nervo hipoglosso (XII par craniano)
Núcleo do trato espinhal do trigêmeo	Relê de chegada das fibras sensitivas do nervo trigêmeo (sensibilidade da cabeça)
Núcleos vestibulares (inferior e medial)	Núcleos sensitivos que recebem as fibras da porção vestibular do nervo vestibulococlear (VIII par craniano), relacionado com o equilíbrio
Núcleo ambíguo	Núcleo de origem das fibras motoras dos nervos glossofaríngeo, vago e acessório (IX, X e XI pares cranianos), relacionadas com a deglutição e fonação
Núcleo do trato solitário	Núcleo sensitivo que recebe as fibras dos nervos facial, glossofaríngeo e vago (VII, IX e X pares cranianos), relacionadas com o paladar
Núcleo salivatório inferior	Núcleo de origem de fibras para o nervo glossofaríngeo relacionadas com a salivação (glândula parótida)
Núcleos da rafe	Grupo de núcleos serotoninérgicos localizados em toda a linha média do tronco encefálico, relacionados com o mecanismo do sono
IV ventrículo	Cavidade ventricular contendo liquor que se continua com o aqueduto cerebral (acima) e canal central da medula

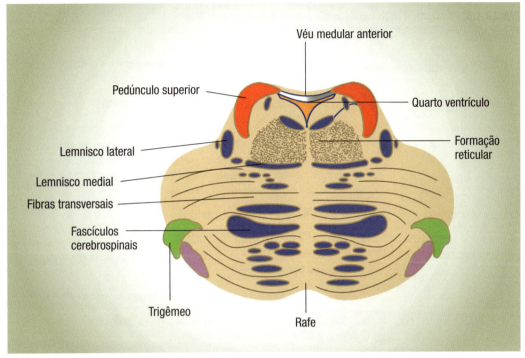

FIGURA 1.9. Seção transversal da ponte mostrando as principais estruturas descritas na Tabela 1.6.

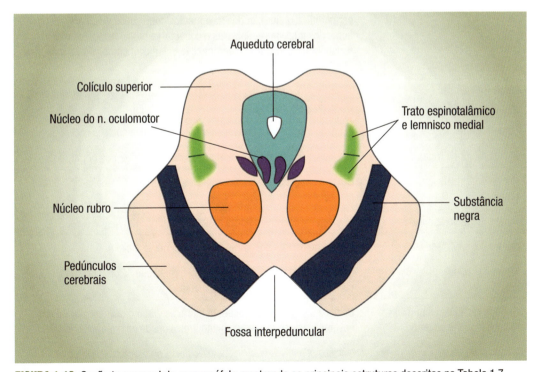

FIGURA 1.10. Seção transversal do mesencéfalo mostrando as principais estruturas descritas na Tabela 1.7.

TABELA 1.6. Principais estruturas da ponte e suas funções

ESTRUTURA	FUNÇÃO
Lemnisco medial	Veicula informações provenientes dos núcleos grácil e cuneiforme para o tálamo
Lemnisco lateral	Veicula informações auditivas provenientes dos núcleos cocleares para o colículo inferior do mesencéfalo
Formação reticular	Rede difusa de neurônios intercalados com fibras nervosas que se localiza na parte central do tronco encefálico, relacionada com o controle do sono e vigília, sensibilidade, motricidade, sistema nervoso autônomo, sistema neuroendócrino, centro respiratório e vasomotor
Pedúnculo cerebelar médio (braço da ponte)	Veicula informações provenientes dos núcleos pontinos (via fibras transversas) para o cerebelo
Pedúnculo cerebelar superior	Veicula informações provenientes do cerebelo para o núcleo rubro, tálamo e bulbo
Trato corticoespinal	Veicula informações do córtex motor aos motoneurônios da medula
Trato corticonuclear	Veicula informações do córtex motor aos núcleos dos nervos cranianos (V, VI e VII)
Trato corticopontino	Veicula informações de várias partes do córtex cerebral aos núcleos da ponte
Fascículo longitudinal medial	Centro de comunicação entre os núcleos motores oculares D e E, permitindo a realização dos movimentos conjugados do olhar; recebe fibras dos núcleos vestibulares e conecta-se com o nervo acessório, sendo importante para a coordenação dos movimentos entre a cabeça e os olhos
Fibras transversas	Veiculam informações provenientes dos núcleos pontinos para o cerebelo
Corpo trapezoide	Local de cruzamento das fibras provenientes dos núcleos cocleares
Núcleo motor do trigêmeo	Núcleo de origem das fibras motoras do nervo trigêmeo (V par)
Núcleo do trato espinhal do trigêmeo	Relê de chegada das fibras sensitivas do nervo trigêmeo (sensibilidade da cabeça)
Núcleo do nervo abducente	Núcleo de origem das fibras motoras do nervo abducente (VI par)
Núcleo do nervo facial	Núcleo de origem das fibras motoras do nervo facial (VII)
Núcleos pontinos	Relê de chegada das fibras corticopontinas, que se projeta para o cerebelo através das fibras transversas
Núcleos vestibulares medial, inferior, lateral e superior	Núcleos sensitivos que recebem as fibras da porção vestibular do nervo vestibulococlear (VIII par craniano), relacionado com o equilíbrio
Núcleos cocleares	Núcleos sensitivos que recebem as fibras da porção coclear do nervo vestibulococlear (VIII par craniano), relacionado com a audição

Continua

TABELA 1.6. Principais estruturas da ponte e suas funções (cont.)

ESTRUTURA	FUNÇÃO
Núcleo salivatório superior	Núcleo de origem das fibras eferentes para inervação das glândulas salivares submandibular e sublingual, que seguem pelo nervo facial
Núcleo lacrimal	Núcleo de origem das fibras eferentes para inervação da glândula lacrimal, que seguem pelo nervo facial
IV ventrículo	Cavidade ventricular contendo liquor que se continua com o aqueduto cerebral (acima) e canal central da medula

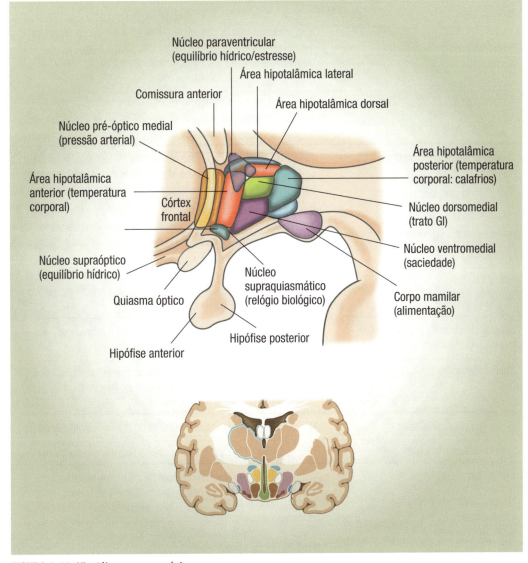

FIGURA 1.11. Hipotálamo e seus núcleos.

TABELA 1.7. Principais estruturas do mesencéfalo e suas funções

ESTRUTURA	FUNÇÃO
Trato espinotalâmico	Veicula informações sobre temperatura, dor e tato epicrítico até o tálamo
Lemnisco medial	Veicula informações provenientes dos núcleos grácil e cuneiforme (após o cruzamento destas) para o tálamo
Lemnisco lateral	Veicula informações auditivas provenientes dos núcleos cocleares para o colículo inferior do mesencéfalo
Pedúnculo cerebral	Formado pelas descendentes dos tratos corticoespinhal, corticonucleares e corticopontinos
Colículo superior	Relê de chegada das informações visuais provindas da retina e do córtex occipital, que envia fibras para o corpo geniculado medial no tálamo, para os núcleos dos nervos oculomotores e dá origem ao trato tectoespinhal; relaciona-se com as vias visuais e reflexos de movimentação dos olhos
Colículo inferior	Relê de chegada das informações auditivas provindas do lemnisco lateral, que envia fibras para o corpo geniculado lateral, no tálamo
Fascículo longitudinal medial	Centro de comunicação entre os núcleos motores oculares D e E, permitindo a realização dos movimentos conjugados do olhar; recebe fibras dos núcleos vestibulares e conecta-se com o nervo acessório, sendo importante para a coordenação dos movimentos entre a cabeça e os olhos
Formação reticular	Rede difusa de neurônios intercalados com fibras nervosas que se localiza na parte central do tronco encefálico, relacionada com o controle do sono e vigília, sensibilidade, motricidade, sistema nervoso autônomo, sistema neuroendócrino, centro respiratório e vasomotor
Substância cinzenta periaquedutal	Núcleo pertencente à formação reticular, relacionada com a regulação da dor
Substância negra	Núcleo que possui intensas conexões com o *striatum*, nos dois sentidos, através de fibras nigroestriatais e estriatonigrais; participa da regulação do movimento
Núcleo do nervo oculomotor	Núcleo de origem das fibras motoras do nervo oculomotor (III par)
Núcleo do nervo troclear	Núcleo de origem das fibras motoras do nervo troclear (IV par)
Núcleo rubro	Núcleo relacionado com o controle da motricidade somática, recebendo fibras do cerebelo e dando origem ao trato rubro-espinhal, que se conecta aos motoneurônios medulares
Aqueduto cerebral	Cavidade ventricular contendo liquor que se continua com o II ventrículo (acima) e IV ventrículo (abaixo)

cardíaco e pressão arterial, crescimento, ritmo circadiano (ciclo dia-noite) e reprodução. Muito dessa regulação se faz pela sua influência sobre a glândula hipófise, a qual secreta os principais hormônios que estimulam as demais glândulas do corpo. O hipotálamo está também relacionado com comportamentos que geram recompensa (prazer, satisfação), pois apresenta intensas conexões com a maior parte do SNC. O hipotálamo é composto por vários núcleos, com especificidades funcionais (Fig. 1.11).

Tálamo

O tálamo é uma estrutura oval, localizada acima do hipotálamo, e que funciona como estação de retransmissão dos impulsos sensoriais provindos da periferia, agindo como um "filtro" modulador das informações que são enviadas ao córtex cerebral, assim chegando à consciência do indivíduo. Participa da rede de integração da informação motora entre os núcleos da base e cerebelo, e como retransmissor as informações motoras para o córtex cerebral. Cada tálamo (D e E) é composto por vários núcleos agregados, e cada núcleo apresenta uma especificidade funcional e se projeta para uma região determinada do córtex cerebral, com a qual compartilha essa especificidade (Fig. 1.12).

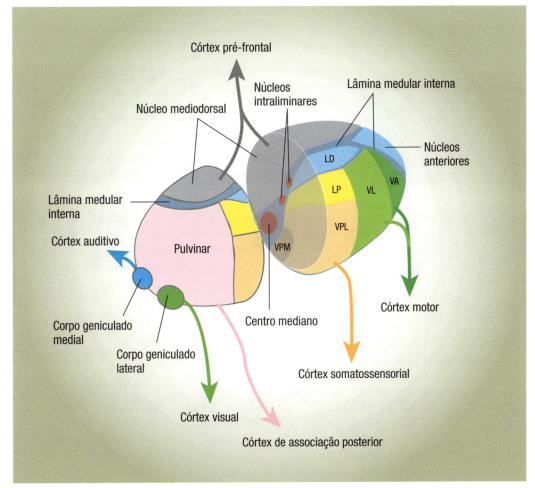

FIGURA 1.12. O tálamo e seus núcleos, com suas vias de projeção para o córtex cerebral.

Além disso, o tálamo está integrado às redes cognitivas, participando dos mecanismos de alerta (ativação) cortical, atenção e memória, bem como de linguagem.

O tálamo pode ser dividido em quatro grupos: a) anterior (formado pelos núcleos anteriores); b) medial (formado pelo núcleo dorsomedial); c) ventral (formado pelos núcleos ventral anterior, ventral lateral, ventral póstero-medial e ventral póstero-lateral); e d) posterior (formado pelos núcleos lateral posterior, pulvinar, corpo geniculado lateral e corpo geniculado lateral), separadas entre si pela *lâmina medular interna*. Além disso, compõem o tálamo o núcleo intralaminar (localizado na intimidade da lâmina interna medular) e o núcleo reticular, que se assemelha a uma concha envolvendo grande porção do tálamo, que exerce influências inibitórias para a maioria dos seus núcleos. A importância do tálamo reside na sua posição estratégica dentro das redes de processamento córtico-subcorticais, como as vias córtico-cerebelares-talâmicas-corticais e córtico-estriatais-talâmicas-corticais (Fig. 1.13).

Cerebelo

O cerebelo ("pequeno cérebro") localiza-se sobre a ponte, sendo uma das estruturas mais bem conhecidas do SN, em termos de sua constituição e de suas vias de entrada e saída. É dividido em *córtex cerebelar*, o qual apresenta diversos lobos, e *vérmis*, a região central (Fig. 1.14). O cerebelo liga-se ao tronco encefálico através de três feixes de fibras, conhecidas como *pedúnculos cerebelares*: superior, médio e inferior, por onde transitam suas fibras aferentes e eferentes (Tabela 1.8).

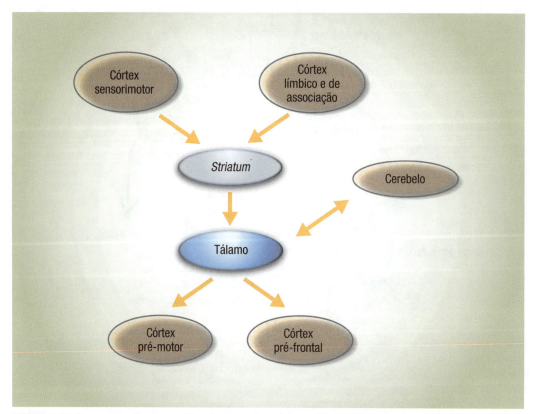

FIGURA 1.13. Representação esquemática das conexões córtico-estriato-talâmicas-cerebelares-corticais.

O cerebelo conecta-se ao tronco cerebral, do qual recebe informações sensorimotoras provindas da periferia, ao córtex sensorimotor, de onde recebe informações motoras, e ao sistema vestibular, de onde recebe informações sobre a postura e o equilíbrio corporais. Assim, desempenha as funções de regular a força, ritmo e acurácia (harmonia) dos atos motores, permitindo a coordenação entre os diversos movimentos voluntários realizados com os necessários ajustes automáticos da postura e equilíbrio (imagine-se correndo por um parque, tendo que virar rapidamente a cabeça para trás para verificar se seu cachorro está seguindo o seu trajeto, depois virando a cabeça novamente para frente para continuar correndo e fazer uma curva – o cerebelo coordena todos os

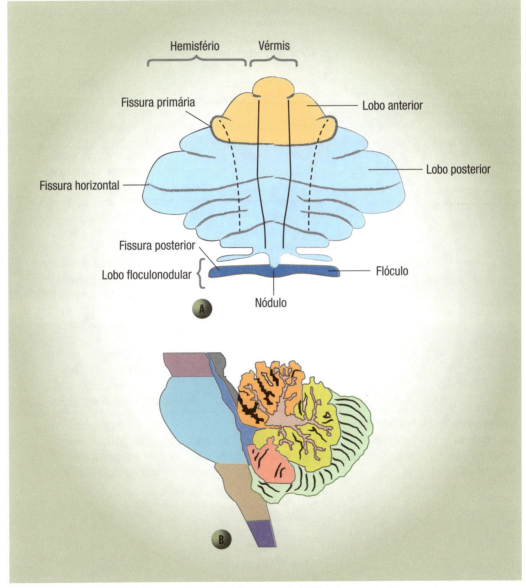

FIGURA 1.14. Representação da estrutura anatômica do cerebelo (A) e de sua relação com o tronco encefálico (B)

TABELA 1.8. Divisão funcional do cerebelo

DIVISÃO	REGIÃO ANATÔMICA	CONEXÕES	FUNÇÃO
Vestibulocerebelo (arquicerebelo, mais antigo filogeneticamente)	Lóbulo floculonodular, núcleo fastigial e região do vérmis adjacente	Aferentes: • Vestibulares: canais semicirculares e núcleos vestibulares • Visuais: colículos superiores e córtex visual (via núcleos pontinos) Eferentes: • Núcleos vestibulares medial e lateral • Fascículo longitudinal medial • Núcleos oculomotores (motricidade extrínseca	Regulação do equilíbrio e movimentos oculares
Espinocerebelo (Paleocerebelo)	Vérmis e parte intermediária dos hemisférios (paravermis), núcleo interpósito	Aferentes: • Proprioceptivas: colunas dorsais da medula (trato espinocerebelar) e nervo trigêmeo • Visuais • Auditivas Eferentes: • Núcleos cerebelares profundos e de volta ao córtex cerebral e tronco encefálico, modulando os sistemas motores descendentes • Núcleo rubro • Tálamo (núcleos ventral anterior e ventral lateral)	Regulação dos movimentos do corpo e membros Contém mapas sensoriais que recebem informações sobre a posição do tronco e membros: as fibras do vérmis recebem informações do tronco e da porção proximal dos membros; o paravermis recebe informações da porção distal dos membros, podendo realizar projeções das posições futuras de partes do corpo (a partir das informações que recebe do córtex motor) e compará-las com o movimento efetivamente realizado (a partir das informações proprioceptivas), a fim de efetuar correções
Cerebrocerebelo (Neocerebelo, o mais recente filogeneticamente)	Porções laterais dos hemisférios, núcleo denteado	Aferentes: • Córtex cerebral sensitivo e motor, via núcleos pontinos Eferentes: • Tálamo (porção ventrolateral), que se conecta com as áreas motora primária e pré-motora do córtex • Núcleo rubro • Oliva inferior	Planejamento do movimento Integração da informação sensorial para a ação Funções cognitivas

ajustes motores necessários para que essa atividade não resulte em um desastre!). De um modo mais genérico, podemos dizer que o cerebelo realiza um ajuste contínuo entre a atividade pretendida (estratégia) e a que é realizada de fato (comportamento frente ao ambiente), o que é possível pelo fato de receber informações centrais (provindas do córtex) e periféricas (provindas do tronco cerebral), o que lhe permite realizar uma comparação ininterrupta e em tempo real entre os comandos motores centrais e o que está sendo executado pelos músculos.

O cerebelo também desempenha um papel importante no aprendizado de novos programas motores, e na aprendizagem por condicionamento clássico.

Nas últimas décadas, o papel do cerebelo nas funções cognitivas e comportamentais vem sendo progressivamente mais bem compreendido. Sabe-se que lesões cerebelares podem provocar sintomas que se assemelham muito aos das lesões de lobo frontal, tais como déficits atencionais, redução da fluência verbal, lentidão e imprecisão de raciocínio, embotamento afetivo, comportamento desinibido, além de prejuízo no aprendizado implícito, devido à sua participação em sistemas córtico-estriato-talâmicos-cerebelares-frontais (Fig. 1.15). Assim, de modo análogo ao que ocorre com as funções motoras, o cerebelo teria a função de regular da velocidade, capacidade, consistência e propriedade das funções cognitivas, além de detectar e corrigir "erros do pensamento". Recentemente, o cerebelo tem sido implicado numa gama variada de distúrbios neuropsiquiátricos, que vão do autismo à esquizofrenia.

Divisão funcional do cerebelo: o cerebelo é dividido em três regiões funcionais, de acordo com a sua origem filogenética (evolutiva), e o papel desempenhado por cada área (que deriva das estruturas com a qual se conecta). Essa divisão é apresentada na Fig. 1.16 e Tabela 1.8.

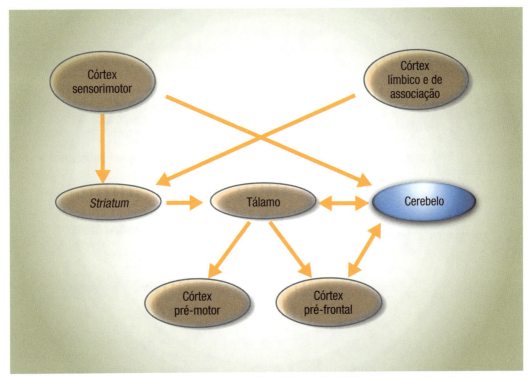

FIGURA 1.15. Representação esquemática das conexões córtico-estriato-talâmicas-cerebelares-frontais.

Cérebro

O *cérebro*, dividido em dois *hemisférios cerebrais*, é a porção do SN que compreende estruturas diversas e complexas, como o córtex cerebral, os núcleos da base, a amígdala, o hipocampo, e o bulbo olfatório. O córtex cerebral está relacionado com as funções sensoriais-perceptuais, motoras e cognitivas. Os núcleos da base participam da modulação da atividade motora, bem como da regulação de algumas funções cognitivas e comportamentais. O hipocampo está relacionado com o aprendizado e com a consolidação de memórias; a amígdala tem um papel central no comportamento social e na expressão de emoções; o bulbo olfatório relaciona-se com o olfato e com certos comportamentos emocionais ligados a esse sentido. As três últimas estruturas fazem parte do *sistema límbico*, um conjunto de estruturas relacionadas com a emoção, aprendizado e comportamento social.

Os dois hemisférios cerebrais (D e E) são conectados por feixes de substância branca denominados *comissuras*, que permitem o tráfego de informações entre os dois lados. A maior comissura do cérebro é o *corpo caloso*.

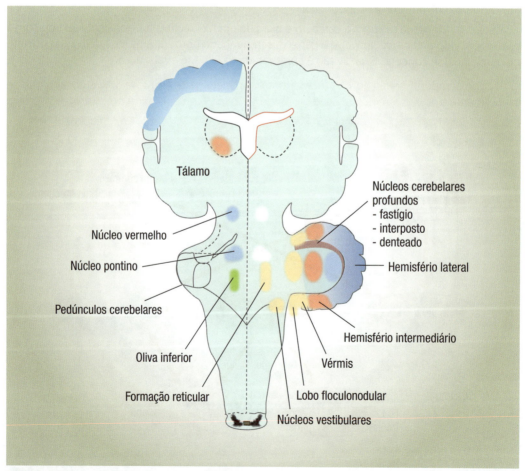

FIGURA 1.16. Estrutura do cerebelo, seus núcleos e conexões. Em amarelo: vestibulocerebelo; em vermelho: espinocerebelo; em azul: cerebrocerebelo.

Córtex cerebral

O córtex cerebral é a porção do cérebro que recebe as informações provindas de todas as outras regiões do SN, que chegam às *regiões sensitivas primárias*, que elaboram as experiências que denominamos *percepção* do ambiente, e onde são gerados os comportamentos de interação com esse ambiente. A resposta comportamental é implementada através do *córtex motor*, que gera os planos de toda a movimentação do indivíduo e comanda toda a atividade muscular; entre os dois sistemas (perceptual e motor) encontra-se um sistema intermediário que adequa as respostas do indivíduo às particularidades circunstanciais do momento, permitindo uma grande flexibilidade de respostas não encontradas em animais que não são dotados de SN (ou, ao menos, em forma tão complexa); esse sistema intermediário integrativo é composto pelas *funções cognitivas*, realizadas pelas várias regiões do *córtex de associação*.

O córtex cerebral é dividido nos lobos frontal, temporal, parietal, occipital e cíngulo. O lobo frontal é o maior, compreendendo cerca de um terço do volume cortical no ser humano. Os limites anatômicos principais que delimitam o lobo frontal são a *fissura de Sylvius (ou sylviana)*, que o separa do lobo temporal, e *o sulco central*, que o separa do lobo temporal. O lobo frontal apresenta três subdivisões funcionais: motora (incluindo a expressão da linguagem), paralímbica (relacionada com o processamento das emoções, sistema límbico e controle do comportamento afetivo e social) e cognitiva (incluindo uma gama de funções tão sofisticadas e complexas como *abstração, imaginação, raciocínio lógico*); o lobo frontal é a sede do que denominamos a *personalidade* do indivíduo. As funções paralímbica e cognitiva localizam-se em uma área mais anterior do córtex frontal, denominada *região pré-frontal* (Figs. 1.17 e 1.18).

O lobo temporal, separado dos lobos frontal e parietal pela *fissura de Sylvius* (localizando-se inferiormente a ela), é a região do cérebro onde se localiza o *córtex sensitivo auditivo* e o centro

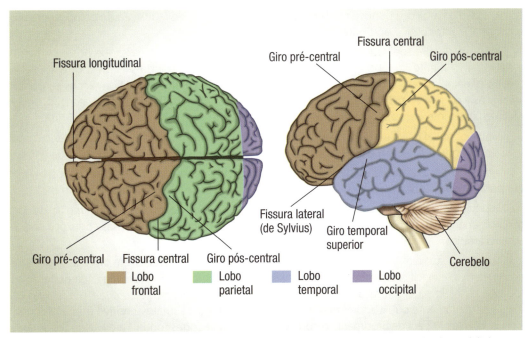

FIGURA 1.17. Vista superior e lateral do cérebro, mostrando os lobos frontal, temporal, parietal e occipital, e sua relação com o tronco cerebral e cerebelo.

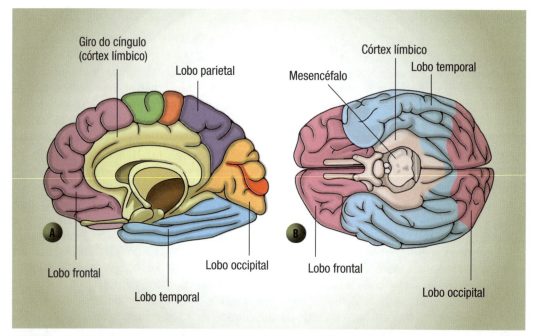

FIGURA 1.18. (A) Vista medial do cérebro, onde se visualiza o giro do cíngulo e o corpo caloso; (B) Vista inferior do cérebro, mostrando a localização do bulbo olfatório, parte do córtex límbico e tronco encefálico em relação aos lobos cerebrais.

receptivo da linguagem (área de Wernicke). O lobo temporal possui intensas conexões recíprocas com o sistema límbico, e por isso também participa das funções de regulação do comportamento emocional e autonômico, aprendizado e memória.

O lobo parietal é separado do lobo frontal pelo sulco central (localizando-se posteriormente a ela), e parcialmente do lobo temporal pela fissura sylviana (localizando-se superiormente a ela). O lobo parietal contém o *córtex sensitivo primário*, para onde confluem as informações sensoriais somáticas e da periferia. O lobo parietal está também envolvido em funções como atenção, orientação espacial, integração sensorial e solução de problemas.

O lobo occipital relaciona-se fundamentalmente com a função visual, e nele se localiza o *córtex visual*, para onde convergem e são elaboradas todas as informações visuais provenientes da retina.

A ínsula localiza-se profundamente ao sulco de Sylvius, sendo recoberta pelos lobos frontal, temporal e parietal. Está relacionada ao controle de funções autonômicas e ao sistema límbico.

Na porção medial (interna) do córtex cerebral, encontra-se o *giro do cíngulo*, uma região de córtex relacionada aos aspectos motivacionais e emocionais, apresentando intensas conexões com o sistema límbico.

O neurologista alemão Korbinian Brodmann subdividiu o córtex cerebral em diversas regiões de acordo com as especificidades histológicas de seus neurônios, criando uma mapa citoarquitetônico (ou seja, baseado na organização celular) com as denominadas *áreas de Brodmann*, numeradas de 1 a 52, primeiramente publicado em 1909[1]. Nesse mapa, o córtex somatossensitivo primário corresponde às áreas 1, 2 e 3 de Brodmann, o córtex visual primário corresponde à área 17 de Brodmann, e o córtex auditivo primário às áreas 41 e 42. Algumas áreas foram posteriormente subdivididas (por exemplo, área 23a e 23b) (Fig. 1.19).

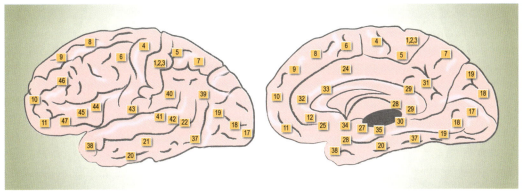

FIGURA 1.19. Superfícies lateral e medial do córtex cerebral mostrando o mapa citoarquitetônico de Brodmann.

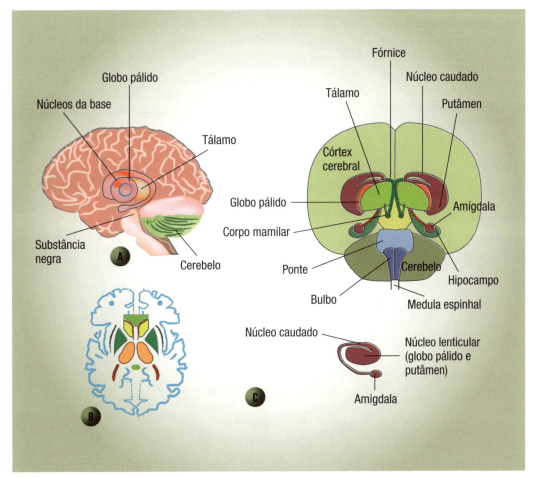

FIGURA 1.20. Visão lateral (A), axial (B) e coronal (C) do cérebro mostrando a localização dos núcleos da base em relação ao córtex, cerebelo, ponte e algumas estruturas do sistema límbico (amígdala e corpos mamilares). Em verde-claro: corpo caloso; em vermelho, cornos anteriores e posteriores dos ventrículos laterais; em amarelo: cabeça do núcleo caudado; em verde-escuro: núcleo lentiforme (putâmen e globo pálido); em laranja: tálamo.

Núcleos da base

Denomina-se *núcleos da base* a um conjunto de estruturas compostas por agrupamentos de neurônios (núcleos) localizadas na base do cérebro. Os principais são o *striatum* (ou *corpo estriado*), globo pálido, a substância negra (esta, excepcionalmente, localizada no mesencéfalo) e o núcleo subtalâmico de Luys. As conexões entre os núcleos da base são extremamente complexas, escapando aos objetivos deste livro explorar todos os seus detalhes; exporemos de modo breve e simplificado as principais conexões entre essas estruturas, que apresentam interesse mais direto por sua implicação na fisiopatologia de algumas doenças comuns em Neurologia.

O *striatum*, por sua vez, é constituído pelo *núcleo caudado*, *putâmen* e *núcleo accumbens*. Esses núcleos compartilham sua origem filogenética, estrutura e função, daí serem agrupados como uma estrutura única. O núcleo caudado apresenta as porções cabeça, corpo e cauda (Fig. 1.20), e é separado do putâmen pela *cápsula interna* (conjunto de fibras motoras provenientes do córtex). O *striatum* recebe aferências maciças do córtex cerebral, sendo a principal via de entrada de informações que se destinam ao circuito dos núcleos da base. Seus neurônios projetam-se para o globo pálido e substância negra, os quais constituem a principal via de saída de informações processadas nos núcleos da base. O globo pálido localiza-se medialmente ao putâmen, e as duas estruturas em conjunto são muitas vezes designadas *núcleo lentiforme*, em função da contiguidade anatômica. Divide-se em uma porção *externa* e uma porção *interna*, cada uma com particularidades funcionais.

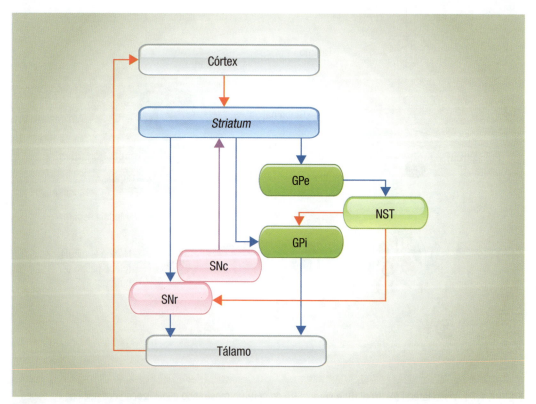

FIGURA 1.21. Conexões entre as diversas estruturas dos núcleos da base e destas com o córtex e o tálamo. GPe: globo pálido externo; NST: núcleo subtalâmico; GPi: globo pálido interno; SNc: substância negra *pars compacta*; SNr: substância negra *pars reticulata*.

A substância negra também possui duas porções distintas funcionalmente, a *pars compacta* (SNc) e a *pars reticulata* (SNr).

Os núcleos da base funcionam como elementos de ligação entre o córtex cerebral e o tálamo, formando uma rede de circuitos paralelos entre estes, o que permite que as informações provenientes do córtex cerebral sofram modulação, antes de serem direcionados ao tálamo (e de volta ao córtex) ou prosseguirem para estruturas hierarquicamente inferiores no tronco encefálico (Fig. 1.21). Essa modulação é possível devido ao fato de as diversas estruturas dos núcleos da base exercerem influências excitatórias ou inibitórias sobre as estruturas adjacentes, de acordo com o neurotransmissor que é usado em suas vias de projeção.

Os circuitos que envolvem o córtex cerebral – núcleos da base – tálamo – córtex cerebral são separados anatômica e funcionalmente: diferentes áreas do córtex cerebral projetam-se para diferentes estruturas dos núcleos da base, que por sua vez projetam-se sobre núcleos talâmicos específicos; estes, finalmente, projetam-se de volta para o córtex frontal, porém em áreas distintas. Atualmente, são bem descritos cinco circuitos, que são frequentemente designados pelo nome simplificado de *circuitos fronto-estriatais*. Esses circuitos relacionam-se a funções motoras, cognitivas e comportamentais. A Figura 1.22 ilustra de forma simplificada os circuitos motor e cognitivo.

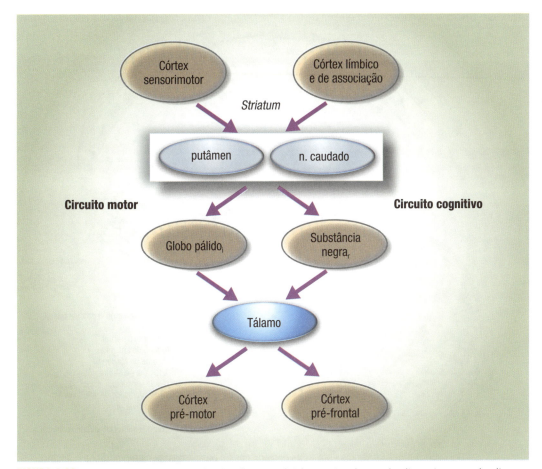

FIGURA 1.22. Representação geral dos circuitos frontoestriatais, mostrando um circuito motor e um circuito cognitivo.

Inúmeras doenças neurológicas estão relacionadas com disfunções dos núcleos da base. Dentre elas, podemos citar a doença de Parkinson (perda de neurônios da substância negra, com diminuição da liberação de dopamina nas vias nigroestriatais), a doença de Huntington (em que ocorre atrofia do núcleo caudado), a síndrome de Tourette e o transtorno obsessivo-compulsivo.

Sistema liquórico

O *liquor, líquido cefaloraquidiano*, ou *líquido cérebro-espinhal* é um fluido incolor que se localiza no espaço subaracnoide e dentro das cavidades ventriculares, cuja função principal é a proteção mecânica do SN, funcionando como um coxim entre este e o arcabouço ósseo e amortecendo impactos ou mudanças súbitas de pressão que ocorram no sistema (Fig. 1.23).

O liquor é produzido pelos *plexos coroides* (localizados nos ventrículos laterais, III e IV ventrículos) e pelo *epêndima* (parede interior dos ventrículos), sendo a maior parte produzida pelos ventrículos laterais. O sistema liquórico tem cerca de 100 a 150 mL, e é totalmente renovado a cada oito horas

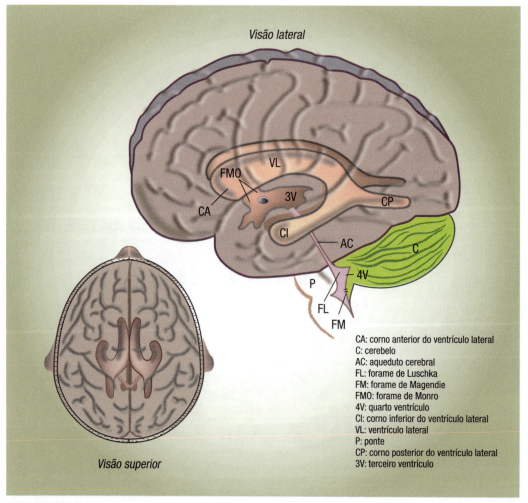

FIGURA 1.23. Sistema ventricular.

aproximadamente. O liquor circula dos ventrículos laterais para o III ventrículo, e, deste, via aqueduto cerebral, para o IV ventrículo. O IV ventrículo possui aberturas, através das quais o liquor passa para o espaço subaracnoide, e é reabsorvido ao sangue através das *granulações aracnoides* da dura-máter. Como o principal ponto de reabsorção localiza-se no *seio sagital superior*, o fluxo do liquor se faz de baixo para cima. O liquor também circula em direção à medula, descendo por seu espaço subaracnoide em direção caudal, sendo grande parte reabsorvida pelas granulações aracnoides da dura-máter que envolve as raízes nervosas espinhais (Fig. 1.24).

A análise da composição do liquor, obtido através de punção com agulha nas regiões ventriculares, suboccipital ou lombar, pode fornecer informações importantes sobre processos patológicos ocorrendo no SN, como a existência de infecções, inflamações, sangramentos, e até mesmo processos neoplásicos.

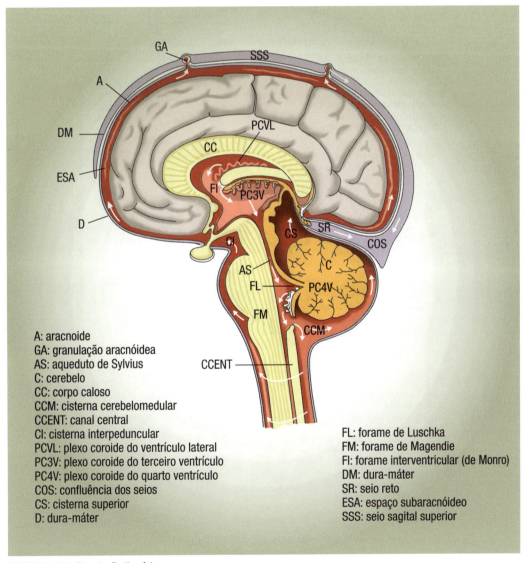

FIGURA 1.24. Circulação liquórica.

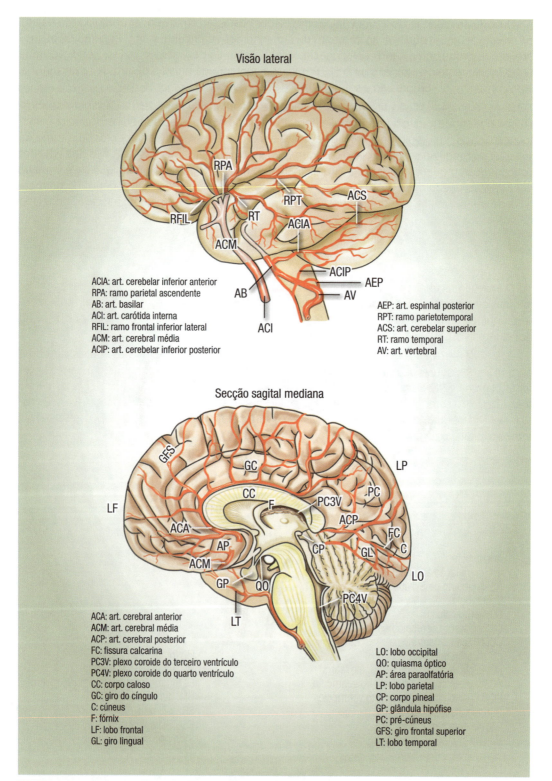

FIGURA 1.25. Principais artérias do cérebro e suas áreas de irrigação.

Quando a circulação do liquor é interrompida por obstrução em qualquer ponto do seu trajeto, ocorre um acúmulo que leva ao aumento de tamanho dos ventrículos acima do ponto de obstrução, o que produz uma condição conhecida clinicamente como *hidrocefalia*. Essa condição pode ser extremamente prejudicial para o SN, por levar a aumento da pressão dentro da caixa craniana, com consequente compressão e sofrimento do tecido cerebral.

Barreiras encefálicas: são sistemas funcionais que dificultam ou impedem a passagem de substâncias do sangue para o liquor (barreira hematoliquórica) e para o tecido nervoso (barreira hematoencefálica), a fim de proteger o SN de agentes agressores, toxinas, medicamentos ou mesmo de substâncias produzidas pelo próprio organismo (bilirrubina, neurotransmissores), mas que em altas concentrações poderiam prejudicar o funcionamento do SN. A barreira hematoliquórica é formada pelo epitélio ependimário dos plexos coroides, e a barreira hematoencefálica deriva da permeabilidade seletiva entre o endotélio dos vasos capilares do SNC e o espaço extracelular do tecido nervoso.

Vascularização do sistema nervoso

O encéfalo recebe sua irrigação a partir das artérias carótidas e vertebrais. Das artérias carótidas internas emergem as artérias cerebral anterior (ACA) e cerebral média, responsáveis pelo suprimento sanguíneo da porção medial dos lobos frontal e parietal (ACA) e da porção lateral dos hemisférios cerebrais (ACM).

As artérias vertebrais, por sua vez, unem-se para formar a artéria basilar. Das artérias vertebrais partem ramos que irrigam a medula (artérias espinhais anterior e posterior), bulbo e parte do cerebelo (artéria cerebelar póstero-inferior). Da artéria basilar partem ramos que irrigam a ponte e a maior parte do cerebelo (artérias cerebelar ântero-inferior e artéria cerebelar superior). A artéria basilar se divide, então, para formar as artérias cerebrais posteriores (ACP) que irrigam o mesencéfalo, lobo occipital e uma porção do lobo temporal (Figs. 1.25 e 1.26).

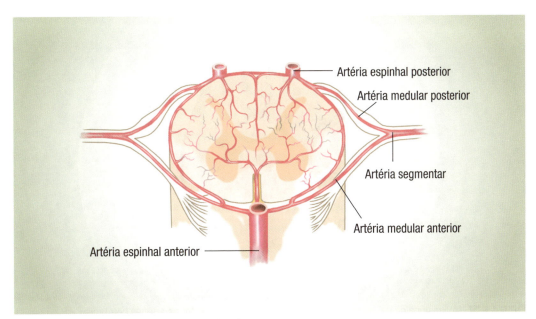

FIGURA 1.26. Vascularização da medula espinhal.

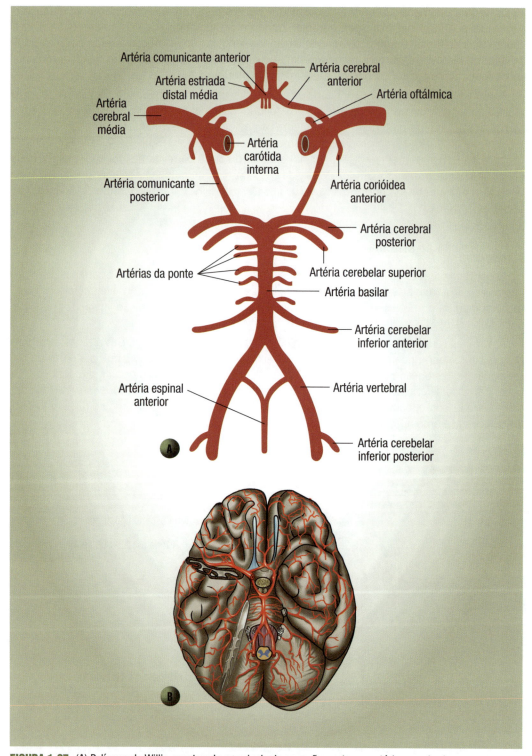

FIGURA 1.27. (A) Polígono de Willis, mostrando as principais conexões entre as artérias cerebrais; (B) Localização do polígono na porção anterior do encéfalo.

Existe um sistema de comunicação (anastomose) entre os sistemas carotídeo e vertebral, denominado polígono de Willis, que garante suprimento sanguíneo por vias colaterais caso haja insuficiência de fluxo em um determinado território (em casos de obstrução arterial, por exemplo). O polígono de Willis é formado pelas artérias cerebrais anteriores (unidas entre si pela artéria comunicante anterior), carótidas internas e cerebrais posteriores, ligadas pelas artérias comunicantes posteriores (Fig. 1.27)

CONSIDERAÇÕES FINAIS

O SN é um sistema complexo, moldado por milhões de anos de evolução das espécies, com a finalidade de otimizar a relação dos organismos com seu meio ambiente. Cada um de seus subsistemas tem uma função bem determinada, funcionando em um ritmo harmônico. A disfunção desses subsistemas dará origem aos sinais e sintomas que constituem as doenças neurológicas, cujos principais grupos serão discutidos ao longo deste livro.

Bibliografia

Kandel ER, Schwartz JH, Jessell (eds). Principles of Neural Science, 4th ed. New York: McGraw-Hill 2000; p. 982-97.
Lundy-Ekman L. Neurociências – Fundamentos para a Reabilitação. 2ª ed. Rio de Janeiro: Elsevier, 2004.
Machado A. Neuroanatomia funcional. 2ª ed. São Paulo: Atheneu, 2007.
Nitrini R, Bacheschi LA. A Neurologia que Todo Médico Deve Saber. 2ª ed. São Paulo: Atheneu, 2003.
Ropper AH, Samuels MA. Adams and Victor's Principles of Neurology. 9th ed. New York: McGraw-Hill, 2009.

Referências bibliográficas

1. Brodmann K. Vergleichende Lokalisationslehre der Grosshirnrinde in ihren Prinzipien dargestellt auf Grund des Zellenbaues, Leipzig: J. A. Barth; 1909. Traduzido para o inglês por Laurence Garey com o nome Localization in the Cerebral Cortex. London: Smith-Gordon, 1994.

Anatomia e Fisiologia Microscópica do Sistema Nervoso

2

Márcia Radanovic

ANATOMIA MICROSCÓPICA DO SISTEMA NERVOSO

O sistema nervoso (SN) é composto de células altamente diferenciadas, que exercem diferentes funções. No sistema nervoso central (SNC), encontramos os neurônios, as células gliais, as células da meninge, do plexo coroide.

De acordo com a *doutrina neuronal*, inicialmente enunciada pelo anatomista espanhol Ramón y Cajal no final do século XIX, o neurônio é a unidade básica do sistema nervoso, do ponto de vista estrutural e funcional.[1] Neurônios são células altamente especializadas, altamente excitáveis, que exercem uma função de processamento e transmissão de informação. Essa célula apresenta como principais particularidades o estabelecimento de *sinapses* e a produção de *neurotransmissores* (substâncias químicas que transmitem informação de um neurônio a outro através das sinapses). O número de neurônios no SNC é estimado em 86 a 100 bilhões,[2,3] e o número de sinapses em um indivíduo adulto é estimado entre 100 e 500 trilhões.[4]

Os neurônios apresentam subespecializações: neurônios *sensitivos* respondem a estímulos químicos e físicos, como luz, pressão sobre a pele, ondas sonoras, moléculas que produzem odores etc., e sinalizam para o SNC a ocorrência de eventos externos ao organismo (interação com o ambiente) e a situação interna do organismo (regulação da homeostase corporal). Os neurônios sensitivos estão presentes nos órgãos sensoriais. Os *motoneurônios* ou neurônios *motores* transmitem informações de uma central de comando (com origem no SNC) para músculos e glândulas, a fim de gerar movimento em resposta a um estímulo, ou o ajuste do metabolismo corporal. *Interneurônios* comunicam os neurônios de uma determinada região do cérebro ou da medula espinhal entre si, com a finalidade de modular a atividade local. Assim, temos que os neurônios processam e veiculam informação entre si (neurônio – neurônio), entre órgãos sensoriais e o SNC e entre o SNC e os órgãos efetores (músculos e glândulas).

Neurônios podem variar em tamanho, dependendo de sua localização e função, bem como em sua conformação estrutural. O neurônio é composto pelo *corpo celular*, e um prolongamento denominado *axônio*. O corpo celular do neurônio contém seu núcleo e todas as organelas celulares necessárias para o seu funcionamento. O corpo celular do neurônio também apresenta diversos prolongamentos denominados *dendritos* (que podem variar de um a centenas, e até mil num mesmo neurônio), os quais constituem o ponto de contato com os neurônios vizinhos. Os dendritos possuem diversas ramificações, daí a denominação *árvore dendrítica* para o conjunto de dendritos de um determinado neurônio.

Cada neurônio possui um prolongamento maior, denominado axônio, que se ramifica em sua porção terminal e se conecta aos neurônios vizinhos através dos *botões sinápticos terminais* (*sinapse*). Assim, a comunicação entre dois neurônios, denominada *sinapse*, se estabelece entre o axônio de um neurônio e o dendrito do neurônio adjacente. A existência de vários dendritos no corpo celular e a ramificação do axônio em diversos botões terminais permite que um determinado neurônio se comunique com um grande número de neurônios da sua vizinhança e também a distância. O número de conexões de um neurônio pode então variar de uma ou duas a dezenas de milhares, o que explica a complexidade do funcionamento do sistema nervoso.

Considerando-se uma determinada sinapse, denomina-se neurônio *pré-sináptico* ao neurônio que se situa antes dela, e neurônio *pós-sináptico* ao que se situa depois. Essa nomenclatura é obviamente relativa, pois considerando que os neurônios formam uma intrincada rede, o mesmo neurônio será pré-sináptico em relação a uma sinapse, mas pós-sináptico em relação à sinapse imediatamente anterior na via considerada. Na maior parte dos casos as sinapses são *axodendríticas*, como descrito antes; no entanto, algumas vezes, um axônio faz sinapse no próprio corpo celular do neurônio adjacente (*sinapse axosomática*) (Figs. 2.1 e 2.2).

Do ponto de vista estrutural, os neurônios podem ser unipolares, bipolares ou multipolares. Neurônios unipolares (ou pseudounipolares) possuem dendrito e axônio emergindo da mesma localização; neurônios bipolares têm um dendrito e um axônio que emergem de regiões opostas do corpo celular; neurônios multipolares possuem mais de dois dendritos. A Tabela 2.1 ilustra os tipos principais de neurônios encontrados no sistema nervoso.

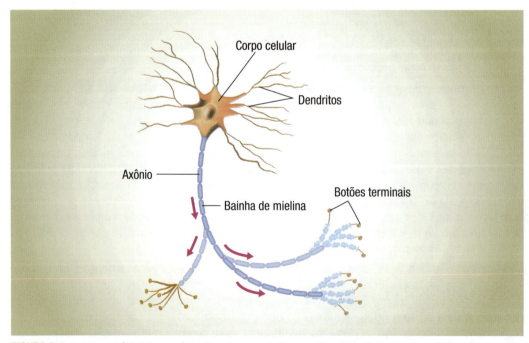

FIGURA 2.1. Estrutura básica do neurônio. As setas rosa indicam a direção do fluxo axoplasmático.

Capítulo 2 Anatomia e Fisiologia Microscópica do Sistema Nervoso

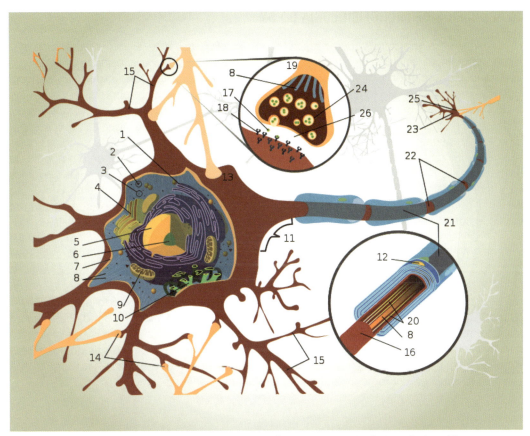

FIGURA 2.2. Visão detalhada da ultraestrutura de um neurônio. Legenda: 1. Retículo endoplasmático rugoso (corpo de Nissl); 2. Poliribossomos; 3. Ribossomos; 4. Aparelho de Golgi; 5. Núcleo; 6. Nucléolo; 7. Membrana; 8. Microtúbulos; 9. Mitocôndria; 10. Retículo endoplasmático liso; 11. Hilo do axônio; 12. Núcleo da célula de Schwann; 13. Sinapse axosomática; 14. Sinapse axodendrítica; 15. Dendritos; 16. Axônio; 17. Neurotransmissores; 18. Receptores; 19. Sinapse; 20. Microfilamentos; 21. Bainha de mielina; 22. Nódulos de Ranvier; 23. Axônio terminal; 24. Vesículas sinápticas; 25. Sinapse axoaxônica; 26. Fenda sináptica.

TABELA 2.1. Principais tipos de neurônios

TIPO DE NEURÔNIO	CARACTERÍSTICAS PRINCIPAIS	LOCAL DE OCORRÊNCIA
Células piramidais	Corpo celular triangular, com axônios longos	Córtex cerebral
Células em cesto	Axônios dilatados	Cerebelo
Células de Purkinje	Grandes, multipolares	Cerebelo
Neurônios granulares	Multipolares, com um axônio	Cerebelo
Células de Betz	Grandes motoneurônios	Córtex motor primário
Neurônios do corno anterior	Motoneurônios	Medula espinhal
Células de Renshaw	Ambas as terminações ligadas a motoneurônios alfa	Medula espinhal

PRINCÍPIOS DE MICROFISIOLOGIA DO SN

Os axônios são revestidos por uma capa composta de 80% de lipídeos (gordura) e 20% de proteínas, denominada *bainha de mielina*, cuja função principal é aumentar a velocidade de condução do estímulo, o que é fundamental para que o SNC possa exercer sua função de permitir nossa interação com o mundo em tempo real. A bainha de mielina não é contínua por toda a extensão do axônio, havendo regiões em que está ausente; essas regiões são denominadas *nódulos de Ranvier*, onde existe uma grande concentração de canais iônicos necessários para a geração do potencial de ação. Nos neurônios mielinizados, a propagação dos impulsos se faz através das regiões onde não há bainha de mielina (que funciona como um isolante elétrico), "saltando" de um nódulo de Ranvier até o seguinte, o que aumenta muito a velocidade de condução dos estímulos. Devemos considerar que alguns feixes de axônios podem ter mais de 1 metro de comprimento, como, por exemplo, os que saem da medula espinhal com destino aos músculos dos dedos dos pés em um indivíduo adulto. Nesse caso, a velocidade de condução é fundamental para que não haja uma latência muito grande entre a ordem que é enviada a partir do córtex motor até sua efetuação pelos músculos. A bainha de mielina é produzida pelas células de Schwann, no SNP, e pelos oligodendrócitos, no SNC (Fig. 2.3). Tratos altamente mielinizados incluem as grandes vias motoras e sensitivas. Os tratos que veiculam a dor, por outro lado, são *amielínicos*, e, portanto, sua velocidade de condução de estímulos é bastante inferior; isso explica o fenômeno vivenciado por todo indivíduo, de ter retirado rapidamente a mão de uma superfície muito quente, vindo a sentir a dor da queimadura apenas um ou dois segundos depois. A coloração branca da mielina é a responsável pelo aspecto da substância branca do sistema nervoso e dos nervos periféricos. Várias doenças neurológicas têm sua origem em disfunções da bainha de mielina. Entre elas, podemos destacar as leucodistrofias, a esclerose múltipla e a síndrome de Guillain-Barré (polirradiculoneurite aguda).

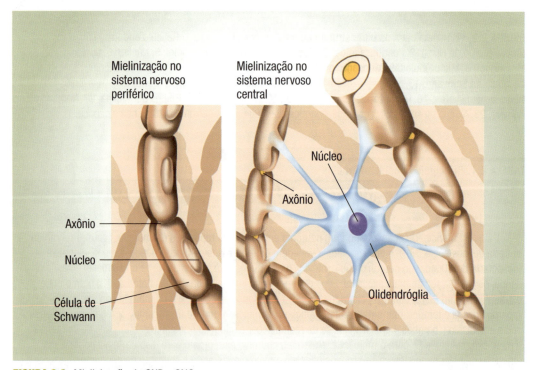

FIGURA 2.3. Mielinização do SNP e SNC.

A propagação dos impulsos nervosos na complexa rede neuronal se dá através de um mecanismo *eletroquímico*, denominado *transmissão sináptica*. Quando um neurônio libera um determinado neurotransmissor na fenda sináptica, esse neurotransmissor se liga a *receptores* específicos localizados nos neurônios pós-sinápticos, provocando um efeito nesses neurônios. Se esse efeito for excitatório, o neurônio pós-sináptico sofrerá uma modificação na disposição das cargas elétricas ao longo de sua membrana celular, e essa modificação gerará uma inversão da diferença de potencial (voltagem) elétrico da membrana (denominada *despolarização*), e o neurônio disparará um *potencial de ação*, que se propagará ao longo de todo o axônio, até o neurônio seguinte, onde o fenômeno se repetirá (Fig. 2.4). Se, por outro lado, o efeito do neurônio que liberou o neurotransmissor for *inibitório*, o neurônio pós-sináptico sofrerá uma modificação elétrica em sua membrana que o tornará menos propenso a disparar um potencial de ação (*hiperpolarização*). Em outras palavras, estímulos excitatórios aumentam a taxa de disparo dos neurônios, e estímulos inibitórios a diminuem. Existem ainda neurônios *moduladores*, que causam efeitos de longa duração em seus neurônios-alvo, não participando diretamente do mecanismo de disparo de um potencial de ação.

Uma vez atingida a porção terminal do neurônio, o potencial de ação provoca a abertura de canais de cálcio (Ca^{++}), permitindo que esse íon penetre no interior da célula, propiciando a ligação das vesículas que contêm os neurotransmissores com a membrana sináptica, e liberando seu conteúdo na fenda sináptica. Os neurotransmissores ligam-se aos seus receptores específicos graças

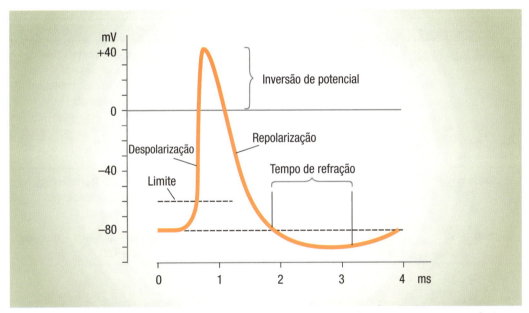

FIGURA 2.4. Potencial de ação: quando um neurônio em estado de repouso é estimulado, ocorre uma rápida entrada de íons sódio (Na^+), o que modifica a voltagem da membrana celular, tornando-a menos negativa (despolarizada). O local do neurônio que contém o maior número de canais de Na^+ é o *hilo* (base) do axônio, sendo, por isso, a região mais excitável. Logo em seguida, ocorre a saída de íons potássio (K^+) para o meio extracelular, a fim de restaurar a polaridade negativa no interior da célula, e a membrana se torna então *hiperpolarizada* e temporariamente refratária a novos estímulos. A partir daí, proteínas carregadoras de íons sódio e potássio ("bombas") encarregam-se de restabelecer a situação original (Na^+ é enviado de volta para o meio extracelular, e K^+ para o meio intracelular) e o neurônio está pronto para disparar novamente. Essa alteração de polaridade elétrica se propaga por todo o neurônio, gerando a liberação de neurotransmissores e estimulação (ou inibição) do neurônio seguinte.

à conformação espacial de suas moléculas, ou seja, para cada neurotransmissor haverá receptores que exibem formatos que permitem que o neurotransmissor se encaixe neles, como uma chave em uma fechadura. O fator que determina se um determinado estímulo será excitatório ou inibitório é o tipo de receptor a que o neurotransmissor se liga, ou seja, os receptores são excitatórios ou inibitórios. No entanto, muitos neurotransmissores apresentam uma ação consistente ao longo de todas as vias de que participam: por exemplo, o neurotransmissor GABA (ácido gama-aminobutírico) é sempre inibitório, e o glutamato exerce efeito excitatório. O conhecimento dos tipos de neurotransmissores, seu mecanismo de ação, o modo como são sintetizados, liberados e metabolizados é a base da neuropsicofarmacologia, pois através de substâncias químicas administradas na forma de remédios, podemos atuar nesses sistemas e modificar (em certa medida) seu funcionamento. A Tabela 2.2 mostra alguns dos principais neurotransmissores do SNC e sua ação.

Ao serem liberados na fenda sináptica, os neurotransmissores exercem sua ação ao se ligarem com os receptores do neurônio pós-sinápticos. Para que a ação tenha uma duração limitada, é necessário que, após sua liberação, os neurotransmissores sejam removidos da fenda; isso pode acontecer pelo mecanismo de *recaptação* (os neurotransmissores retornam para o interior do neurônio que os liberou) ou *degradação* (são inativados por enzimas presentes na fenda sináptica) (Fig. 2.5 e Tabela 2.3).

TABELA 2.2. Principais neurotransmissores e seus locais de origem e ação

NEUROTRANSMISSOR	LOCAIS DE AÇÃO
Acetilcolina	Ação excitatória; atua na formação reticular e em algumas estruturas do sistema límbico; envolvida nos mecanismos de alerta e atenção, aprendizado e memória de curto prazo; no SNP, é o neurotransmissor liberado na *junção neuromuscular*, ou seja, na sinapse entre as fibras do nervo periférico e o seu músculo efetor; no SNA, é o neurotransmissor das vias parassimpáticas
GABA (ácido gama-aminobutírico)	Ação inibitória, presente de forma disseminada no córtex cerebral
Dopamina	Presente no sistema límbico e suas conexões com o córtex, sua liberação gera sensação de prazer; está envolvidos em funções cognitivas; atua também no sistema nigroestriatal, relacionado com a modulação do movimento
Serotonina	Presente nos núcleos da rafe; relacionado com sensação de bem-estar, saciedade, regulação da temperatura corporal e aumento da tolerância à dor
Glutamato	Ação excitatória, presente no SNC e medula espinhal
Noradrenalina	Presente em regiões do tronco cerebral, como o *locus coeruleus* (na ponte) e área tegmentar lateral, atuando extensamente no sistema límbico e córtex cerebral
Adrenalina	Responsável pelas respostas ao estresse (reação de "luta ou fuga") por sua ação nas vias simpáticas do SNA
Glicina	Ação inibitória, atuando primariamente na medula espinhal
Histamina	Presente no SNC e SNP, relacionada com os mecanismos de regulação do sono e prazer sexual
Substância P	Relacionada com a transmissão da sensação de *dor* pelos tratos sensitivos

Capítulo 2 *Anatomia e Fisiologia Microscópica do Sistema Nervoso*

Além de sua diversidade estrutural, os neurônios também apresentam peculiaridades eletrofisiológicas, que se traduzem por diferentes formas de disparo dos potenciais de ação quando são estimulados:

- Neurônios de adaptação lenta: esses neurônios são do tipo *tônico*, ou seja, apresentam um ritmo de disparo regular constante; quando submetidos a um estímulo de intensidade crescente, passam a apresentar um maior *número* de disparos por segundo (aumento da *frequência*). Um exemplo desse tipo de célula são os fotorreceptores da retina;

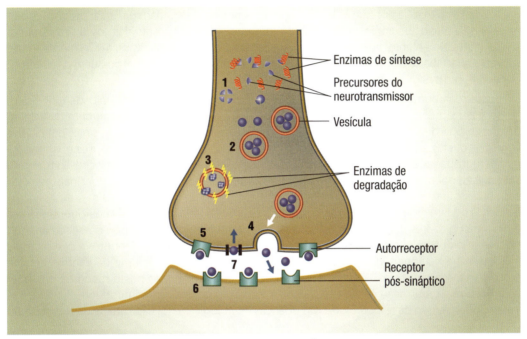

FIGURA 2.5. Neurotransmissores: síntese, liberação e metabolização.

TABELA 2.3. Síntese, liberação e metabolização dos neurotransmissores (Fig. 2.5)

1. Os neurotransmissores são sintetizados a partir de seus precursores, sob a ação de enzimas específicas
2. As moléculas de neurotransmissores são estocadas em vesículas
3. As moléculas de neurotransmissores que "escapam" das vesículas são destruídas por enzimas
4. Os potenciais de ação sinápticos fazem com que as vesículas se fundam com a membrana pré-sináptica e liberem o neurotransmissor na sinapse
5. Os neurotransmissores liberados na sinapse ligam-se a seus receptores pré-sinápticos e inibem sua liberação continuada (modulação)
6. Os neurotransmissores liberados na sinapse ligam-se a seus receptores pós-sinápticos
7. Os neurotransmissores liberados na sinapse são inativados por recaptação (na membrana pré-sináptica) ou degradação enzimática na própria sinapse

- Neurônios de adaptação rápida: são neurônios do tipo *fásico*, os quais apresentam sequencias de disparos que cessam rapidamente; quando submetidos a um estímulo contínuo, apresentam um conjunto de disparos que cessam apesar do estímulo ser mantido. Um exemplo desse tipo de célula são os receptores de tato presentes na pele: quando algo toca nossa pele, os neurônios locais respondem com disparos que cessam mesmo que o objeto continue exercendo pressão sobre o local. Só haverá nova sinalização se o objeto mudar de lugar, se houver alteração na pressão exercida, ou quando o estímulo cessar.

Os neurônios, uma vez diferenciados e maduros, não são mais capazes de entrar em mitose, ou seja, não são capazes de se reproduzir como as células de diversos outros tecidos do nosso organismo.[5] Isso explica por que as lesões de sistema nervoso costumam provocar disfunções permanentes, já que os neurônios que são destruídos não serão "re-substituídos", ou o serão apenas parcialmente. No entanto, hoje sabemos que algumas regiões específicas do SNC, como a região subventricular (abaixo dos ventrículos), zona granular e giro para-hipocampal possuem células-tronco neurais, capazes de neurogênese em situações especiais.[6]

Apesar da doutrina neuronal estabelecer a ideia de que o neurônio é a unidade fundamental do sistema nervoso, evidências recentes sugerem que as células da glia também participam da transmissão de informação no SNC. Células gliais se comunicam através de sinais químicos e conexões diretas (sinapses elétricas), em resposta aos disparos neuronais.[7] Sinapses químicas foram demonstradas entre neurônios e precursores de oligodendrócitos.[8] Os astrócitos também se comunicam por meio de transmissores gliais e neuromoduladores, bem como por sinapses elétricas, sendo capazes de detectar os neurotransmissores que são liberados nas sinapses. Assim, os astrócitos podem regular a comunicação entre os neurônios, pela liberação de neurotransmissores e neuromoduladores.[7,9] Além disso, estudos recentes têm demonstrado que os potenciais de ação podem se propagar retrogradamente do axônio e corpo celular para os dendritos e que sinapses elétricas entre neurônios vizinhos são responsáveis por um grande volume da informação que é compartilhada entre eles.[1] Todas essas descobertas têm modificado nosso modo de entender como ocorre a modulação da transmissão da informação no SNC, com importantes implicações para a compreensão da fisiopatologia das doenças neurológicas e da capacidade de regeneração cerebral.

PRINCÍPIOS DE NEUROPSICOFARMACOLOGIA

A Neuropsicofarmacologia é o estudo de como determinadas substâncias químicas afetam o funcionamento do SN. O conhecimento do funcionamento bioquímico do SN tem permitido o desenvolvimento e uso de inúmeras drogas no alívio e controle de sintomas das doenças neurológicas. Esse conhecimento engloba a compreensão da interação entre neurotransmissores, neuropeptídeos, hormônios, neuromoduladores, enzimas, canais iônicos e receptores proteicos no SNC e SNP.

Muitas drogas usadas em Neurologia e Psiquiatria têm seu mecanismo de ação com base na modulação dos neurotransmissores. Essa modulação pode ocorrer pela ação *agonista* (a droga potencializa ou mimetiza a ação do neurotransmissor) ou *antagonista* (a droga bloqueia ou neutraliza a ação do neurotransmissor). Esses mecanismos são mostrados na Figura 2.6 e Tabela 2.4.

Alguns exemplos de drogas extensamente usadas em Neuropsicofarmacologia e que se enquadram nos mecanismos já descritos são as drogas agonistas dopaminérgicas usadas no tratamento da doença de Parkinson (como a levodopa, que é um precursor da dopamina), os anticolinesterásicos usados no tratamento da doença de Alzheimer (que são inibidores da enzima colinesterase, a qual degrada o neurotransmissor acetilcolina), e alguns antidepressivos, como os inibidores seletivos da recaptação de serotonina.

Capítulo 2 *Anatomia e Fisiologia Microscópica do Sistema Nervoso*

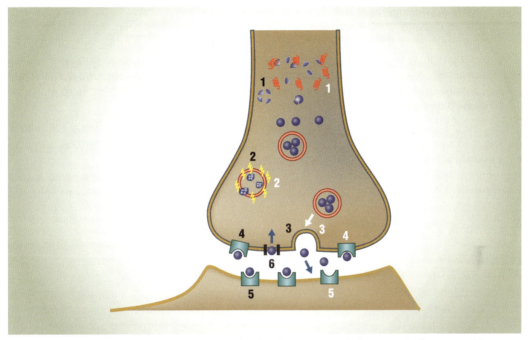

FIGURA 2.6. Mecanismos de efeito das drogas no SN. Os números pretos indicam a ação de um agonista e os números brancos indicam a ação de um antagonista.

TABELA 2.4. Mecanismos de ação de drogas no SN (Fig. 2.6)

MECANISMOS DE AÇÃO AGONISTA	MECANISMOS DE AÇÃO ANTAGONISTA
1. A droga estimula a síntese de neurotransmissores (por exemplo, pelo aumento de oferta de seus precursores)	1. A droga bloqueia a síntese do neurotransmissor (por exemplo, inativando as enzimas que o sintetizam)
2. A droga aumenta a quantidade de neurotransmissor inibindo ou destruindo as enzimas que o degradam	2. A droga provoca a saída de moléculas do neurotransmissor das vesículas, que são então degradadas por enzimas
3. A droga aumenta a liberação do neurotransmissor na fenda sináptica	3. A droga bloqueia a liberação do neurotransmissor na fenda sináptica
4. A droga liga-se aos receptores pré-sinápticos do neurotransmissor e bloqueia seu efeito inibidor na liberação continuada	4. A droga ativa os receptores pré-sinápticos e inibe a liberação da droga
5. A droga liga-se a receptores pós-sinápticos ativando-os ou aumentando o efeito dos neurotransmissores sobre eles	5. A droga bloqueia o receptor pós-sináptico do neurotransmissor, ligando-se a ele
6. A droga bloqueia a inativação dos neurotransmissores bloqueando sua recaptação ou degradação enzimática	

Referências bibliográficas

1. Bullock TH, Bennett MVL, Johnston D, Josephson R, Marder E, Fields RD. The Neuron Doctrine, Redux. Science 2005; 310:791-3.
2. Williams RW, Herrup K. The control of neuron number. Annual Review of Neuroscience 1988; 11:423-53.
3. Azevedo FA, Carvalho LR, Grinberg LT, et al. Equal numbers of neuronal and nonneuronal cells make the human brain an isometrically scaled-up primate brain. The Journal of Comparative Neurology 2009; 513:532-41.
4. Drachman D. Do we have brain to spare? Neurology 2005; 64:2004-5.
5. Herrup K, Yang Y. Cell cycle regulation in the postmitotic neuron: oxymoron or new biology? Nature Review Neuroscience 2007; 8:368-78.
6. Alvarez-Buylla A, Garcia-Verdugo JM. Neurogenesis in adult subventricular zone. The Journal of Neuroscience: the Official Journal of the Society for Neuroscience 2002; 22:629-34.
7. Fields RD, Stevens-Graham B. New insights into neuron-glia communication. Science 2002; 298:556-62.
8. Bergles DE, Roberts JD, Somogyi P, Jahr CE. Glutamatergic synapses on oligodendrocyte precursor cells in the hippocampus. Nature 2000 ; 405:187-91.
9. Dani JW, Chernjavsky A, Smith SJ. Neuronal activity triggers calcium waves in hippocampal astrocyte networks. Neuron 1992; 8:429-40.

Método Clínico em Neurologia

3

Márcia Radanovic

A Neurologia é considerada por muitos como uma especialidade "difícil", em que os diagnósticos são realizados com base em um exame físico extremamente complexo, seguido de um raciocínio indecifrável que quase como "por mágica" faz com que o neurologista consiga "adivinhar" a provável causa da lesão.

Essa visão, embora equivocada, encerra uma "meia verdade": o raciocínio empregado pelo neurologista requer, de fato, uma etapa que precede a elaboração de hipóteses diagnósticas, que é a *localização anatômica* da lesão (ou a maior aproximação desta que for possível). Assim, em muitas especialidades médicas, o local onde se encontra a lesão pode estar totalmente exposto, como nas doenças de pele, ou pode ser inferido a partir de alguns sinais propedêuticos, como no caso das doenças cardíacas, mas, ainda assim, as possibilidades de "localização anatômica" são circunscritas para a maior parte dos sistemas do organismo.

Consideremos agora a situação de um indivíduo que se apresenta ao neurologista com a queixa de que "não consegue mexer sua mão esquerda", e que demonstre realmente não conseguir fazê-lo quando solicitado pelo médico. Diante dos dados expostos no Capítulo 1 – *Princípios de Neuroanatomia e Neurofisiologia*, este indivíduo pode ter um problema em qualquer ponto da via motora do braço, que engloba: músculos, junção neuromuscular, nervos, plexo braquial, raízes motoras, medula cervical, tronco cerebral (bulbo, ponte e mesencéfalo) e córtex motor. Portanto, não há como iniciar o raciocínio sobre a *causa* da paralisia antes de se conseguir imaginar, com a maior acurácia possível, *onde* se encontra a lesão. Esse é o ponto principal em que o raciocínio neurológico se diferencia do da maioria das outras especialidades: a necessidade de *localizar anatomicamente a lesão em um sistema complexo*, antes de proceder aos exames subsidiários e hipóteses diagnósticas. O exame neurológico tem por finalidade auxiliar nessa localização, razão pela qual são efetuadas diversas manobras propedêuticas cuja interpretação, baseada nos conhecimentos de Neuroanatomia e Neurofisiologia, permitirá que se restrinja o "território" a ser explorado pelos exames complementares, bem como direcionar o raciocínio para as doenças que mais acometem o local lesado.

Este capítulo tem por finalidade expor de modo breve como esse pensamento é desenvolvido, a fim de tornar mais fácil a compreensão do significado dos sinais e sintomas em Neurologia, e a "mágica" possa ser vista pelo que realmente é: um exercício de raciocínio dedutivo. Não será nosso objetivo neste capítulo dissertar extensamente sobre a Propedêutica Neurológica em si, mas sim sobre o passo-a-passo do método clínico em Neurologia.

HISTÓRIA CLÍNICA

O neurologista, como todo médico, depende de uma boa anamnese para iniciar seu raciocínio. De fato, muitos diagnósticos são feitos baseando-se quase exclusivamente nas informações do paciente; um exemplo extremo para essa situação é o diagnóstico da migrânea (enxaqueca), um tipo particular de cefaleia para a qual não existem exames de "comprovação", e que não se encontram anormalidades ao exame neurológico. Mas, mesmo em situações não tão extremas, a história clínica tem um papel fundamental, considerando-se especialmente as seguintes variáveis:

- Forma de instalação dos sintomas: se abrupto, em minutos ou horas, sugere uma doença vascular, como um acidente vascular encefálico (AVE); se subagudo, em dias, sugere processos infecciosos ou inflamatórios; se insidioso, em semanas ou meses, pode ser mais sugestivo de doenças degenerativas, ou tumores.

- Evolução e curso da doença: aqui, pode ocorrer que os sintomas se instalem e não progridam, o que indica que o processo que originou os sintomas não está mais em atividade, como no caso de uma hemorragia cerebral, ou de um trauma no nervo ulnar. Outras vezes, os sintomas podem aparecer e remitir, em *surtos* ou *crises*, o que sugere uma doença desmielinizante, epilepsia, ou algumas formas de doença vascular. Em outros casos, os sintomas aparecem e progridem com o passar do tempo, como nas doenças infecciosas, e novos sintomas vão surgindo, o que é característico das doenças degenerativas.

- Doenças preexistentes: muitas doenças clínicas provocam manifestações neurológicas, bem como muitos medicamentos utilizados para o tratamento de várias doenças podem induzir quadros de alteração mental, neuropatias, miopatias etc.

- Antecedentes familiares: também entre as doenças neurológicas existem inúmeras síndromes que apresentam caráter hereditário, ou maior incidência dentro de uma mesma família, e a obtenção dessa informação é de grande auxílio, sobretudo nas doenças mais raras.

Evidentemente, dentro de todo o espectro possível das doenças neurológicas, o raciocínio baseado no modo de instalação e progressão dos sintomas tem suas limitações, pois há uma gama muito variada de formas de apresentação para muitas doenças. Mas, na maior parte dos casos, essas informações dão orientações muito seguras sobre as possibilidades diagnósticas.

EXAME CLÍNICO

A Neurologia é uma das especialidades contidas dentro da Clínica Médica e, portanto, não faz sentido que o neurologista não realize um exame físco geral de seu paciente, pois muitas doenças neurológicas apresentam manifestações em outros sistemas do organismo, e muitas doenças sistêmicas levam a complicações neurológicas.

Um exemplo dessa "via de mão dupla" é a necessidade de um exame cardiovascular detalhado (ausculta cardíaca e pulmonar, medição da pressão arterial, palpação de pulsos arteriais, observação de sinais sugestivos de trombose venosa etc.) em indivíduos com AVE. Outra situação em que o exame clínico geral é indispensável é no paciente com confusão mental aguda, que pode decorrer de causas múltiplas, como doenças respiratórias, insuficiência hepática, descompensação diabética, infecções (sobretudo em idosos) ou intoxicação por drogas (especialmente álcool, mas também inúmeras outras drogas e mesmo medicamentos prescritos para tratamento de alguma doença).

Assim, um exame sucinto de todos os aparelhos pode fornecer pistas essenciais para o raciocínio neurológico.

EXAME NEUROLÓGICO

Não é "segredo" para nenhum profissional de saúde que tenha tido a disciplina de Neurologia em seu curso de graduação, que a propedêutica neurológica é uma das, se não *a* mais extensa e complexa entre as especialidades médicas. A visão geral dos não neurologistas é a de que um exame neurológico completo dura horas, e se ocupa de detalhes que parecem não se encaixar em um propósito prático muito fácil de ser definido, sendo antes um exercício de "observação de curiosidades".

Mais uma vez, encontramo-nos diante de uma "meia-verdade": o exame neurológico é, de fato, extenso e inclui a pesquisa de sinais cuja interpretação não é direta e óbvia, mas deriva dos conhecimentos de Neurofisiologia. Por outro lado, sua realização leva em conta a queixa e história do paciente e, portanto, não é realizado em todos os seus detalhes em todos os indivíduos. O neurologista enfatiza a procura por sinais que, tanto se presentes ou ausentes, "complementem" os sintomas exibidos pelo paciente, confirmando ou descartando algumas possibilidades de localização anatômica.

Assim, com alguma prática e sistematização, é possível realizar uma exame padrão que englobe as diversas subdivisões anatômicas do SNC e SNP em cerca de 10 minutos. Caso esteja indicado o exame das funções cognitivas, um acréscimo de 5 minutos é suficiente para detectar anormalidades que justifiquem uma investigação mais detalhada. Assim, em 15 minutos pode-se fazer um exame neurológico completo o suficiente para abarcar a maior parte das alterações presentes nas doenças mais frequentes. Exames mais longos e detalhados serão necessários em algumas situações especiais, como é o caso das doenças degenerativas envolvendo múltiplos sistemas; por outro lado, haverá situações em que o exame poderá ser ainda mais breve e dirigido, como no caso de uma paralisia facial periférica isolada. A seguir, discutiremos as várias subdivisões do exame neurológico, mostrando exemplos breves de como alguns sinais podem ser obtidos, e quais alterações podem ser encontradas.

Exame das funções cognitivas

Tem por objetivo rastrear alterações das funções cognitivas ou neuropsicológicas: atenção, memória, linguagem, habilidades visoespacias, funções executivas, cálculo, orientação. Existem alguns exames de rastreio breve, como o Miniexame do Estado Mental (MEEM),[1] Bateria Breve de Rastreio Cognitivo (BBRC-Edu)[2] e o Montreal Cognitive Assessment (MoCA),[3] que permitem uma avaliação geral das funções cognitivas em poucos minutos. Alterações das funções cognitivas são indicativas de lesões acometendo regiões corticais e subcorticais do cérebro. Algumas das alterações cognitivas mais frequentes que podem ser detectadas são:

- Afasia: déficit adquirido da linguagem, secundário a uma lesão cerebral. Pode ser predominantemente de expressão (como a afasia de Broca), de compreensão (como a afasia de Wernicke) ou acometer globalmente a linguagem (afasia global), Outras formas de afasia incluem as transcorticais (motora, sensorial e mista), afasia de condução, afasia anômica e surdez verbal pura.
- Alexias e agrafias: são os déficits adquiridos da leitura e escrita (pressupondo que o paciente conseguia ler e escrever anteriormente à lesão), que podem ocorrer como parte do quadro clínico das afasias, ou de modo isolado.
- Agnosia: é a incapacidade de reconhecimento de elementos (objetos, pessoas etc.) previamente conhecidos, *em uma determinada modalidade sensorial*, na presença de percepção sensorial, memória e função intelectual relativamente intactas. As agnosias podem ser

visuais, auditivas e táteis, e de acordo com o conceito descrito antes, uma característica importante das agnosias é que a mudança do canal sensorial de entrada do estímulo faz com que o paciente passe a reconhecer imediatamente o objeto (por exemplo, um indivíduo que não reconhece uma chave ao vê-la, é capaz de fazê-lo se puder segurá-la na mão, ou se ouvir o barulho de um molho de chaves sendo sacudido).

- Apraxia: é a inabilidade na execução de movimentos voluntários complexos previamente aprendidos. Existem várias formas de apraxia: de membros (mielocinética, ideatória, ideomotora), orofacial, de fala, de vestir-se (esta sendo considerada atualmente mais como uma alteração primária do esquema de imagem corporal), construtiva (que também pode apresentar um componente de disfunção visoespacial), apraxia de marcha.
- Disfunções visoespaciais: distúrbios do processamento da disposição espacial dos objetos.
- Acalculia: desordens do processamento dos números (conceito) e operações aritméticas.
- Amnésia: distúrbio da memória, que pode ser retrógrada (incapacidade de recuperar memórias formadas antes da lesão) ou anterógrada (incapacidade de formar novas memórias).
- Síndromes de inatenção ou negligência: incapacidade de processar estímulos provenientes de um hemicampo do espaço externo.
- Demência: comprometimento global das funções cognitivas.

Exame do comportamento

Alterações do comportamento, tais como ansiedade excessiva, apatia, irritabilidade, agressividade, inadequação, tristeza e falta de cooperação, devem ser observadas, pois estão presentes em várias doenças neurológicas, como algumas formas de demência, lesões dos lobos frontais e temporais, epilepsia, entre outras, bem como em doenças psiquiátricas. Essas alterações, como as cognitivas, também refletem alterações em regiões corticais e algumas regiões subcorticais do cérebro

Exame da função motora

Compreende o exame da forrça muscular, coordenação, tônus, movimentos involuntários e pesquisa dos reflexos profundos e superficiais.

O exame da força muscular é realizado nos membros superiores e inferiores, pescoço e tronco, pela solicitação de que o paciente realize movimentos espontâneos, sustente os membros elevados contra a gravidade por alguns minutos (manobras deficitárias), e realize movimentos vencendo a resistência imposta pelo examinador. Dentre as manobras deficitárias mais conhecidas encontram-se a *manobra dos braços estendidos* (em que o paciente tem que manter os dois braços e mãos estendidos, com os dedos abertos, por pelo menos dois minutos), e *manobra de Mingazzini* (onde o paciente deita-se em decúbito dorsal e mantém as coxas e pés fletidos por no mínimo dois minutos).

A velocidade dos movimentos também deve ser testada, nos segmentos distais (pés e mãos), pois sua diminuição é indicativa de comprometimento motor. As alterações da força muscular podem se traduzir como *paresias* (perdas parciais) ou *plegias* (perdas completas) e apresentam padrões de apresentação :

- Hemiparesia/plegia: déficit motor em um hemicorpo, que pode ser completa ou incompleta (poupando a face, como nas lesões medulares), proporcionada ou desproporcionada (predominar em rosto e face – braquiofacial – ou em pernas – crural). São indicativas de lesão do trato corticoespinal (ou piramidal), em qualquer ponto desde sua origem no córtex motor até sua conexão com os neurônios motores inferiores, na medula (a localização mais precisa vai depender de outros dados do exame neurológico, como a presença de déficits associados de sensibilidade, nervos cranianos etc.). As lesões do trato corticoespinal provocam hemiparesia no lado contralateral se ocorrem acima da *decussação das pirâmides* (ver Capítulo 1 – *Princípios de Neuroanatomia e Neurofisiologia: Organização Estrutural do Sistema Nervoso*), no bulbo, e ipsilateral, se ocorrem abaixo desta.

- Monoparesia/plegia: déficit motor em um membro (braquial ou crural). Pode ser indicativa de lesão do trato corticoespinal, mas com mais frequência refere-se a lesões do neurônio motor inferior (nervos periféricos).
- Tetraparesia/plegia: déficit motor dos quatro membros, em geral resultado de lesões medulares cervicais.
- Paraparesia/plegia: déficit motor de dois membros (braquial ou crural). A mais comum é a paraparesia crural, decorrente de lesões medulares abaixo do nível cervical.
- Diparesia/plegia: déficit motor nos quatro membros, porém decorrente de duas lesões diferentes (soma de duas hemiparesias/plegias).

O exame da coordenação é realizado pedindo-se que o paciente realize movimentos alternados sucessivos dos membros de forma rápida (diadococinesia), como pronação e supinação das mãos, flexão e extensão dos pés. A incapacidade de realizar esses movimentos é denominada *disdiadococinesia*. A coordenação dos membros também é testada pedindo-se que o paciente estique o braço e toque o seu nariz com o dedo indicador (manobra índex-nariz), e que estique a perna, toque o joelho contralateral com o calcanhar, descendo até o tornozelo, repetidas vezes (manobra calcanhar-joelho). Nessas manobras, pode-se observar *dismetria* (erros de medida, errando o alvo), erros de direção e *decomposição* dos movimentos (que são realizados em "partes", e não como um movimento único e harmônico). A coordenação entre tronco e membros é avaliada pedindo-se ao indivíduo que se levante da posição deitada ou sentada, e observando se ocorrem as manobras posturais adequadas. Alterações da coordenação, asssociadas a alterações de equilíbrio e marcha compõem as *ataxias*, e relacionam-se com lesões cerebelares, vestibulares, proprioceptivas e frontais.

O tônus muscular (elasticidade natural dos músculos e resistência ao estiramento) é avaliado pelo balanço passivo das articulações, que podem revelar aumento (hipertonia) ou diminuição (hipotonia) dessa elasticidade. A movimentação passiva dos membros pode revelar sinais de hipertonia, como o *sinal do canivete*, em que, ao se tentar dobrar o joelho do paciente que está deitado com as pernas estendidas, há uma grande resistência no início do movimento, que cede espontaneamente no final) e o *sinal da roda denteada*, no qual, ao se manipular passivamente uma articulação do paciente (em geral o punho ou cotovelo), tem-se a sensação de alternância entre resistência aumentada-diminuída, semelhante ao de se manipular uma engrenagem. O sinal do canivete é velocidade-dependente (tanto mais fácil de ser observado quanto mais rápido o examinador mover o membro do paciente) e é indicativo de lesões do trato corticoespinal[*]; o sinal da roda denteada não é velocidade-dependente e ocorre em lesões extrapiramidais. Hipotonia é encontrada em lesões de cerebelo, miopatias, lesões da junção neuromuscular e dos neurônios motores inferiores.

Movimentos involuntários são observados espontaneamente, e indicam acometimento do sistema extrapiramidal. São eles: tremores, coreia, distonia, atetose, balismo, mioclonias e tiques. Esses diferentes tipos de movimento serão descritos brevemente no Capítulo 9 – *Distúrbios do Movimento*).

---

[*]De fato, hoje se sabe que a hiper-reflexia e hipertonia são causadas pela lesão no trato reticulo-espinhal, que se localiza de forma adjacente ao trato corticoespinal.

O exame dos reflexos profundos (tendinosos) é realizado pela percussão dos tendões com o martelo (talvez o instrumento que mais se associa à figura do neurologista), o que provoca uma contração do músculo proximal a que esse tendão está ligado. Os reflexos podem ser normais, ausentes, hipoativos (há pouca resposta), hiperativos (a resposta é aumentada, mas o reflexo só é obtido percutindo-se o tendão) e exaltados (quando o reflexo pode ser obtido também ao se percutir regiões ósseas adjacentes ao tendão). Um exemplo é a pesquisa do reflexo patelar, em que, com o indivíduo sentando com as pernas sem apoio, percute-se o tendão patelar, e observa-se a contração do músculo quadríceps, o que faz com que o indivíduo estique a perna brusca e involuntariamente, como um "chute" para frente. Os reflexos tendinosos são pesquisados em diversos tendões, pois a cada um deles corresponde um nível de integração na medula, e um nervo que carrega os impulsos. Assim, podemos mapear a integridade da função medular, raízes nervosas e dos nervos periféricos pela pesquisa desses reflexos. Hiper-reflexia é encontrada nas lesões do trato piramidal, e hiporreflexia, nas lesões de neurônio motor inferior (corno anterior da medula, raízes, plexos e nervos periféricos, bem como nas miopatias). A Tabela 3.1 mostra os principais reflexos pesquisados, seus níveis de integração na medula, e os nervos correspondentes.

Os reflexos superficiais, por sua vez, são pesquisados sobre a pele, por um estímulo nociceptivo (levemente doloroso), em geral usando-se uma espátula de madeira, que é passada sobre a superfície da pele, com alguma pressão (como se "arranhando" levemente a pele). São eles os reflexos cutâneo-abdominais (pesquisados no abdome) e cutâneo-plantar (pesquisado na planta do pé). O reflexo cutâneo-plantar, quando alterado, dá origem ao *sinal de Babinski*, em que ocorre abertura dos dedos do pé e hiperextensão do hálux (a resposta normal ao reflexo é a flexão plantar de todos os dedos do pé, a partir do dois anos de idade). A abolição dos reflexos abdominais e o sinal de Babinski aparecem nas lesões do trato piramidal.

Uma última forma de pesquisa de reflexos é a obtenção de reflexos policinéticos (com respostas repetidas), como o *clônus*. A pesquisa do clônus patelar, por exemplo, é feita realizando-se a flexão dorsal do pé do indivíduo e mantendo-o nessa posição. A resposta será a extensão involuntária do pé, que se repetirá enquanto o examinador mantiver o pé do paciente em flexão dorsal, havendo, então, uma alternância flexão-extensão. A presença de clônus também indica lesão piramidal.

TABELA 3.1. Principais reflexos profundos e seus níveis de integração

REFLEXO	NÍVEL DE INTEGRAÇÃO MEDULAR	NERVO CORRESPONDENTE	MÚSCULO EFETOR
Tricipital	C7-C8	Radial	Tríceps braquial
Bicipital	C5-C6	Musculocutâneo	Bíceps braquial
Estilorradial	C5-C6	Radial	Braquiorradial
Flexores dos dedos	C8-T1	Mediano e ulnar	Flexores superficiais dos dedos
Patelar	L2-L4	Femoral	Quadríceps femoral
Adutores da coxa	L2-L4	Obturador	Adutor magno, longo e curto da coxa
Aquileu	L5-S2	Tibial	Gastrocnêmio e sóleo

REFLEXOS FACIAIS

Podem estar presentes em lesões piramidais (do trato corticobulbar), extrapiramidais e periféricas, mas muitas vezes são referidos como "sinais de frontalização" ou de "liberação frontal", pois também ocorrem em casos de lesões frontais (sejam elas focais, como AVEs, ou degenerativas, como na doença de Alzheimer), neste caso representando uma desinibição motora secundária à lesão nas áreas pré-motoras. No caso dos reflexos glabelar, oro-orbicualr e mentoniano, os componentes aferentes (sensitivos) e eferentes (motores) são veiculados, respectivamente, pelos nervos trigêmeo (V par) e facial (VII par); desta forma, alterações nestes reflexos podem ser indicativas de lesão em um ou ambos os nervos.

- Reflexo orbicular dos olhos (glabelar): ao se percutir com o martelo a testa do paciente na região entre os olhos (glabela), ocorre resposta de piscamento bilateral. Esse teflexo é encontrado em pessoas normais, porém esgota-se (deixa de produzir resposta) após algumas estimulações repetidas; em casos de lesões piramidais, extrapiramidais ou difusas, o reflexo torna-se inesgotável.
- Reflexo oro-orbicular: a percussão da região acima do lábio superior provoca contração e protrusão dos lábios. Está presente de forma leve em pessoas normais; em situações patológicas, esse reflexo estará exaltado.
- Reflexo mentoniano (mandibular): a percussão do queixo (mento) com o paciente estando com a boca entreaberta, provoca contração dos músculos mastigatórios (especialmente o masseter) e fechamento da boca. Pessoas normais não apresentam resposta alguma, ou apenas um movimento mínimo do queixo, e estará hiperativo em lesões piramidais.
- Reflexo de sucção (em resposta a estímulos visuais e táteis): o paciente faz movimentos de sucção com a boca, língua e mandíbula quando o examinador estimula seus lábios.
- Reflexo de afocinhar (*snouting*): protrusão intensa dos lábios em resposta à estimulação perioral – é a forma mais pronunciada do reflexo oro-orbicular.
- Reflexo palmomentual: retração da musculatura de um lado da boca e queixo quando a eminência tenar ipsilateral é estimulada.

Outro reflexo que também integra os chamados "sinais de liberação frontal" é o *reflexo de preensão* (*grasping*): a estimulação da região palmar do paciente pelo dedo do examinador provoca flexão da mão e dedos (num movimento de "agarrar"). Alguns destes reflexos estão presentes no bebê, como o reflexo de sucção e preensão, e vão sendo gradativamente inibidos, à medida que o córtex frontal amadurece.

Denomina-se *síndrome do neurônio motor superior* ao quadro clínico decorrente da lesão no córtex motor e vias motoras descendentes, até atingir os motoneurônios medulares, a qual se caracteriza pelo déficit motor, hipertonia, e hiper-reflexia profunda. Já a *síndrome do neurônio motor inferior* decorre da lesão dos motoneurônios medulares, raízes, plexos nervosos e nervos periféricos, caracterizando-se pela existência de déficit motor, hipotonia, hipo ou arreflexia profunda, atrofia muscular e fasciculações.

Exame da marcha e equilíbrio

O exame do equilíbrio é feito pedindo-se ao indivíduo que fique em pé, com os pés juntos, e observa-se sua postura. Leves empurrões em várias direções permitem observar se o indivíduo é capaz de manter o equilíbrio. Deve-se, então, pedir que o paciente feche os olhos, a fim de verificar se a falta de informações visuais altera sua capacidade de manter o equilíbrio. Alterações do equilíbrio, com oscilações e quedas podem ser encontradas em lesões cerebelares, lesões do sistema de propriocepção (sensibilidade profunda, ou cinético-postural), doença de Parkinson, doenças do sistema vestibular. Quando o indivíduo apresenta acentuação da perda do equilíbrio ao fechar os olhos, podendo até mesmo cair, configura-se o *sinal de Romberg*, que está presente nas lesões das vias proprioceptivas, pois a retirada da aferência visual faz com que o paciente perca totalmente a referência interna sobre a posição de suas articulações e membros. Muitas vezes, as alterações de equilíbrio tornam-se mais evidentes quando o indivíduo caminha, especialmente quando tenta mudar de direção (virar-se, retornar ao local de onde saiu).

Alguns tipos de marcha são característicos de certas doenças ou sítios lesionais:

- Marcha parkinsoniana: caracterizada por ser lenta, com passos pequenos, vacilante, sem movimentos associados (postura rígida). Ocorre propulsão (tendência do paciente desequilibrar-se e cair para a frente) e festinação (aumento da velocidade dos passos). Está presente na doença de Parkinson idiopática e outras síndromes parkinsonianas.
- Marcha cerebelar: presente em lesões cerebelares, onde os passos são irregulares, ora amplos com excesso de abdução da coxa, ora pequenos e sem adequada abdução da coxa, o que não permite que o paciente consiga andar em linha reta. A base de sustentação é alargada para tentar compensar a falta de equilíbrio.
- Marcha talonante: ocorre em lesões que comprometem a propriocepção, em que o paciente não consegue "calcular" com precisão a posição de seus membros inferiores, apresentando uma marcha em que as pernas ficam afastadas entre si, e os calcanhares batem de forma intensa contra o chão. Os movimentos são bruscos, e as pernas são "arremessadas" para frente e para trás, em passos irregulares.
- Marcha ceifante (espástica): característica das lesões do trato piramidal; nesse tipo de marcha, o paciente abduz a perna ao tentar fletir a coxa para iniciar o passo, e membro executa um movimento em arco semelhante ao de uma foice.
- Marcha escarvante: presente quando ocorre déficit de flexão dorsal do pé (lesão do nervo fibular ou da raiz nervosa de L5). O paciente executa flexão do quadril e elevação da perna de forma exagerada, além de inclinar o corpo para o lado oposto quando dá o passo com o lado acometido, a fim de não encostar a ponta do pé no chão.
- Marcha frontal ou apraxia de marcha: caracterizada por ser lenta, com passos pequenos e hesitantes. O paciente tem dificuldade em levantar os pés do chão ("marcha magnética"), ou levanta os pés, mas não avança. Esta alteração de marcha ocorre em lesões do lobo frontal, e é denominada "apraxia" porque não existe fraqueza muscular ou déficit de sensibilidade/equilíbrio que justifique a incapacidade de deambular corretamente: o paciente perde a habilidade de usar os membros inferiores adequadamente.

Exame da sensibilidade

O exame da sensibilidade compreende o exame da sensibilidade superficial (tato, sensibilidade dolorosa e sensibilidade térmica) e da sensibilidade profunda (artrestesia, palestesia e tato profundo).

Sensibilidade superficial

Em geral, só é pesquisada quando o paciente apresenta alguma queixa específica, pois depende totalmente da informação do paciente, e esse caráter subjetivo pode levar a falsas interpretações em indivíduos muito ansiosos ou meticulosos, por exemplo.

A sensibilidade tátil é testada em vários segmentos do corpo por um estímulo direto, por exemplo, usando-se um pedaço de algodão que é passado suavemente em vários pontos do corpo, bilateralmente (para comparação entre os dois hemicorpos). A sensibilidade dolorosa é testada de forma semelhante, usando-se um instrumento que provoque sensação levemente dolorosa (mas que não tenha ponta cortante), como, por exemplo, um alfinete, que pode ser descartado posteriormente. A sensibilidade térmica é testada alternando-se estímulos quentes e frios nos vários pontos do organismo, idealmente com o uso de dois pequenos tubos, um contendo água morna, e outro contendo água gelada.

As alterações de sensibilidade superficial que podem ser encontradas são:

- Hipoestesia/anestesia: diminuição ou perda da sensibilidade em um determinado segmento do corpo.
- Parestesias e disestesias: são sensações anormais (calor, frio, aperto, formigamento, compressão) que podem ser espontâneas ou elicitadas por estímulos exógenos. A principal diferença entre as duas é que as disestesias provocam intenso desconforto, sendo frequentemente descritas como "agulhadas" ou "queimação". O exemplo conhecido de todos é a sensação que temos quando, ao pressionar por muito tempo um determinado nervo (como ao ficar sentado sobre uma perna por longo tempo: a perna "dorme", ou seja, fica anestesiada e também paralisada). A disestesia é a sensação extremamente desagradável que sentimos quando a perna está "acordando".

Pela distribuição corporal das alterações na pesquisa da sensibilidade superficial, é possível "mapear" com precisão qual segmento medular, raiz, plexo ou nervo periférico está acometido (Fig. 3.1).

Sensibilidade profunda

A sensibilidade cinético-postural ou artrestesia é pesquisada pedindo-se ao paciente que identifique a posição de um determinado segmento do corpo. Um exemplo é pedir ao paciente que feche os olhos e diga se o polegar está fletido ou estendido. A ausência dessa sensibilidade é denominada anartrestesia.

A palestesia ou sensibilidade vibratória é pesquisada com o uso de um diapasão colocado sobre diversas saliências ósseas. Alterações nessa modalidade sensitiva são denominadas *hipo* ou *apalestesia*.

O tato profundo ou discriminatório é a capacidade de discernir que dois pontos diferentes do corpo estão sendo estimulados, ou pode ser testada pela grafestesia (capacidade de reconhecer letras ou números "desenhados" na pele com um lápis).

Para correlação dos déficits sensitivos com as respectivas vias e locais de lesão, ver Capítulo 1 – *Princípios de Neuroanatomia e Neurofisiologia: Organização Estrutural do Sistema Nervoso*.

Função autonômica ou neurovegetativa

O sistema nervoso autônomo (SNA) é um dos componentes do sistema nervoso e, portanto, as doenças neurológicas podem acometer funções autonômicas, como manutenção da pressão arterial, ritmo cardíaco e respiratório, salivação, sudorese, piloereção, resposta vasomotora (dilatação e contração dos vasos sanguíneos), motilidade gastrointestinal, respostas pupilares, bem como a função dos esfíncteres (bexiga e ânus).

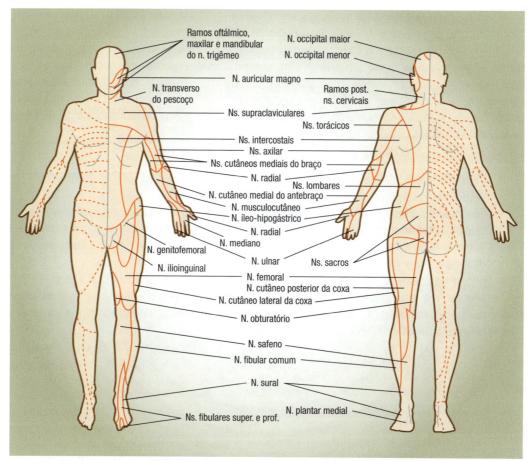

FIGURA 3.1. Mapa da sensibilidade superficial.

Nervos cranianos

O exame dos nervos cranianos permite o "mapeamento" das lesões no nível do tronco cerebral (ver Capítulo 1 – *Princípios de Neuroanatomia e Neurofisiologia*), onde se localizam seus núcleos, dos nervos em si, e dos seus centros de controle corticais.

- I nervo (olfatório): seu exame consiste em avaliar a capacidade do indivíduo em discriminar diferentes aromas (como café, hortelã etc.). Hoje, há um crescente interesse pela pesquisa da olfação, pois em algumas doenças degenerativas, como a doença de Parkinson e doença de Alzheimer, esta pode estar comprometida em fases bem precoces.
- II nervo (óptico): avalia-se a acuidade visual, o campo visual e o fundo de olho. A acuidade visual é avaliada pela leitura de cartões com letras, à semelhança do que é realizado em exames de refração pelo oftalmologista. O campo visual (todo o espaço que pode ser visualizado pelos dois olhos com a cabeça em posição fixa) é testado pedindo-se ao paciente que diga se consegue enxergar a ponta do dedo do examinador em várias posições relativas, desde o centro do campo até as extremidades medial (em direção ao nariz), lateral, acima e abaixo. Cada olho é testado separadamente. As alterações das vias ópticas incluem:

- Perdas da acuidade de diversos graus, podendo chegar à amaurose (cegueira).
- Hemianopsia: a) homônima: perda da visão em um hemicampo (D ou E – neste caso, há perda da porção nasal de um olho e temporal do outro); b) bitemporal: perda da visão nos dois hemicampos temporais.
- Quadrantanopsia: perda da visão em um quadrante do campo visual.

Cada uma desses défcits é indicativo de lesão em um local específico das vias ópticas (Fig. 3.2).

O exame de fundo de olho, realizado com oftalmoscópio, tem por objetivo observar a integridade da retina e das papilas ópticas (que correspondem ao ponto de entrada do nervo óptico e dos vasos centrais no globo ocular).

- III, IV e VI nervos (oculomotor, troclear e abducente): são examinados em conjunto, sendo responsáveis pela movimentação dos olhos. Pede-se ao paciente que olhe em várias direções (fixando a ponta do dedo do examinador, e movendo apenas os olhos), e observa-se se os olhos conseguem realizar os movimentos horizontais, verticais e oblíquos. Ao se mover o dedo em direção à ponta do nariz do indivíduo, observa-se o movimento de *convergência* (aproximação nasal dos dois olhos). Dá-se o nome de movimentos oculares extrínsecos (MOE) a esse conjunto de movimentos (Tabela 3.2).

O exame da reatividade das pupilas (motricidade ocular intrínseca – MOI) também está incluído na avaliação da motricidade ocular, pela avaliação do tamanho das pupilas, que devem ser simétricas, e da pesquisa do reflexo fotomotor (reatividade das pupilas à luz) direto (quando a resposta de miose ocorre no mesmo olho onde incide o foco de luz) e consensual (ocorrência da miose também no olho contralateral simultaneamente). As pupilas também devem ficar mióticas quando o indivíduo realiza a convergência (reflexo de acomodação), o que permite que focalizemos com nitidez objetos próximos. A MOI é dependente da função intacta do III nervo.

- V nervo (trigêmeo): este nervo tem uma porção sensitiva e uma porção motora. O exame da porção sensitiva é semelhante ao descrito para a sensibilidade do corpo, e o nervo trigêmeo

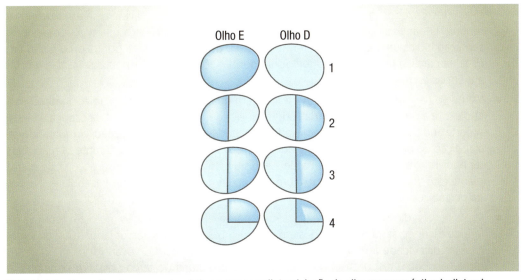

FIGURA 3.2. Alterações do campo visual: 1. amaurose unilateral: lesão do olho ou nervo óptico ipsilateral; 2. hemianopsia bitemporal: lesão do quiasma óptico; 3. hemianopsia homônima: lesão dos tratos ópticos ou posterior (cortical extensa) contralateral; 4. quadrantabopsia superior: lesão das radiações ópticas (corticais).

TABELA 3.2. Motricidade ocular extrínseca: músculos, função, inervação e local de integração no tronco cerebral

MÚSCULO	FUNÇÃO	NERVO	LOCAL DO NÚCLEO
Reto medial	Adução	III (oculomotor)	Mesencéfalo
Reto superior	Elevação e inciclodução*	III (oculomotor)	Mesencéfalo
Reto inferior	Abaixamento e exciclodução	III (oculomotor)	Mesencéfalo
Oblíquo inferior	Elevação e exciclodução	III (oculomotor)	Mesencéfalo
Oblíquo superior	Abaixamento e inciclodução	IV (troclear)	Mesencéfalo
Reto lateral	Abdução	VI (abducente)	Ponte

*Inciclodução e exciclodução são movimentos de rotação (interna e externa) que o globo ocular realiza ao redor do próprio eixo.

possui três ramos (oftálmico, maxilar e mandibular) que devem ser testados separadamente (Fig. 3.1). O exame da porção motora diz respeito à pesquisa da força dos músculos da mastigação (masseter e temporal)

- VII nervo (facial): o nervo facial é responsável pela motricidade dos músculos faciais, e é avaliado pedindo-se ao paciente que execute diversos tipos de movimentos mímicos com a face (fechar os olhos com força, elevar a testa, sorrir etc.). Disartria pode ser um sinal de acometimento desse nervo. O nervo facial tem uma porção denominada *nervo intermédio*, responsável pela sensibilidade gustatória dos dois terços anteriores da língua e pelo controle das glândulas lacrimais e das glândulas salivares sublingual e submandibular. A sensibilidade gustatória pode ser pesquisada pela administração de soluções contendo substâncias de sabor doce, azedo, amargo e salgado. As paralisias do VII nervo dividem-se em *periférica* e *central*. Na paralisia facial periférica, toda a hemiface acometida fica parética, e essa apresentação indica uma lesão acometendo o núcleo do nervo facial (na ponte) ou o nervo em si. Já na paralisia facial central, o terço superior da face é poupado, pois essa região recebe aferências corticais bilaterais.

- VIII nervo (vestibulococlear): este nervo contém duas porções, a coclear, relacionada com a audição, e a vestibular, relacionada com o equilíbrio e regulação postural da cabeça e olhos. A parte auditiva do nervo também pode ser testada por meio de diapasão, comparando-se a audição do paciente à do examinador. A porção vestibular é testada durante as manobras de equilíbrio, e o principal sintoma de sua disfunção é a vertigem (sensação de que o ambiente está "rodando"), e nistagmo é um achado comum nas disfunções vestibulares. Lesões da porção coclear do nervo levam a hipoacusia (perda da audição) e zumbido.

- IX e X nervos (glossofaríngeo e vago): são responsáveis pela inervação motora e sensitiva da faringe e laringe, sendo examinados em conjunto. Lesões desses nervos (sobretudo do vago) causam dificuldade à deglutição (disfagia) e paralisia das cordas vocais (disfonia). O nervo glossofaríngeo é responsável pela sensibilidade gustatória do terço posterior da língua. A função motora desses nervos pode ser testada, de modo simples, avaliando-se a mobilidade do palato e o reflexo nauseoso: tocando-se a parede posterior da faringe com uma espátula, observa-se elevação e constrição da mesma, retração da língua e sensação de náusea.

- XI nervo (acessório): este nervo é responsável pela função motora do músculo esternocleidomastóideo e porção superior do trapézio. É avaliado pelas manobras que testam a rotação da cabeça e elevação dos ombros.
- XII nervo (hipoglosso): o hipoglosso inerva os músculos extrínsecos e intrínsecos da língua, e é examinado observando-se se a mesma apresenta atrofia e fasciculações, e pedindo-se ao paciente para que movimente a língua. Lesões do nervo hipoglosso provocarão desvio da língua para o lado lesado, quando esta é exteriorizada.

Sinais de irritação meníngea

Estes sinais estão presentes quando há algum processo irritativo das meninges e os principais estão descritos no Capítulo 10 – *Infecções do Sistema Nervoso Central*. Outro sinal correlacionado é o sinal de irritação radicular, denominado *sinal de Lasègue*, que é pesquisado com o paciente deitado. A tentativa do examinador de elevar o membro inferior do paciente esticado (sem que este possa fletir o joelho) provoca dor lombar irradiada para a face posterior do membro acometido. Esse sinal pode estar presente, por exemplo, em hérnias de disco lombares, ou outras afecções que afetem as raízes lombossacrais.

Uma situação especial em Neurologia é o exame do paciente em coma, já que este não pode executar manobras sob comando. A descrição do exame neurológico do paciente comatoso está no Capítulo 4 – *Coma e Hipertensão Craniana*.

Uma vez obtida a história clínica e realizado o exame neurológico adequado às queixas do paciente, é possível realizar-se o *diagnóstico sindrômico* daquele indivíduo. Assim, temos a possibilidade de encontrar, dentre outras, uma síndrome piramidal, síndrome sensitiva, síndrome cerebelar, síndrome de pares cranianos, síndrome demencial, síndrome extrapiramidal, síndrome vestibular, e diversas combinações entre estas. A identificação de uma síndrome, ou de um conjunto de síndromes, aliada aos conhecimentos de Neuroanatomia, permite que se faça uma inferência da localização anatômica *provável* da lesão e também de algumas prováveis etiologias. O passo seguinte será a solicitação de exames subsidiários, quando necessário, a fim de confirmar ou excluir hipóteses diagnósticas.

Retomando o exemplo inicial do nosso paciente que se queixava de dificuldade para movimentar o braço esquerdo, suponhamos que se tratasse de uma queixa aguda ("acordei assim"), sem antecedentes de outras doenças ou história familiar e que o exame neurológico demonstrasse que o indivíduo apresentava a mão "caída", sem conseguir realizar a extensão e abdução do punho e dos dedos da mão, com uma pequena região de hipoestesia no dorso do polegar, e reflexo tricipital ausente, sem outras anormalidades. Tais achados permitem concluir que o paciente tem uma paralisia do nervo radial, e o modo de instalação faz supor uma lesão compressiva, em que o indivíduo provavelmente dormiu em uma posição que favoreceu a compressão do nervo radial contra o úmero (por exemplo, passou parte da noite dormindo em uma festa, "abraçando" o encosto de uma cadeira). Numa situação assim, é possível observar a evolução do quadro por alguns dias, e, havendo melhora, não há necessidade de se proceder a qualquer tipo de investigação complementar, apenas orientação ao paciente. Percebe-se assim que uma anamnese cuidadosa e um exame neurológico interpretado à luz dos conhecimentos básicos de Neuroanatomia pode evitar que os pacientes sejam submetidos a exames complementares muitas vezes desconfortáveis, invasivos e dispendiosos. Caso o médico que atendesse o paciente descrito acima desse atenção apenas ao fato de que o mesmo tinha "fraqueza no braço", imediatamente pensaria num AVE e solicitaria uma série de exames desnecessários, incluindo exames de neuroimagem.

No entanto, na maior parte dos casos, é necessário realizar algum exame complementar. A seguir, exporemos os principais recursos de propedêutica armada (exames complementares) utilizados na área de Neurologia.

EXAMES COMPLEMENTARES

Exames clínicos

Muitas vezes, são detectadas algumas anormalidades no exame neurológico de rotina, mas de modo superficial e limitado, sendo necessária uma avaliação mais detalhada de algum aspecto particular. Algumas dessas avaliações ainda são realizadas pelo exame clínico, porém envolvendo profissionais de outras especialidades. Alguns exemplos são os testes neuropsicológicos (realizados por neuropsicólogos), nos casos de suspeita de disfunção cognitiva em que os testes de rastreio não são suficientes para uma definição do diagnóstico, e a avaliação fonoaudiológica para aprofundar a caracterização das afasias, disartrias e disfagias.

Exame do líquido cefalorraquidiano (LCR)

O exame de uma amostra de LCR pode fornecer informações importantes sobre os processos fisiopatológicos subjacentes a uma lesão neurológica. A coleta pode ser realizada pela punção na coluna vertebral em sua porção lombar (espaços L3-L4, L4-L5 ou L5-S1), na região suboccipital (SOD) ou diretamente do sistema ventricular (quando já há algum cateter inserido no sistema).

O aspecto do LCR normal é límpido e incolor, como água pura. A Tabela 3.3 mostra alguns parâmetros que podem estar alterados no LCR e seu significado.

TABELA 3.3. Análise do LCR

PARÂMETRO NORMAL	ALTERAÇÃO E INTERPRETAÇÃO
Pressão: entre 5 e 20 mmH$_2$O	Aumentada: hipertensão intracraniana Diminuída: hipotensão liquórica
Celularidade Hemácias: 0 Leucócitos: 0 a 4 (linfócitos e monócitos)	Presença de hemácias: sangramento em SNC (como nas hemorragias meníngeas) Aumento de leucócitos: processos infecciosos (meningites) e inflamatórios
Proteínas: até 40 mg/dL (lombar) Eletroforese de proteínas	Aumento de proteínas: processos infecciosos, inflamatórios e auto-imunes do SNC
Glicose: entre 50 e 80 mg/dL	Diminuição da glicorraquia: alguns processos infecciosos (meningites, encefalites)
Pesquisa de antígenos: negativa	Reações positivas indicam infecção pelo agente pesquisado
Reações imunológicas: negativas	Reações positivas indicam infecção pelo agente pesquisado
Pesquisa direta e cultura de patógenos: negativa	Presença de patógenos e culturas positivas indicam infecção pelo agente pesquisado

Adaptado de Livramento e cols., 2003.[4]

Exames de neurofisiologia clínica

São exames baseados na mensuração da atividade elétrica ou da resposta eletrofisiológica do sistema nervoso a estímulos. Os mais utilizados na área de Neurologia são: eletroencefalograma (EEG), eletroneuromiografia (EMG), estudo dos potencias evocados (PE) e polissonografia.

EEG

É um exame que registra a atividade elétrica espontânea gerada no córtex cerebral, a qual reflete o fluxo de correntes iônicas extracelulares, que por sua vez correspondem à somatória da atividade sináptica dos neurônios cerebrais. O EEG é registrado a partir de eletrodos que são posicionados no escalpo do paciente, em locais predefinidos, a fim de registrar a atividade elétrica em diversos pontos do córtex cerebral. Atualmente, as ondas elétricas amplificadas são registradas por aparelhos computadorizados, e são nomeadas de acordo com a sua frequência em Hertz (Hz). O exame é realizado com o indivíduo alerta, em seguida com os olhos fechados, dormindo (espontaneamente, se possível), sob hiperventilação e estimulação com luzes. Todas essas etapas têm como finalidade identificar os vários tipos de atividade elétrica cerebral, e a hiperventilação e estimulação estroboscópica são particularmente úteis para ativar focos epilépticos. A Tabela 3.4 mostra os tipos de ondas registradas ao EEG e suas principais características.

Durante o sono normal surgem os fusos de sono e ondas agudas do vértex, embora cada fase do sono apresente um ritmo eletroencefalográfico característico.

Algumas anormalidades que podem ser identificadas ao EEG, além das já descritas na Tabela 3.4 são o silêncio elétrico (em caso de morte cerebral), descargas epileptiformes (ver Capítulo 8 – *Epilepsia*) e atividades periódicas, em geral indicativas de encefalopatias.

Um exame derivado do EEG é o vídeo-EEG, que é composto pela associação do registro contínuo do EEG à monitorização do paciente por uma câmera de vídeo durante um período mínimo de 24 horas. Esse exame tem por finalidade associar o registro visual das crises epilépticas do paciente com seu correspondente registro eletroencefalográfico, o que é útil em casos de dúvida sobre o diagnóstico ou tipo de crise. É realizado em hospitais ou laboratórios especializados.

TABELA 3.4. EEG: tipos de ondas e suas características

TIPO	FREQUÊNCIA	LOCAL	NORMALIDADE	SITUAÇÕES PATOLÓGICAS
Alfa	8-12 Hz	Regiões occipitais e parietais	Relaxamento Olhos fechados	coma
Beta	12-30 Hz	Simétrica e bilateral, predominando em regiões frontais	Estado de alerta, atividade mental, concentração	–
Gama	30-60 Hz	Regiões parietais	Processamento transmodal (p. ex.: visão e audição)	Declínio cognitivo?
Teta	4-7 Hz	Regiões temporais	Crianças Idosos	Lesões subcorticais Encefalopatias metabólicas
Delta	1-3 Hz	Regiões frontais	Sono de ondas lentas bebês	Lesões cerebrais focais ou difusas

Adaptado de Ropper e Samuels, 2009.[5]

EMG

O exame de eletroneuromiografia é composto por duas fases: o estudo da condução das fibras nervosas, e a eletromiografia (estudo do padrão de contratilidade muscular). É um exame útil para discriminar doenças do sistema nervoso periférico (SNP), doenças da junção neuromuscular e miopatias.

O estudo da condução nervosa é realizado através da aplicação de um estímulo elétrico na pele e a latência até a resposta obtida em um ponto específico pré-determinado, que varia de acordo com o nervo a ser estudado. Desta forma, pode-se estudar a velocidade de condução do nervo, que é diretamente proporcional à sua integridade e grau de mielinização. Nas neuropatias desmielinizantes, isto é, em que ocorre perda da bainha de mielina, as velocidades de condução encontram-se reduzidas. Nas neuropatias em que há lesão axonal, porém com preservação das bainhas de mielina, a velocidade de condução estará normal, porém a amplitude dos potenciais de ação muscular estará reduzida, porque existem menos fibras nervosas estimulando as unidades motoras.** Os nervos motores mais estudados são o ulnar, mediano, fibular e tibial; entre os sensitivos, figuram o sural, fibular superficial, ulnar, mediano e radial.

A eletromiografia é realizada com a introdução de um eletrodo em agulha no músculo a ser estudado. O estudo é feito com o músculo em repouso e sob contração. Em geral, em repouso, existe silêncio elétrico, mas nas miopatias pode haver contrações espontâneas de fibras musculares (fibrilações) e unidades motoras (fasciculações), que denotam *denervação* do músculo. Durante a fase de contração, a amplitude e a duração dos potenciais de ação musculares são baixas, devido ao menor número de fibras musculares por unidade motora. Por outro lado, nas neuropatias, há mais fibras musculares em cada unidade motora (devido ao processo de reinervação, secundário à perda de axônios, onde cada axônio restante passa a ser "responsável" por inervar um número maior de fibras musculares) e a amplitude dos potenciais de ação musculares se torna aumentado e mais longo (ver Capítulos 14 – *Doenças do Sistema Nervoso Periférico* e 15 – *Miopatias e Doenças da Junção Neuromuscular*).

Potenciais evocados

São exames que registram a atividade elétrica cortical (por eletrodos) em resposta a um estímulo sensorial periférico específico, podendo detectar alterações funcionais em toda a via de condução desse estímulo. As formas de potencial evocado utilizados na prática clínica são o visual, auditivo e somatossensitivo.

Polissonografia

O objetivo do exame de polissonografia é detectar anormalidades no padrão de sono dos indivíduos, como, por exemplo, para o diagnóstico de apneia do sono. É um exame que monitora, principalmente, o EEG, e o eletro-oculograma (registro da movimentação dos globos oculares) e a EMG da região submentoniana, associados a outros parâmetros de interesse, como eletrocardiograma, oximetria etc., durante uma noite de sono do paciente, sendo realizado em hospitais e laboratórios especializados.

Estudos de neuroimagem

Sem dúvida a Neuroimagem ocupa hoje lugar destaque entre os exames subsidiários em Neurologia. O avanço da tecnologia nesse campo tem sido tão intenso nas últimas décadas que a

---

**Unidade motora designa o conjunto formado por um único motoneurônio alfa e as fibras nervosas por ele inervadas.

TABELA 3.5. Métodos de Neuroimagem: características e aplicações

MÉTODO	CARACTERÍSTICAS E APLICAÇÃO CLÍNICA
Radiografia (Rx) simples	Crânio: visualização de fraturas, lesões líticas, corpos estranhos Coluna vertebral: visualização de fraturas, deslocamentos, lesões líticas e alterações degenerativas (p. ex.: osteófitos)
Tomografia computadorizada (TC)	Princípio físico: feixe de raios X emitidos por um aparelho que realiza um movimento circular ao redor do paciente, que é captado por um detector e enviado para reconstrução da imagem por computador. A imagem é reconstruída em uma "escala de atenuação" que varia do mais hipoatenuante (ar), cuja cor é a mais escura (preto) ao mais hiperatenuante (osso), cuja cor é branca. As diversas estruturas do SN e lesões apresentarão coeficientes de atenuação que variam entre esses dois extremos, com cores que passam por todo o espectro de cinza. O estudo pode ser complementado pela injeção intravenosa de contraste iodado, que pode realçar algumas lesões e vasos sanguíneos Aplicação clínica: visualização de lesões ósseas (crânio e coluna), intracranianas e intravertebrais. Sua aplicação mais comum é nas fases agudas dos traumatismos cranianos (TCE) e AVEs
Tomografia computadorizada por emissão de pósitrons (PET)	Princípio físico: após a injeção intravenosa de contraste contendo O_2 ou glicose marcados radioativamente, seus níveis de captação no cérebro são medidos e uma imagem é reconstruída, mostrando áreas de maior (cores quentes, como vermelho) ou menor captação (cores frias, como azul). As áreas de menor captação correspondem a áreas onde houve menos consumo de O_2 ou glicose (hipometabolismo), de onde se infere menor atividade neuronal Aplicação clínica: mapear a extensão real da lesão funcional no SNC, que muitas vezes é maior do que a observada nos exames estruturais (TC e RM), ou surge mais precocemente em exames que mostram atividade neuronal
Tomografia computadorizada por emissão de fóton único (SPECT)	Princípio físico: após a injeção intravenosa de contraste contendo isótopos radioativos (tecnécio ou xenônio), seus níveis de captação no cérebro são medidos e uma imagem é reconstruída, mostrando áreas de maior (cores quentes, como vermelho) ou menor captação (cores frias, como azul). As áreas de menor captação correspondem a áreas onde houve menos fluxo sanguíneo, de onde se infere menor atividade neuronal Aplicação clínica: mapear a extensão real da lesão funcional no SNC, que muitas vezes é maior do que a observada nos exames estruturais (TC e RM), ou surge mais precocemente em exames que mostram atividade neuronal
Ressonância magnética (RM)	Princípio físico: aplicação de um intenso campo magnético acoplado a um emissor de radiofrequência, que provoca "ressonância" nos prótons de hidrogênio. A quantidade de núcleos de hidrogênio (ou "densidade de prótons") dos diversos tecidos é então captada, medida, e a imagem é reconstruída pelo computador a partir de uma escala de "sinais" que varia do menor (hipossinal), de cor preta, ao maior (hipersinal), de cor branca. As diversas estruturas do SN e lesões apresentarão sinais que variarão entre esses dois extremos, passando por todo o espectro de cinza. A combinação de várias formas de obtenção e leitura dos sinais pelos aparelhos de RM permite uma gama variada de "sequencias" cuja finalidade é destacar estruturas ou lesões

Continua

TABELA 3.5. Métodos de Neuroimagem: características e aplicações

MÉTODO	CARACTERÍSTICAS E APLICAÇÃO CLÍNICA
Ressonância magnética (RM) (cont.)	Entre as sequências mais usadas encontram-se as *spin-echo* (T1, T2), FLAIR e gradiente-eco. O estudo pode ser complementado pela injeção intravenosa do contraste *gadolínio*, que pode realçar algumas lesões e vasos sanguíneos. A técnica de RM permite ainda estudos de *espectroscopia* (medida do conteúdo metabólico, por ex.: níveis de creatina, ou de lactato) de um determinado volume de tecido cerebral previamente selecionado Aplicações clínicas: visualização de lesões intracranianas e intravertebrais, e as várias sequências permitem a visualização de determinadas substâncias (gordura, água, sangue) com maior resolução, o que aumenta a acurácia do diagnóstico. A espectroscopia permite a identificação de alguns metabólitos no tecido cerebral, que podem sinalizar algumas doenças
Ressonância magnética funcional (RMf)	Princípio físico: *difusão* (movimento das moléculas de água no tecido); *perfusão* (estudo do fluxo sanguíneo regional), que origina o efeito BOLD (*blood oxigenation level dependent*): a ativação de uma certa região cerebral (por um movimento da mão, por exemplo) gera aumento de fluxo sanguíneo local, ocasionando diminuição da oxi-hemoglobia, que por sua vez altera o sinal magnético detectado pela RM. A diferença entre esse estado ativado e o repouso gera uma imagem do local onde ocorreu a ativação cortical Aplicações clínicas: os estudos de difusão e seus derivados (tensor de difusão e tratografia) permitem a visualização das vias de substância branca, e a difusão se torna diminuída em várias condições patológicas. Os estudos de perfusão são úteis em doenças cerebrovasculares. Em pesquisa, a RMf permite correlacionar uma determinada tarefa executada por um indivíduo com seu local de ativação cortical, quase em tempo real
Arteriografia ou angiografia	Sua finalidade é o estudo dos vasos sanguíneos (artérias, veias e seios venosos) intracranianos e intravertebrais. Pode ser realizada por várias técnicas, como: • Digital: obtenção da imagem dos vasos após injeção de contraste iodado pela punção na artéria femoral • Angiografia por tomografia computadorizada • Angiografia por ressonância magnética Aplicação clínica: identificação de anormalidades do sistema vascular cerebral e da medula, como aneurismas, malformações arteriovenosas, tromboses de seios venosos
Ultrassom	Pelo fato de o ultrassom não conseguir penetrar os ossos do crânio, seu uso é restrito a crianças que ainda possuem as fontanelas abertas Aplicação clínica: diagnóstico de doenças perinatais, como abscessos, hidrocefalia etc.
Doppler transcraniano	Princípio físico: efeito doppler. Através de algumas "janelas ósseas" naturais do crânio (locais com menor espessura óssea) que permitem a penetração dessa frequência de ultrassom, é possível estudar o fluxo sanguíneo cerebral de modo não invasivo, embora não seja possível identificar o fluxo nos segmentos mais distais das artérias, ou em artérias de pequeno calibre Aplicação clínica: estudo da viabilidade da circulação nos segmentos mais proximais das grandes artérias intracranianas, de alterações hemodinâmicas relacionadas com a circulação colateral, identificação de vasoespasmo após hemorragia meníngea

Adaptado de Bacheschi, 2003; Otaduy e cols., 2008.[6,7]

Neurorradiologia tornou-se uma subespecialização dentro da Radiologia. Exames de Neuroimagem são utilizados rotineiramente na prática clínica, permitindo ao mesmo tempo a confirmação do diagnóstico topográfico e, na maior parte dos casos, o diagnóstico etiológico da doença. A Tabela 3.5 mostra os métodos de Neuroimagem mais utilizados na rotina do diagnóstico neurológico, bem como suas características e indicações principais.

Exames de biopsia

O estudo de biopsia de vários tecidos por meio de microscopia de luz ou eletrônica, associada a reações imuno-histoquímicas pode fornecer informações relevantes para o diagnóstico de muitas doenças neurológicas. Assim, biopsias de nervo e de músculo podem fornecer dados sobre a presença e grau de atrofia, seu padrão de distribuição, presença e tipo de infiltrado inflamatório, presença de autoanticorpos, depósitos de substâncias anormais no interior das células etc., e todas essas informações são úteis no diagnóstico diferencial de neuropatias e miopatias. Outros tecidos cuja biopsia também pode contribuir para o diagnóstico de doenças neurológicas são artérias (nas arterites), meninge (em certos tipos de meningite), pele (em doenças como dermatomiosite), e, evidentemente, o próprio tecido cerebral.

Outros exames

Algumas vezes, anormalidades detectadas no exame neurológico requerem a utilização de exames subsidiários pertencentes a outras especialidades, especialmente otorrinolaringologia e oftalmologia. É o caso da audiometria, quando se detecta perda da acuidade auditiva, da campimetria, para melhor estudo dos déficits de campo visual, do exame neuro-oftalmológico, que identifica

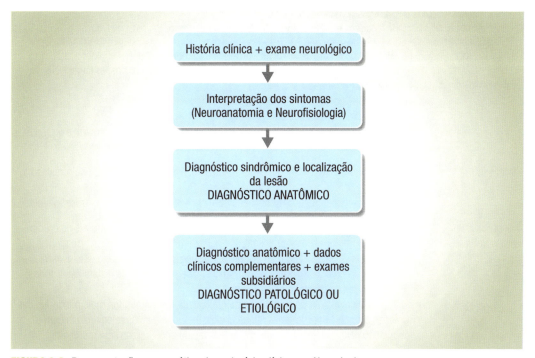

FIGURA 3.3. Representação esquemática do raciocínio clínico em Neurologia.

com melhor acurácia as lesões de nervos motores oculares e dos músculos isoladamente, e do exame otoneurológico, utilizado para auxílio no diagnóstico diferencial das síndromes vestibulares.

Testes genéticos

Hoje, um grande número de doenças neurológicas hereditárias pode ter seu diagnóstico confirmado por estudos genéticos que identificam suas mutações cromossômicas, por amostras de DNA colhidas do sangue ou outras células. Alguns exemplos desse tipo de doença são a doença de Huntington e a distrofia muscular de Duchenne.

O esquema da Figura 3.3 mostra uma síntese do exposto até aqui sobre o método clínico em Neurologia.

Bibliografia

DeJong RN. The Neurologic Examination, 4th ed. Maryland, Harper & Row, 1978.
Mutarelli EG. Propedêutica Neurológica – Do sintoma ao diagnóstico. São Paulo: Sarvier, 2000.

Referências bibliográficas

1. Folstein MF, Folstein SE, McHugh PR. "Mini-mental state": a practical method for grading the cognitive state of patients for the clinician. Journal of Psychiatry Research 1975; 12:189-98.
2. Nitrini R, Lefèvre BH, Mathias SC, et al. Testes neuropsicológicos de aplicação simples para o diagnóstico de demência. Arquivos de Neuropsiquiatria 1994; 52:457-65.
3. Nasreddine ZS, Phillips NA, Bédirian V, et al. The Montreal Cognitive Assessment, MoCA: A Brief Screening Tool For Mild Cognitive Impairment. Journal of the American Geriatric Society 2005; 53:695-9.
4. Livramento JA, Machado LR, Neto ASF, Anghinah, R, Brotto MWI. Exames complementares em Neurologia. In: Nitrini R, Bacheschi LA (eds). A Neurologia que Todo Médico Deve Saber, 2ª ed. São Paulo: Atheneu 2003; 85-92.
5. Ropper HA, Samuels MA. Special Techniques for Neurologic Diagnosis. In: Adams and Victor's Principles of Neurology, 9th. ed. New York: McGraw-Hill 2009; 13-38.
6. Bacheschi LA. Métodos de Imagem em Neurologia. In: Nitrini R, Bacheschi LA (eds). A Neurologia que Todo Médico Deve Saber, 2ª ed. São Paulo: Atheneu 2003; 93-129.
7. Otaduy MCG, Toyama C, Nagae LM, Amaro Jr. E. Técnicas de Obtenção das Imagens em Neurorradiologia. In: Leite CC, Amaro Jr. E, Lucato LT (eds). Neurorradiologia – Diagnóstico por Imagem das Lesões Encefálicas. Rio de Janeiro: Guanabara-Koogan 2008; 1-47.

Coma e Hipertensão Intracraniana

4

Márcia Radanovic ▪ Marcos de Queiroz Teles Gomes

COMA

Conceito e definições

Pacientes em coma são parte do dia a dia da Clínica Neurológica, e talvez esse tipo de paciente seja o melhor "protótipo" do paciente "neurológico". O coma é um dos estados clínicos mais intrigantes na Medicina, havendo muita curiosidade e especulação sobre o que caracteriza esse estado, e o que "acontece" no cérebro e na mente do indivíduo que se encontra nessa situação.

O estado de coma representa um estágio avançado de falência do funcionamento cerebral. Toda uma aura de mistério envolve o coma; no entanto, como veremos neste capítulo, o conhecimento da neurofisiologia da consciência e os métodos de investigação do funcionamento cerebral nos permitem ter atualmente uma base sobre a qual diagnosticar, intervir e fazer projeções sobre as possibilidades de recuperação dos pacientes em coma com relativa segurança.

Para entendermos o conceito de coma, é preciso primeiramente compreender o que é *consciência*, e outros conceitos correlacionados, que descrevem as alterações possíveis da consciência.

Consciência, do ponto de vista neurofisiológico, refere-se ao estado de perfeito conhecimento (percepção) que o indivíduo tem de si mesmo, do ambiente e de sua interação com esse ambiente, além da habilidade de responder (gerar comportamentos adequados) aos estímulos ambientais. Dentro dessa definição, podemos diferenciar o *nível de consciência* e o *conteúdo da consciência*. O primeiro diz respeito às várias graduações que diferenciam, por um lado, o indivíduo completamente alerta e cônscio do que se passa consigo mesmo e ao seu redor, e, de outro lado, aquele que perde essa capacidade parcial ou totalmente será o objeto de estudo deste capítulo. Já as alterações do conteúdo da consciência dizem respeito ao conjunto de funções cognitivas, emocionais e comportamentais do indivíduo que permitem que este tenha completa percepção de si e do ambiente, sendo exemplos de sua alteração os déficits cognitivos (como, por exemplo, afasias, demência) e as doenças psiquiátricas, como a esquizofrenia.

A presença da consciência pode ser inferida a partir da observação de alguns aspectos no comportamento:[1]

- *Atenção*, e a capacidade de mudar seu foco de forma seletiva.
- Manipulação de ideias abstratas.

- Capacidade de expectativa sobre eventos futuros (observável no uso de ferramentas, organização de padrões de comportamento visando a um objetivo etc.).
- Autoconsciência e reconhecimento de outros indivíduos (verificável pelo comportamento social, capacidade de imitar atos novos etc.).
- Presença de valores éticos e estéticos.

A consciência não é exclusiva dos seres humanos, estando presente em graus diferentes de complexidade nas diferentes espécies animais.

Flutuações transitórias na consciência ocorrem corriqueiramente na vida de um indivíduo; entre os exemplos mais simples, podemos citar o ciclo vigília-sono, e o efeito de drogas que atuem sobre o SNC (sendo o exemplo mais dramático o estado de anestesia geral para a realização de cirurgias).

A função consciência depende da adequada integração de sistemas neurais interdependentes, e de um estado de ativação do cérebro que denominamos *alerta comportamental*, que representa o estado de responsividade dos núcleos talâmicos e do córtex cerebral aos estímulos sensoriais (essa função também é conhecida como *perceptividade*). O termo *alerta* muitas vezes é usado como sinônimo do *nível de consciência*. A manutenção do estado de alerta depende do adequado funcionamento do sistema ativador reticular ascendente (SARA), composto por neurônios de parte da formação reticular (núcleos da rafe, tegmento da ponte, *locus coeruleus*), hipotálamo, tálamo (núcleos intralaminares e reticulares) e do prosencéfalo basal, regiões estas que enviam projeções para ativar todo o córtex cerebral.

O estado de alerta está relacionado com o de *vigília*, ou *despertar comportamental*. A vigília é uma função autonômica-vegetativa que depende da integridade da porção caudal da formação reticular, incluindo estruturas do bulbo, núcleos da rafe, tegmento da ponte, *locus coeruleus* e mesencéfalo. Esses neurônios regulam o ciclo vigília-sono. Essa função também pode ser chamada de *reatividade*.[2,3]

Além do alerta, a consciência também depende de uma adequada capacidade de gerenciamento da *atenção*, aqui entendida como a mudança rápida e brusca no nível de alerta ocasionado por estímulos novos; esta depende primariamente da atividade de núcleos talâmicos que ativam o córtex cerebral, mantendo o cérebro preparado para a ação (Fig. 4.1).

Do exposto aqui, depreendemos que é possível haver vigília sem consciência, mas não é possível haver consciência sem vigília.

Alterações do nível de consciência

Existe um espectro de alterações do nível de consciência que podem ser encontrados em decorrência de lesões cerebrais. Embora esses estados sejam muitas vezes difíceis de definir, Plum e Posner[4] ofereceram uma valiosa contribuição no sentido de uniformizar o uso dos diversos termos que os descrevem, que é usada até hoje, com pequenas modificações e acréscimos.

Alterações leves a moderadas do nível de consciência

- *Delirium* (confusão mental ou estado confusional agudo): é um estado de redução da vigília e consciência, com lentificação do pensamento abstrato e da capacidade de processamento da informação, e dificuldade em obedecer comandos, além de desorientação temporal (e algumas vezes espacial), medo, irritabilidade, percepções distorcidas dos estímulos sensoriais, além da possibilidade de ocorrência de alucinações visuais. Os pacientes em *delirium* perdem o contato com a realidade objetiva, podendo permanecer durante longos períodos em delírios, não responsivos aos estímulos exteriores. Tendem a falar alto e ininterruptamente,

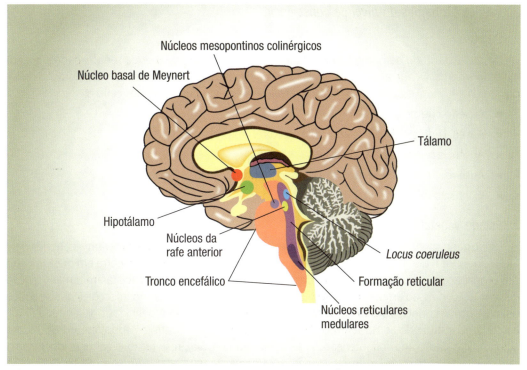

FIGURA 4.1. Estruturas relacionadas aos mecanismos de alerta e ativação cortical.

sendo agressivos, desconfiados e agitados. Os períodos de alteração de consciência podem se alternar com outros de lucidez. Também ocorrem períodos de hiperexcitabilidade e irritabilidade alternados com períodos de sonolência. As causas mais frequentes de *delirium* são alterações tóxicas e metabólicas (por exemplo: uremia, falência hepática, porfiria), intoxicações por drogas (como agentes colinérgicos), síndromes de abstinência (como do álcool ou barbitúricos). Indica acometimento generalizado do cérebro, ou envolvimento do sistema límbico bilateralmente. Decorre de uma alteração primária dos mecanismos de *atenção*.

- Letargia: descreve uma alteração do alerta suficiente para causar prejuízo nas funções cognitivas, de tal modo que na ausência de estímulos ambientais o paciente permanece deitado quieto ou dormindo. Se estimulado, é capaz de responder, mas apresenta comprometimento da qualidade e quantidade da resposta verbal ou motora, e não inicia o comportamento espontaneamente. Nesse estado, a função cognitiva pode estar preservada ou não.

- Obnubilação ou torpor: é um estado de prejuízo mais profundo do alerta, com diminuição do interesse pelo ambiente. Na ausência de estímulos ambientais, o paciente permanece como que adormecido, muitas vezes por períodos prolongados, podendo ser acordado por estimulação, mas retornando ao estado prévio assim que esta cessa. Nesses casos, o paciente limita-se a responder questões simples, com frases curtas, às vezes uma ou duas palavras.

- Estupor: descreve um estado de rebaixamento do nível de consciência do qual o paciente só é retirado após estimulação vigorosa e repetida, e já não é mais capaz de fornecer respostas verbais mínimas, apresentando, no entanto, capacidade de localizar corretamente estímulos dolorosos.

Alterações profundas do nível de consciência

Coma

Descreve o estado de não responsividade do qual o paciente não pode ser acordado por estimulação externa. Ocorre abolição da vigília e da consciência (nível e conteúdo) com duração maior do que uma hora. O estado de coma caracteriza-se pelos seguintes achados cínicos:

- Ausência de ciclo vigília-sono ao EEG.
- Ausência de evidência de atividade motora com propósito.
- Ausência de resposta a comandos.
- Ausência de evidência de compreensão ou produção de linguagem.
- Incapacidade de localizar estímulos dolorosos.

Estado vegetativo persistente (EVP)

Este estado sucede ao estado de coma (naqueles pacientes que não recuperam a consciência e não morrem), em geral após um período não superior a quatro semanas e decorre em grande parte dos progressos dos cuidados em unidades de terapia intensiva, que possibilitaram a manutenção de ventilação, pressão arterial, nutrição e controle de complicações (como infecções) por períodos prolongados. As principais características clínicas desse estado foram definidas por Jennet e Plum, em 1972,[5] constituindo-se no retorno da abertura ocular e do controle espontâneo das funções autonômicas, tais como manutenção da temperatura corporal, respiração e controle do sistema cardiovascular (correspondendo neuroanatomicamente ao retorno das funções do hipotálamo e de tronco encefálico). A abertura ocular, primeiramente após estímulos dolorosos, depois a estímulos cada vez menos vigorosos, e por fim torna-se espontânea. O paciente pode piscar, apresentar movimentos oculares de escaneamento do ambiente e até mesmo orientar-se de forma breve para um objeto. Posturas motoras reflexas ou distônicas podem ocorrer após estimulação dolorosa. O paciente pode mover os braços em direção a um estímulo doloroso, porém não é capaz de localizá-lo. Movimentos de mastigação e deglutição também podem estar presentes, bem como gemidos e grunhidos provocados por estímulos do ambiente. Pacientes em EVP exibem retorno da *vigília*, mas não da consciência.

Atualmente, os critérios para o diagnóstico de EVP utilizados foram estabelecidos e publicados pela Academia Americana de Neurologia, de acordo com a revisão da literatura mundial realizada pela Multi-Society Task Force on Persistent Vegetative State, em 1995[6] (Tabela 4.1).

Pacientes em EVP apresentam retorno da vigília e do ciclo vigília-sono (ao EEG), mas *não* apresentam interação proposital com o ambiente, consciência dos estímulos ambientais, consciência de suas necessidades internas ou sinais de atenção, intenção ou aprendizado em relação ao ambiente. Devido à grande quantidade de comportamentos primitivos e reflexos que o paciente em EVP pode exibir, quase sempre torna-se difícil convencer os familiares de que o paciente está, de fato, totalmente inconsciente e desprovido de qualquer atividade mental ou cognitiva, e de que as possibilidades de recuperação da consciência são extremamente reduzidas, sobretudo se o EVP é resultado de lesões não traumáticas. Trata-se de uma das situações mais delicadas a que os profissionais de saúde que atendem pacientes neurológicos são expostos.

Denomina-se *estado vegetativo permanente* à condição clínica em que o EVP se mantém por mais de três meses em lesões não traumáticas, por mais de 12 meses em lesões traumáticas ou quando é o estágio final de doenças demenciais ou degenerativas do SNC, por implicar irreversibilidade da condição (do ponto de vista probabilístico).

TABELA 4.1. Critérios diagnósticos do EVP

Sem evidência de consciência de si mesmo ou do ambiente e incapacidade de interagir com outros indivíduos
Sem evidência de respostas comportamentais sustentadas, reprodutíveis, com propósito ou voluntárias a estímulos visuais, auditivos, táteis ou dolorosos. Podem ocorrer movimentos reflexos e posturais primitivos, movimentos aleatórios de membros, movimentos intermitentes de escaneamento ocular e fixação ocular momentânea em pessoas ao redor. Não há sinais de reconhecimento de pessoas ou do ambiente, nem comportamentos de retirada ou defesa à ameaça
Sem evidência de compreensão ou expressão da linguagem
Vigília intermitente, com presença de ciclo vigília-sono
Funções de tronco encefálico e hipotálamo suficientemente preservadas, permitindo a sobrevivência com cuidados médicos e de enfermagem
Incontinência urinária e fecal
Preservação variável da função de reflexos de nervos cranianos (fotomotor, oculocefálico, córneo-palpebral, vestíbulo-ocular e de tosse) e medulares. Podem ocorrer choro e riso involuntários, movimentos mastigatórios, bocejos, murmúrios e grunhidos, piscamento à luz ou ameaça, mioclonias, reflexo de preensão e sucção.

Estado de consciência mínima (ECM)

É uma condição de rebaixamento do nível de consciência descrita recentemente pelo Aspen Workgroup,[7] caracterizada por prejuízo grave do nível de consciência, porém em que ocorre evidência comportamental de consciência de si ou do ambiente (embora mínima). Ocorre como estado transicional podendo refletir a melhora de um coma ou EVP, ou progressão de um quadro degenerativo de SNC. Pacientes em ECM devem ser diferenciados de pacientes em EVP, pois requerem uma abordagem terapêutica mais agressiva em termos de controle de complicações clínicas (especialmente dor), e investimento em esforços de reabilitação. Os critérios diagnósticos dessa condição estão expostos na Tabela 4.2.

Outros estados de alteração do nível de consciência[8]

- Mutismo acinético: é um estado clínico em que há extrema pobreza de movimentação, comunicação verbal e pensamento, embora com preservação do nível de alerta e integridade do sistema motor. É considerada uma alteração primária da *motivação*, resultando usualmente de lesões da região orbitofrontal mesial, do sistema límbico (especialmente do *septum*, cíngulo anterior e porção mesodiencefálica da formação reticular). Atualmente, tende a ser considerado por alguns autores como uma subcategoria do ECM.[9]
- Abulia: define um estado de diminuição de responsividade em grau menor do que o mutismo acinético, mas ainda havendo nítida diminuição na motivação e espontaneidade no comportamento do indivíduo, resultando em muitos casos de lesões extensas do córtex pré-frontal.
- Síndrome de deaferentação (*locked-in*): descreve os pacientes que estão quadriplégicos e anártricos, porém totalmente conscientes e capazes de apresentar atividade cognitiva, ocorrendo em lesões das porções ventrais da ponte ou mesencéfalo, onde há destruição maciça das fibras dos tratos motores, com preservação do sistema reticular. A importância

TABELA 4.2. Critérios diagnósticos de ECM

O diagnóstico de ECM é baseado na observação inequívoca de um ou mais dos seguintes comportamentos (podem ser necessárias avaliações repetidas até que se estabeleça o diagnóstico):
- Obedecer a comandos simples
- Respostas sim/não gestuais ou verbais
- Verbalização inteligível

Movimentos ou comportamentos afetivos em relação a estímulos ambientais relevantes e que não possam ser atribuídos a atividade reflexa:
- Choro ou riso em resposta a estímulos (visuais ou verbais) com conteúdo emocional, mas não a estímulos neutros
- Vocalizações ou gestos em resposta direta ao conteúdo de comentários ou perguntas
- Tentativa de alcançar objetos
- Tocar ou segurar objetos de modo a acomodar apropriadamente o objeto, considerando o seu tamanho e a sua forma
- Movimentos oculares de seguimento ou fixação sustentada do olhar em resposta direta a um estímulo relevante ou em movimento

Critérios de reversão do ECM – demonstração confiável e consistente da presença de:
- Comunicação interativa
- Uso funcional de pelo menos dois objetos

de se diferenciar esse estado do EVP e ECM é óbvia. Pacientes em *locked-in* têm preservados os movimentos oculares verticais e de piscamento, movimentos que podem se tornar um mecanismo de comunicação com outros indivíduos.

- Demência: refere-se a um estado de prejuízo do conteúdo da consciência (funções cognitivas), sem alteração no nível desta (ver Capítulo 7 – *Demências*).

Etiologia

Alterações do nível de consciência podem ocorrer em diversos tipos de lesão, sendo descritos cinco principais mecanismos:
- Lesões focais envolvendo a formação reticular ou SARA.
- Lesão bilateral dos núcleos intralaminares do tálamo.
- Lesão extensa bilateral dos hemisférios cerebrais.
- Lesão maciça do hemisfério dominante (o esquerdo, na maioria dos indivíduos).
- Depressão generalizada do sistema nervoso.

Didaticamente, costuma-se dividir as lesões que causam coma em *difusas* e *focais*. As causas que levam a lesões difusas incluem alterações cerebrais intrínsecas difusas e alterações extrínsecas (metabólicas e tóxicas). As causas focais incluem lesões em regiões críticas para a manutenção da consciência (acometimento primário ou secundário do SARA). Estas, por sua vez, dividem-se em lesões supratentoriais ou infratentoriais, tomando-se como referência parar essa divisão a *tenda do cerebelo*. As lesões focais podem ainda ser classificadas como *destrutivas* (causando morte neuronal diretamente, como infartos cerebrais) ou *expansivas* (que causam morte neuronal direta e/ou aumento da pressão intracraniana, por sua vez ocasionando compressão e isquemia de estruturas do SARA) (Tabela 4.3).

TABELA 4.3. Principais etiologias do coma

LESÕES FOCAIS

Supratentoriais: acometem os hemisférios cerebrais e/ou diencéfalo

Infratentoriais: acometem cerebelo e/ou tronco encefálico
- AVE hemorrágico
- AVE isquêmico
- Tumores
- Abscessos
- Trauma cranioencefálico
- Desmielinizações

LESÕES DIFUSAS OU MULTIFOCAIS

Intrínsecas
- Encefalites, meningites, vasculites de SNC
- Hemorragia subaracnoide
- Concussão
- Estado pós-ictal (pós-convulsivo)
- Degenerações neuronais primárias
- Desmielinizações

Extrínsecas
- Anóxia ou isquemia
- Deficiência nutricional de cofatores (vitaminas): tiamina, piridoxina, cianocobalamina, ácido fólico
- Hipoglicemia/hiperglicemia
- Encefalopatia hepática
- Uremia
- Doença pulmonar (narcose por CO_2)
- Doenças endócrinas: hipo- ou hipertireoidismo, insuficiência hipofisária, hipo- ou hiperparatireodismo, diabetes, insuficiência adrenal
- Doenças sistêmicas: porfiria, septicemia
- Intoxicação por drogas: sedativos, psicotrópicos, venenos ácidos, anticonvulsivantes, esteroides, inseticidas organofosforados, metais pesados, digitálicos, cianeto, e outros.
- Transtornos hidreletrolíticos e do mecanismo acidobásico: hipo- ou hipernatremia, acidose, alcalose, hipo ou hipermagenesemia, hipo- ou hipercalcemia, hipofosfatemia
- Hipo- ou hipertermia

Avaliação do paciente em coma

A avaliação do paciente em coma compõe-se da anamnese, exame clínico geral, avaliação neurológica e exames subsidiários, quando necessário. A anamnese tem como principal objetivo tentar identificar a causa do coma. O exame clínico também pode oferecer pistas sobre doenças preexistentes, e orienta o tratamento (estabilização clínica). Dentre os principais sinais que se deve procurar no exame físico geral, encontram-se: febre ou hipotermia, alterações cardíacas e de pressão arterial, alterações respiratórias, equimoses ou sinais de traumatismo, odores anormais (como de álcool), sinais de doença hepática ou endócrina, sinais de ingestão ou uso de drogas.

Exame neurológico do coma

Inclui a avaliação do nível de consciência, da motricidade ocular intrínseca (MOI) (pupilas e reflexo fotomotor), da motricidade ocular extrínseca (MOE), do padrão respiratório e do padrão de resposta motora. O exame cuidadoso desses itens permite identificar a gravidade do coma, e inferir o nível da lesão (difusa, supratentorial, infratentorial), o que tem implicações para o tratamento e prognóstico. É importante notar que o exame do coma fornece dados sobre o nível *funcional* da lesão, que pode coincidir ou não com seu nível anatômico. Por exemplo, um AVE de cerebelo pode causar lesão de tronco encefálico por compressão, ou um tumor supratentorial pode causar herniação de estruturas sobre o diencéfalo e tronco, causando isquemia. Desse modo, o exame neurológico do coma nos permite obter informações sobre o nível (no sentido craniocaudal) a partir do qual existe preservação das funções do SNC.

Exame do nível de consciência

Para avaliação do nível de consciência utilizam-se escalas que medem as respostas comportamentais desencadeadas por estímulos ambientais. A escala mais utilizada atualmente é a Escala de Coma de Glasgow (Glasgow Coma Scale – GCS),[10] que se baseia na resposta obtida para os itens Abertura Ocular, Melhor Resposta Verbal e Melhor Resposta Motora. A pontuação varia de 3 (coma profundo) a 15 (normal) (Tabela 4.4).

Exame da motricidade ocular intrínseca (MOI): pupilas e reflexo fotomotor (RFM)

Tamanho das pupilas

O tamanho das pupilas normalmente é determinado por uma harmonia de funcionamento entre o sistema simpático, que determina a dilatação pupilar (midríase) e o sistema parassimpático,

TABELA 4.4. Escala de Coma de Glasgow

COMPORTAMENTO	PONTOS
Abertura ocular (AO)	
• espontânea	4
• a estímulos verbais	3
• a estímulos dolorosos	2
• nenhuma	1
Melhor resposta verbal (MRV)	
• orientado (tempo, espaço, identidade)	5
• confuso	4
• inapropriada (gritos, xingamentos)	3
• sons incompreensíveis (gemidos, grunhidos)	2
• nenhuma	1
Melhor resposta motora (MRM)	
• obedece comandos	6
• localiza estímulos dolorosos	5
• retirada (afasta-se do estímulo doloroso)	4
• postura em flexão anormal (decorticação)	3
• postura em extensão (descerebração)	2
• nenhuma	1

que provoca a contração pupilar (miose). Os dois sistemas podem ser afetados de modos distintos, gerando um desequilíbrio que se manifesta nas alterações pupilares, e refletem o nível anatômico da lesão. Lesões do sistema simpático levam a miose (por predominância do parassimpático), enquanto lesões do sistema parassimpático levam a midríase (por predominância do simpático). A diferença de tamanho entre as duas pupilas observável ao exame é denominada *anisocoria*. A presença do reflexo fotomotor (contração pupilar desencadeada por aumento da incidiência de luz na pupila) também é um indicador da integridade do sistema parassimpático (Tabela 4.5).

O exame de fundo de olho, com uso de oftalmoscópio, está indicado principalmente para verificar a presença de edema de papila (do nervo óptico), um sinal de aumento de pressão intracraniana.

A pupila midriática com RFM ausente indicativa de lesão do III nervo é também denominada pupila *uncal*, por ser, num grande número de casos, um sinal de compressão do III nervo pelo *uncus* do lobo temporal ipsilateral, o que denota que está ocorrendo herniação do cérebro sobre o tronco encefálico (ver a seguir, na seção Herniações Cerebrais), que leva a compressão e isquemia irreversível deste, sendo, portanto, uma emergência neurológica.

Outras situações em que pode haver alterações pupilares, com anisocoria, são uso de colírio midriático ("dilatador da pupila") e doenças oftalmológicas, como uveítes. Além disso, a síndrome de Claude-Bernard-Horner também é uma causa de anisocoria. Nesse caso, a anisocoria se dá à custa de miose em um olho (o outro é normal), o RFM é preservado e há semiptose (queda) palpebral do lado afetado. A síndrome é causada por lesão no sistema simpático em qualquer ponto entre o hipotálamo e a medula cervical, e pode ser constitucional ou sinal de compressão hipotalâmica.

Exame da motricidade ocular extrínseca (MOE)

A MOE é avaliada pelo exame de movimentos oculares reflexos. Primeiramente, observa-se a posição primária dos olhos, verificando-se a presença de desvios do olhar conjugado, estrabismo, dos movimentos oculares espontâneos e de nistagmo. Em seguida, procede-se à realização de manobras para provocar determinadas respostas reflexas, descritas a seguir:

- Reflexo oculocefálico (ROC): conhecida como manobra dos "olhos de boneca". Nessa manobra, ao se realizar a rotação rápida da cabeça para um dos lados, os olhos desviam-se para o lado contralateral. Ao se realizar a flexão do pescoço, as pálpebras se abrem (fenômeno dos olhos de boneca) e os olhos desviam-se para cima; inversamente, os olhos desviam-se

TABELA 4.5. Alterações da MOI e sua relação com o nível anatômico da lesão

NÍVEL DA LESÃO	TAMANHO DA PUPILA	REFLEXO FOTOMOTOR
Encefalopatia metabólica	Miose	Presente
Diencefálica bilateral	Miose	Presente
Hipotálamo	Miose	Presente
Porção ventral do mesencéfalo	Média	Ausente
Porção tectal ou pré-tectal do mesencéfalo	Discreta midríase, com flutuações espontâneas (*hippus*)	Ausente
Ponte	Extrema miose	Presente
Nervo oculomotor (III nervo)	Extrema midríase	Ausente

para baixo ao se proceder a extensão. Esse reflexo testa a integridade das conexões entre as vias aferentes dos musculos cervicais e do sistema vestibular com as vias eferentes do III (oculomotor) e VI (abdutor) nervos. Ausência de resposta nessa manobra (os olhos ficam fixos, acompanhando o movimento da cabeça) é muitas vezes indicativa de lesão em tronco encefálico, no nível do mesencéfalo e ponte (Fig. 4.2).

- Reflexo oculovestibular: também conhecido como "prova calórica", consiste na irrigação do canal auditivo externo com água fria (após verificação da ausência de lesões timpânicas, pela otoscopia), o que em pessoas acordadas provoca o surgimento de nistagmo com a fase rápida para o lado contralateral ao irrigado. Nos indivíduos em coma, a irrigação da orelha com água provoca um desvio tônico conjugado do olhar em direção ao lado irrigado; se a irrigação for feita com água quente, o desvio ocorre para o lado oposto. A cabeça do indivíduo deve ser colocada em um ângulo de 30 graus em relação à horizontal, a fim de maximizar a estimulação do canal semicircular lateral. Para verificar a movimentação ocular vertical, deve-se irrigar os dois lados simultaneamente: com água fria ocorre movimento conjugado vertical dos dois olhos para cima, e com água quente, movimento vertical para baixo. A ausência de resposta a essa estimulação indica lesão em nível de mesencéfalo e ponte (Fig. 4.2). Respostas presentes, porém anormais, indicam lesões em outras regiões, como mesencéfalo.

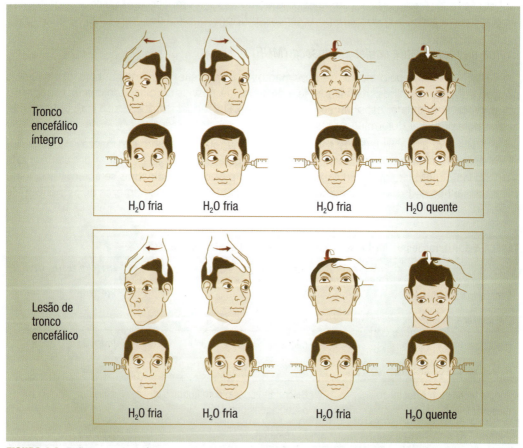

FIGURA 4.2. Reflexos oculocefálico e oculovestibular: respostas com tronco encefálico intacto e lesado (mesencéfalo e ponte).

- Reflexo corneopalpebral: é realizado pela estimulação da córnea por um pequeno pedaço de algodão (com cuidado para não tocar os cílios, e não realizar um estímulo visual de aproximação, que provocam reflexos diferentes). A resposta normal é o fechamento da pálpebra com desvio dos olhos para cima (fenômeno de Bell). Essa manobra testa a integridade das conexões entre o nervo trigêmeo (aferente sensitivo da córnea), o nervo facial, que inerva a pálpebra, e a área tectal do mesencéfalo (movimento ocular para cima). Ausência de resposta também é indicativa de lesão na porção inferior da ponte.

Sumariamente, podemos concluir que a presença de movimentos oculares após estimulação com as manobras já descritas indica que há lesão supratentorial ou metabólicas, que não interferem na função do tronco encefálico. Ausência de resposta à pesquisa de movimentação ocular é indicativa de lesões infratentoriais que acometem o tronco encefálico (primária ou secundariamente – como por compressão) ou intoxicação por algumas drogas específicas, como hipnóticos, sedativos, anestésicos gerais, curare, primidona, fenitoína, que podem deprimir a função dessa região.

Exame do padrão respiratório

O exame do padrão respiratório perdeu parte de sua importância na semiologia do coma após a disseminação das técnicas de ventilação assistida. A intubação precoce de pacientes com rebaixamento de nível de consciência é indicada como um modo de assegurar um aporte adequado de oxigênio, protegendo o SNC, além de evitar aspiração e consequente infecção pulmonar. Assim, é muito comum que, ao examinarmos o paciente em coma, este já esteja adequadamente intubado e em regime de ventilação assistida por aparelhos, o que impede que o seu padrão respiratório espontâneo seja observado. De todo modo, quando possível, a observação desse padrão pode fornecer dados sobre o nível provável da lesão:

- Respiração de Cheyne-Stokes: consiste em períodos de apneia alternados com períodos de hiperventilação num ritmo em "crescendo-decrescendo". Ocorre em lesões diencefálicas. Esse padrão de respiração pode estar presente em situações fisiológicas, como em idosos e no sono de pessoas normais.
- Hiperventilação neurogênica central: padrão respiratório em hiperventialação mantida, inicialmente descrito como indicativo de lesões mesencefálicas. No entanto, é muito mais frequente nos comas de origem metabólica, como mecanismo compensatório.
- Respiração apnêustica (de Kussmaul): caracterizada por períodos de inspiração rápida seguidos de parada em inspiração profunda; indica lesão na porção inferior da ponte.
- Respiração periódica de ciclo curto (em salvas): assemelha-se à de Cheyne-Stokes, porém os ciclos são mais curtos; ocorre em lesões de ponte inferior, fossa posterior e na hipertensão intracraniana.
- Respiração atáxica: consiste num padrão completamente irregular, em que se alternam períodos de apneia, com outros de respiração ora superficial, ora profunda. Ocorre em lesões do bulbo.

Exame do padrão motor

O padrão de resposta motora é examinado inicialmente observando-se a movimentação espontânea do paciente (se existe) e tentando-se conseguir que o indivíduo obedeça a comandos simples, como "Aperte a minha mão" e "Levante a perna". Evidentemente, esse tipo de solicitação só é possível em pacientes que apresentem rebaixamento do nível de consciência, mas não estejam comatosos.

Nos pacientes em coma é necessário realizar um estímulo doloroso, que pode ser realizada através pela compressão do leito ungueal, em geral nas mãos (bilateralmente), da região supraorbitária (também bilateralmente) ou do esterno. Os padrões de resposta que podem ser obtidos são os seguintes:

- Respostas apropriadas: incluem retirada do membro, movimento do corpo ou membro em fuga ao estímulo ou tentativa de remover o estímulo.
- Postura em decorticação (sinergismo em flexão): caracterizada por flexão e adução do cotovelo, flexão do punho e dos dedos em membros superiores, com hipertensão, rotação interna e flexão plantar dos membros inferiores. Ocorre em lesões dos hemisférios cerebrais (Fig. 4.3A).
- Postura em descerebração (sinergismo extensor): trata-se de extensão, adução e hiperpronação dos membros superiores, acompanhada de extensão e flexão plantar nos membros inferiores, podendo haver opistótono e fechamento forçado da mandíbula. Indica lesão compreendida entre mesencéfalo e diencéfalo (de causa estrutural ou mesmo metabólica) (Fig. 4.3B).
- Resposta extensora em membros superiores e flexora em membros inferiores: ocorre em lesões de ponte (Fig. 4.3C).
- Flacidez ou ausência de resposta: indica lesão em níveis inferiores da ponte, ou bulbar.

Além do padrão motor, esse exame pode constatar a presença de hemiparesia. Os reflexos tendinosos profundos e o tônus muscular também devem avaliados.

Exames subsidiários

A realização dos exames subsidiários tem como objetivo determinar a causa do coma, a fim de otimizar seu tratamento. Nos casos em que a história clínica e o exame neurológico sugiram lesão focal (AVEs, tumores, TCE), um exame de neuroimagem (TC ou RM de crânio) deve ser realizado o mais precocemente possível, a fim de identificar a lesão e sua localização. Nos casos em que a suspeita é de coma por etiologia metabólica, pode-se rastrear as causas mais comuns (orientando-se a pesquisa pelos dados obtidos pela história clínica que o exame neurológico), por exames gerais: hemograma, glicemia, exames de função renal (ureia e creatinina), eletrólitos (sódio, potássio, cálcio,

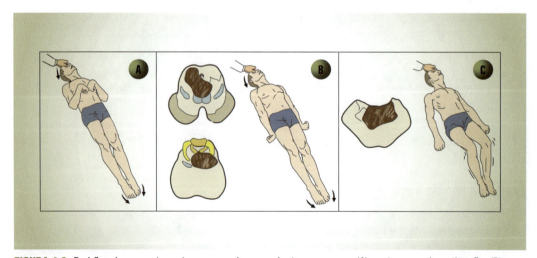

FIGURA 4.3. Padrões de resposta motora anormal nos pacientes em coma: (A) postura em decorticação; (B) postura em descerebração; (C) resposta extensora em MMS e flexora em MMII.

magnésio, fosfato), coagulograma, provas de função hepática, gasometria arterial, exame toxicológico de sangue e urina (embora muitas drogas não sejam identificáveis). Se essa pesquisa resultar negativa, o exame de imagem deverá ser realizado. Pacientes em que há suspeita de meningite serão submetidos a punção liquórica. Em alguns casos, pode estar indicada a realização de EEG (por exemplo: suspeita de estado de mal epiléptico ou encefalopatia hepática, dentre outros).

Estudos com EEG e PET mostram que a atividade cortical é extremamente reduzida nos pacientes em coma e em EVP.

Tratamento

O tratamento inicial do coma deve ser instituído mesmo sem se conhecer a sua causa. Levando-se em consideração que a falta de oxigênio e de aporte de glicose (e cofatores, como a tiamina) leva os neurônios à morte em poucos minutos, todo paciente em coma deve ter assegurada imediatamente oxigenação e manutenção de ritmo cardíaco e pressão arterial adequadas, além de receber glicose e tiamina. Asseguradas essas medidas iniciais, pode-se proceder a anamnese, exame físico e exame neurológico a fim de orientar a investigação e conduta posteriores. O tratamento será definido, a partir daí, em função da etiologia do coma. Além disso, enquanto permanecerem inconscientes, os pacientes necessitarão de suporte ventilatório, cardiovascular, hidreletrolítico, nutricional e de higiene apropriados, envolvendo cuidados de terapia intensiva.

Morte encefálica

Morte encefálica é o termo que designa o estado de falência total e irreversível do encéfalo (hemisférios cerebrais, diencéfalo, tronco encefálico), e que equivale atualmente à morte cínica do indivíduo. De acordo com os termos do President's Comission on the Study of Ethical Problems in Medicine and Biomedical and Behaviorall Research (publicado em 1982),[11] é a *"cessação irreversível de todas as funções do encéfalo incluindo as de tronco encefálico"*. No Brasil, os critérios para determinação de morte encefálica constam da Resolução nº 1.480 do Conselho Federal de Medicina (1997).[12] Para que esse diagnóstico possa ser firmado, é necessário que o paciente não apresente nenhuma evidência de atividade cortical ou de tronco encefálico. A doença ou situação clínica que desencadeou o coma deve ser conhecida, e devem ser afastadas causas que possam simular um estado de abolição das funções encefálicas, como intoxicações exógenas (especialmente por barbitúricos ou drogas que bloqueiam a junção neuromuscular), hipotermia, hipotensão arterial grave (choque), alterações metabólicas intensas, dentre outras. O paciente deve ser avaliado por duas vezes, com intervalo mínimo de seis horas (no caso de adultos; em crianças, especialmente recém-nascidos, o intervalo é maior). A Tabela 4.6 mostra os critérios de exame neurológico que devem ser preenchidos para o diagnóstico de morte encefálica.

Após o diagnóstico clínico de morte encefálica, deve ser realizado exame subsidiário para sua confirmação, com o objetivo de documentar a ausência de atividade elétrica (EEG), fluxo sanguíneo (angiografia, SPECT, Doppler transcraniano) ou metabolismo encefálico (PET). Em adultos, é necessária a realização de apenas um entre os exames complementares citados.

Prognóstico

Os principais parâmetros que se correlacionam com a maior ou menor probabilidade de um paciente em coma apresentar algum grau de recuperação são sua idade, duração do coma, alterações neuro-oftalmológicas, padrão motor e etiologia do coma.[2,13] Esses parâmetros, entretanto, estão

TABELA 4.6. Exame neurológico para diagnóstico de morte encefálica

Nível de consciência: pontuação de 3 na Escala de Coma de Glasgow
MOI: pupilas médias ou midriáticas, RFM ausente
MOE: ausência dos reflexos oculocefálico e oculovestibular
Padrão motor: ausência de resposta motora à estimulação (eventualmente podem ocorrer respostas reflexas medulares)
Reflexos axiais da face, corneopalpebral, mandibular e faríngeo ausentes
Apneia respiratória: ausência de movimentos respiratórios espontâneos após um período de observação de 10 minutos (mantendo-se aporte de O_2 por cateter nasal). Ao término da prova, deverá ser colhida gasometria arterial documentando que a $paCO_2$ atingiu o mínimo de 55 mmHg, indicando que houve estímulo máximo do centro respiratório bulbar

inter-relacionados, podendo "potencializar-se" ou "anular-se" em diversas combinações. Pacientes jovens apresentam maior potencial de recuperação;[14] quanto maior a duração do coma, menor a probabilidade de que o paciente recobre a consciência; pacientes com ausência de resposta oculomotora e pupilar nas primeiras horas após a instalação do coma têm prognóstico bastante reservado;[11] padrão motor em decorticação ou descerebração nas primeiras 6 a 8 horas também indicam prognóstico ruim, com altas taxas de mortalidade (em torno de 83%). Em geral, comas de origem não traumática apresentam prognóstico pior do que os de origem traumática se o paciente não recupera a consciência nos primeiros dias após a instalação do coma.

No caso dos pacientes que evoluem para EVP, a maior taxa de recuperação da consciência se dá naqueles com lesão traumática, e ocorre nos primeiros seis meses após a lesão. Deve-se lembrar, também, que o paciente pode recobrar a consciência, mas apresentar sequelas motoras e cognitivas incapacitantes.

As causas de óbito mais frequentes nos indivíduos em coma são infecções (pulmonar e de trato urinário), correspondendo a 50% dos casos, e falência de múltiplos órgãos.

HIPERTENSÃO INTRACRANIANA

O crânio é uma caixa óssea que possui paredes rígidas e inelásticas. A cavidade intracraniana comunica-se com o canal raquiano (da medula) através do forame magno, e seus principais componentes são as meninges, o parênquima encefálico, o líquido cefalorraquiano (LCR) e o sangue (Fig. 4.4).

Por definição, *pressão intracraniana* (PIC) é a pressão exercida pelo LCR, sendo equivalente à pressão que deve ser exercida contra uma agulha introduzida no espaço liquórico para impedir a saída do LCR. Essa pressão reflete o equilíbrio entre os diversos componentes da cavidade intracraniana, e, em situações normais, varia de 5 a 15 mmHg, e valores abaixo de 20 mmHg são perfeitamente toleráveis pelo indivíduo.

A PIC pode ser medida pela introdução de um cateter na cavidade ventricular, intracerebral, no espaço subaracnoide, no espaço extradural e na cisterna lombar (se não houver bloqueio do fluxo liquórico) e sua aferição tem grande importância no tratamento de doenças que provocam seu aumento, como nos TCE.

FIGURA 4.4. Componentes do espaço intracraniano.

Assim, temos *hipertensão intracraniana* (HIC) quando a PIC ultrapassa os 20 mmHg, ocasionando diminuição do fluxo sanguíneo cerebral e risco da ocorrência de herniações cerebrais (ver Seção Herniações Cerebrais). HIC é causada pelo aumento de volume de um dos componentes já existentes, ou pela introdução de um novo volume (como um AVE ou tumor cerebral). Sendo o crânio inextensível, o volume contido em seu interior não pode ser aumentado indefinidamente, sem que haja aumento correspondente da PIC.

No entanto, o sistema tem certa complacência: havendo pequenos aumentos de volume por uma das razões citadas, existem mecanismos de compensação do aumento de pressão, pelo deslocamento dos componentes líquidos (LCR e sangue do sistema venoso) do compartimento intracraniano (Fig. 4.5).

Porém, quando o aumento de volume ultrapassa a capacidade compensatória do sistema, ou quando ocorre muito rapidamente (por exemplo, no caso de um AVE hemorrágico extenso que se instala em poucos minutos), a PIC se eleva exponencialmente e, a partir desse ponto, expansões mínimas do volume geram grandes incrementos da PIC (Fig. 4.6).

Mecanismo de autorregulação do FSC

Em situações normais, o fluxo sanguíneo cerebral (FSC) tende a ser constante, mesmo com grandes variações da pressão arterial (PA) sistêmica. Para que isso ocorra, quando há aumento de PA (mesmo em situações fisiológicas, como ao realizarmos um exercício físico intenso), há uma resposta de vasoconstrição cerebral, o que impede o aumento de PA sistêmica repercuta em aumento da PIC. De modo inverso, quando acontece uma diminuição da PA sistêmica, ocorre vasodilatação cerebral, o que permite que o aporte de sangue, dado pela pressão de perfusão cerebral (PPC), seja mantido constante. Assim, temos a seguinte fórmula: FSC = PPC – Resistência vascular cerebral (em que esta é modificada quando necessário, como já descrito).

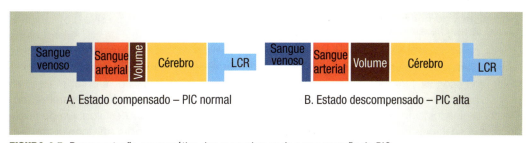

FIGURA 4.5. Representação esquemática dos mecanismos de compensação da PIC.

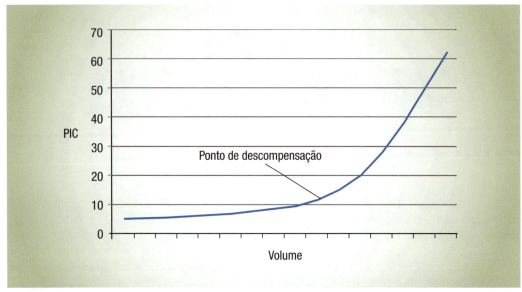

FIGURA 4.6. Curva da complacência (volume/pressão) de Langfitt.[15]

A PPC, por sua vez, obedece à seguinte fórmula: PPC = PAmédia − PIC. Assim, vemos que o aumento da PIC acaba por diminuir a PPC, o que, por sua vez, leva a prejuízo do FSC, provocando sofrimento neuronal, já que o cérebro só possui metabolismo aeróbico (isto é, dependente de O_2) e seu único combustível energético é a glicose. O FSC começa a ficar prejudicado quando a PPC cai abaixo de 50 mmHg (vasodilatação total).

Quadro clínico

HIC aguda

Quando o aumento da PIC é rápido e súbito, instala-se a síndrome da HIC aguda, em que os principais sinais e sintomas são cefaleia, náuseas e rebaixamento do nível de consciência. Como não há tempo para que o sistema se "acomode" à elevação rápida e brusca do volume intracraniano, ocorre o risco da ocorrência de herniações cerebrais, cujos sinais clínicos clássicos compõem a tríade de Cushing: hipertensão arterial sistêmica, bradicardia e irregularidades do ritmo respiratório.

HIC subaguda ou crônica

Nos casos em que o aumento de volume se dá de modo mais lento e progressivo (por exemplo, por causa do crescimento de um tumor intracraniano, instala-se a síndrome da HIC subaguda ou crônica, caracterizada por cefaleia, vômitos e edema de papila. A cefaleia ocorre em 70% dos casos, tem um caráter de aumento progressivo de intensidade, e costuma piorar durante a noite (pela maior retenção CO_2 durante o sono, o que também aumenta a vasodilatação cerebral, piorando a HIC). Os vômitos estão presentes em 70% dos casos, precedidos ou não de náuseas (estes últimos são denominados "vômitos em jato") e após sua ocorrência há melhora da cefaleia. O edema de papila é o sinal mais característico da HIC (papila é o local de convergência dos axônios das vias ópticas, a "ponta" do nervo óptico).

Além da tríade clássica descrita antes, na HIC crônica podem ocorrer alterações de personalidade ou cognitivas (como fadiga, apatia, irritabilidade, desatenção e instabilidade emocional), crises convulsivas, tonturas e paresia do nervo abducente (VI nervo craniano), por compressão.

Herniações cerebrais

Caracterizam-se pela saída de tecido encefálico do compartimento onde se encontra, por descompensação da PIC (Fig. 4.7).

As herniações vão ocorrer nos pontos em que há menor resistência ao deslocamento do parênquima encefálico. Esses pontos são a foice do cérebro e a tenda do cerebelo (porções da meninge que separam os dois hemisférios cerebrais entre si, e o cérebro do cerebelo (Fig. 4.8).

As *hérnias subfalcinas*, isto é, aquelas em que ocorre um deslocamento do parênquima cerebral lateralmente sob a borda livre da foice (Figs. 4.9 e 4.10), não costumam acarretar maiores implicações clínicas, a não ser quando comprimem a circulação sanguínea das artérias pericalosas, localizadas nessa região, o que pode levar a isquemia das regiões irrigadas por elas (giro do cíngulo, corpo caloso e parte da região medial dos lobos frontais).

As *hérnias transtentoriais*, por sua vez, são mais graves, acarretando compressão das estruturas vitais do tronco encefálico. Nesse tipo de herniação, o conteúdo supratentorial (localizado acima da tenda do cerebelo) projeta-se em direção caudal (para baixo), para a região infratentorial

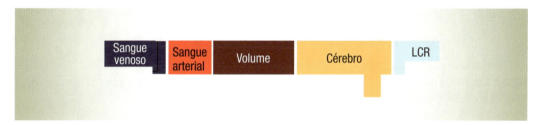

FIGURA 4.7. Representação esquemática do processo de herniação cerebral.

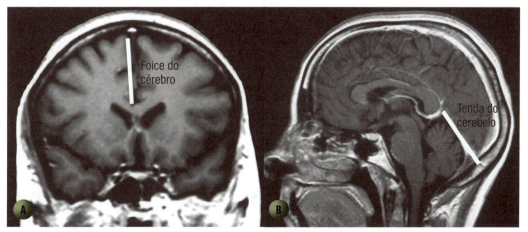

FIGURA 4.8. (A) Imagem coronal de RM de crânio mostrando a foice do cérebro; (B) Imagem sagital de RM de crânio mostrando a tenda do cerebelo.

(abaixo da tenda do cerebelo). Existem dois tipos de herniação transtentorial: a hernação central e a herniação lateral (ou uncal).

Nas hérnias transtentoriais centrais, ocorre deslocamento do diencéfalo e mesencéfalo em sentido caudal, causado por um cone de pressão que se direciona para linha média e para baixo (Fig. 4.10). Pode ser causada em casos de hidrocefalia, *swelling* (inchaço) cerebral difuso, tumores da linha mediana. A evolução clínica é rápida e grave, e os sintomas incluem rebaixamento do nível de

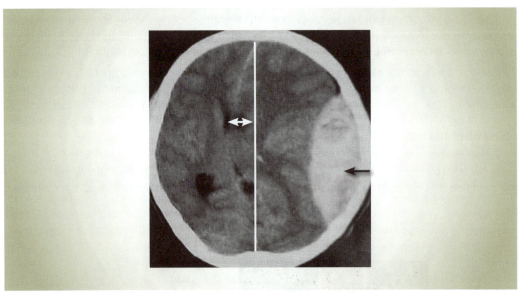

FIGURA 4.9. Hérnia subfalcina: a seta branca mostra o desvio do parênquima cerebral a partir da linha média, causado por um hematoma extradural (seta preta).

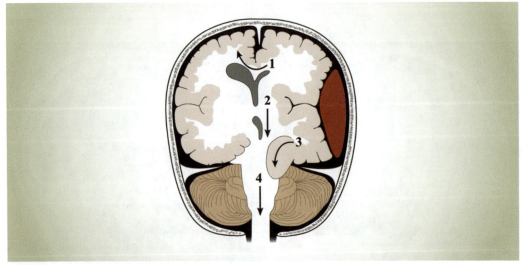

FIGURA 4.10. Representação esquemática das principais formas de herniação do parênquima cerebral: 1. subfalcina; 2. transtentorial central; 3. uncal; 4. tonsilar (cerebelo).

consciência (de torpor a coma) e alterações progressivas do padrão motor (decorticação – descerebração), dilatação pupilar e isquemia da hipófise, por compressão.

Nas hérnias transtentoriais laterais (uncais), ocorre deslocamento da porção medial do lobo temporal (úncus). O primeiro sinal de herniação uncal é a compressão ipsilateral do III nervo (oculomotor), levando a midríase com RFM negativo unilateral (anisocoria); em seguida, acontece a compressão do pedúnculo cerebral do mesencéfalo, com consequente hemiparesia contralateral; finalmente, ocorre compressão mais intensa do tronco encefálico, e o paciente entra em coma. Essas herniações são causadas por processos expansivos lateralizados (Figs. 4.10 e 4.11).

Quando há herniação, o deslocamento caudal do tronco encefálico não é acompanhado por seu sistema vascular, ocorre estiramento das artérias perfurantes do mesencéfalo e ponte, o que provoca infartos isquêmicos e hemorrágicos nessa região, produzindo sequelas neurológicas graves, e até mesmo a possibilidade de morte encefálica.

Tratamento

A HIC é a maior causa de óbitos por lesão neurológica. Deve ser reconhecida e tratada precocemente. O tratamento da HIC consiste em retirar a sua causa, quando possível, pela drenagem liquóricas no caso das hidrocefalias, drenagem dos hematomas intracranianos, ressecção de neoplasias e punção ou drenagem dos abscessos ou granulomas. A *cirurgia descompressiva* também pode ser empregada, consistindo na retirada temporária de parte do osso da calota craniana (descompressiva externa), ou de áreas do cérebro já acometidas, e, portanto, não funcionantes (descompressiva interna), a fim de permitir que haja mais espaço para a expansão do cérebro sem que ocorra compressão de estruturas vitais. É indicada, com mais frequência, em casos de lesões isquêmicas hemisféricas.

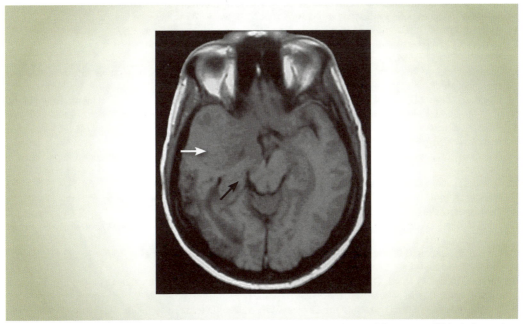

FIGURA 4.11. Imagem axial de RM de crânio mostrando processo expansivo em lobo temporal E (seta branca) e herniação uncal, com compressão do mesencéfalo (seta preta).

O tratamento clínico é empregado quando o tratamento cirúrgico não é possível ou cabível, ou enquanto se aguarda tratamento cirúrgico, e como adjuvante ao tratamento cirúrgico. Consiste, resumidamente, nas seguintes medidas:

- Elevação do decúbito a 30°, para diminuir a pressão venosa na saída do sistema nervoso, melhorando drenagem venosa.
- Corticoesteroides: têm efeito antiinflamatório, atuam reduzindo intensamente o edema cerebral citotóxico, ao redor de neoplasias, abscessos e granulomas, e diminuem a produção de LCR.
- Hiperventilação: o aumento da frequência respiratória provoca diminuição do pCO_2, o que favorece a vasoconstrição cerebral.
- Sedação: com a administração de barbitúricos, benzodiazepínicos, agentes anestésicos, que promovem diminuição do metabolismo neuronal, gerando maior resistência à hipóxia (proteção cerebral).
- Soluções hipertônicas (manitol, glicerol): têm efeito osmótico, com consequente retirada de líquidos do interstício cerebral.

Bibliografia

Ribas GC, Manreza LA. Traumatismo Cranioencefálico. In: Nitrini R, Bacheschi LA (eds.). A Neurologia que Todo Médico Deve Saber. 2ª ed. São Paulo: Atheneu 2003; 189-203.

Referências bibliográficas

1. Mountcastle VB. Sono, Vigília e Estado Consciente: Mecanismos Intrínsecos de Regulação do Cérebro. In: Mountcastle VB (ed.). Fisiologia Médica, volume 1. 13ª ed. Rio de Janeiro: Guanabara Koogan 1978; 254-280.
2. Giacino JT. Disorders of consciousness in coma, stupor, and minimally responsive states. In: Feinberg TE, Farah MJ (eds). Behavioral Neurology & Neuropsychology. 2nd ed. New York: McGraw-Hill 2003; 337-44.
3. Saper CB. Brain Stem Modulation of Sensation, Movement, and Consciousness. In: Kandel ER, Schwartz JH, Jessell TM (eds). Principles of Neural Science. 4th ed. New York: McGraw-Hill 2000; 889-909.
4. Plum F, Posner J. The Diagnosis of Stupor and Coma. 3rd ed. Philadelphia: FA Davis, 1982.
5. Jennett B, Plum F. Persistent vegetative state after brain damage: A syndrome in search of a name. Lancet 1972; 1:734-7.
6. The Multi-Society Task Force Report on PVS. Medical aspects of the persistent vegetative state. New England Journal of Medicine 1994; 330:1449-572.
7. Giacino JT, Zasler ND, Katz DI, et al. Development of practice guidelines for assessment and management of the vegetative and minimally conscious states. Journal of Head and Trauma Rehabilitation 1997; 12:79-89.
8. Ames C, Marshall L. Differential Diagnosis of Altered States of Consciousness In: Winn HR (ed.) Youmans Neurological Surgery. 5th ed. Philadelphia: Saunders. 2004; 1:277-99.
9. American Congress of Rehabilitation Medicine: Recommendation for use of uniform nomenclature pertinent to patients with severe alterations in consciousness. Arch Phys Med Rehabil 1995; 76:205-9.
10. Teasdale G, Jennet B. Assessment of coma and impaired consciouness: A practical scale. Lancet 1974; 2:81-4.
11. President's Comission for the Study of Ethical Problems in Medicine and Biomedical and Behavioral Research – Guidelines for the determination of death. Neurology 1982; 32:395-9.
12. Conselho Federal de Medicina. Resolução CFM nº 1.480/97. Disponível em http://www.portalmedico.org.br/resolucoes/cfm/1997/1480_1997.htm
13. Jennett B, Teasdale G, Brackmann R, et al. Predicting outcome in individual patients after severe head injury. Lancet 1976; 1:1031-4.
14. Becker D, Miller JD, Ward JD, et al. The outcome from severe head injury with early diagnosis and intensive management. Journal of Neurosurgery 1977; 47:491-502.
15. Langfitt TW, Weinstein JD, Kasell NF. In: Caveness WF, Walker AD (eds). Head Injury: Conference Proceedings. Philadelphia: J.B. Lippincott, 1966.

Neurotraumatologia

5

Márcia Radanovic ▪ Marcos de Queiroz Teles Gomes

▰ TRAUMATISMO CRANIENCEFÁLICO

Conceito e epidemiologia

Trauma craniencefálico (TCE) é definido como qualquer lesão de origem traumática que se localiza anatomicamente no couro cabeludo, crânio, meninges, encéfalo ou seus vasos, e que leva a prejuízo temporário ou permanente das funções neurológicas. Constitui um problema de saúde pública na maioria dos países, por seu alto risco de ocasionar mortes e graus variáveis de incapacidades motoras e neuropsicológicas permanentes.

O TCE é a causa mais frequente de óbito em indivíduos com menos de 45 anos, tendo seu pico de ocorrência em indivíduos com idade entre 15 e 24 anos. É mais comum em homens, numa proporção aproximada de 2:1. Em indivíduos jovens, a maior causa de TCE são os acidentes automobilísticos; nos idosos (acima de 65 anos), as quedas vêm em primeiro lugar. Outras causas frequentes de TCE são ferimentos por projéteis de arma de fogo, agressões com instrumentos contundentes ou perfurantes (bastões, facas) e impactos ocasionados por mergulhos em águas rasas. O TCE é também uma importante causa de morbidade e mortalidade em crianças, sendo responsável por mais de 75% dos óbitos secundários a trauma nessa faixa etária.[1] Em crianças, as quedas constituem a principal causa de TCE. O uso abusivo de álcool é um fator que está altamente associado à ocorrência de todas as formas de TCE.[2]

Os dados relativos à ocorrência e impacto do TCE no Brasil são escassos. Um estudo realizado na cidade de São Paulo (SP), em 1997, demonstrou que a taxa de mortalidade por TCE como sendo entre 26,2 e 39,3 por 100.000 habitantes.[3] Outro estudo, realizado em Salvador (Bahia), revelou um índice de mortalidade de 22,9% para os casos de TCE internados em um hospital público.[4]

Um fato importante a ser lembrado é que frequentemente o TCE ocorre num indivíduo *politraumatizado*, ou seja, que apresenta lesões em outras regiões e órgãos do corpo, podendo estar sujeito a perda sanguínea maciça, obstrução de vias aéreas etc., o que o transforma num paciente instável e grave, que requer cuidados imediatos.

Fisiopatologia

Conceitua-se como *lesão primária* aquela que ocorre imediatamente após o impacto, como decorrência direta deste. De acordo com a intensidade desse impacto podem ocorrer graus variáveis de lesão em parênquima cerebral (neurônios, células gliais), vasos sanguíneos e meninges, bem como fraturas ósseas.

A *lesão secundária*, por sua vez, decorre de eventos fisiopatológicos que são desencadeados pelo impacto, instalando-se minutos, horas ou dias após a lesão primária. A lesão secundária acrescenta mais danos ao tecido cerebral, prolongando o tratamento e aumentando a gravidade do quadro. Além disso, o atendimento inadequado do paciente com TCE pode contribuir para o aumento da lesão secundária. Por outro lado, o tratamento precoce e adequado do TCE pode minimizar sua ocorrência.

Suas causas mais frequentes são:[5]

- Liberação de aminoácidos excitatórios, como glutamato e aspartato, que provocam influxo de cálcio e sódio nos neurônios, levando a tumefação e morte celular;
- Liberação de opioides endógenos, que promovem a liberação de aminoácidos excitatórios;
- Hipertensão intracraniana (HIC), que pode provocar hipóxia e isquemia cerebral, hidrocefalia, edema cerebral e herniação (ver Capítulo 4 – seção *Hipertensão Intracraniana*);
- Hipotensão: em geral devida a hipovolemia (perda sanguínea) por trauma em outras regiões;
- Hipóxia: por inadequada ventilação, por exemplo, se o paciente tiver lesão nas vias aéreas ou estiver em coma;
- Hipertermia;
- Hiperglicemia;
- Hipoglicemia;
- Outros distúrbios hidroeletrolíticos: alterações de sódio, potássio, cálcio, magnésio, pH;
- Prejuízos da coagulação sanguínea (coagulopatias) secundárias ao politraumatismo;
- Convulsões: que podem ser provocadas pelo TCE em si, ou por qualquer das causas secundárias.

Biomecânica

De acordo com Goldsmith,[6] existem três processos físicos envolvidos no TCE:

- Colisão da cabeça com um objeto sólido em velocidade significativa: ocorre lesão por combinação de contato direto e força inercial. A lesão por contato direto é também conhecida como mecanismo de *golpe*, a força inercial provoca lesão por mecanismo de *contragolpe*;
- Uma carga de impulso provocando movimento repentino da cabeça, sem contato físico significativo: a lesão é devida predominantemente ao mecanismo inercial (efeito aceleração-desaceleração);
- Uma carga estática ou quase-estática, comprimindo a cabeça com força gradual: ocorre lesão por aumento gradativo da força de contato (esmagamento).

Forças de contato ocasionam lesões focais, no local do impacto ou a distância, como as contusões e fraturas de crânio. Forças inerciais de aceleração translacional causam contusões, hemorragias intracranianas e hematomas subdurais; quando rotacionais, provocam cisalhamento (ou tosquia), em que ocorre deslizamento de um tecido sobre o outro (como na lesão axonal difusa - LAD). No entanto, é mais comum acontecer uma combinação de forças translacionais e rotacionais. É interessante lembrar que a própria caixa craniana e algumas estruturas do interior do crânio funcionam como objeto sólido contra o qual o encéfalo pode se chocar (impacto interno), sendo os locais onde isso ocorre com mais frequência os ossos temporal e frontal, o osso esfenoide, a foice e a tenda do cerebelo.

Classificação

O TCE pode ser classificado de acordo com a gravidade da lesão, seu mecanismo ou sua morfologia.

Gravidade da lesão

De acordo com o American College of Surgeons,[7] o TCE pode ser classificado em leve, moderado e grave, de acordo com o estado neurológico do paciente à admissão.

- TCE leve: corresponde a 80% dos casos. Nestes, o paciente tem pontuação de 14 ou 15 na Escala de Coma de Glasgow (Glasgow Coma Scale – GCS).[8] Pode ocorrer perda breve da consciência, amnésia, sonolência ou confusão mental. Em 3% desses casos pode haver deterioração clínica;
- TCE moderado: corresponde a 10% dos casos, e engloba os pacientes com pontuação entre 9 e 13 na Escala de Coma de Glasgow. O paciente está confuso e sonolento, porém consegue obedecer ordens simples (apertar a mão, abrir e fechar os olhos etc.). Deterioração clínica pode ocorrer em 10 a 20% desses casos, já que cerca de 40% dos pacientes classificados como moderados apresentam alguma alteração à TC de crânio;
- TCE grave: corresponde aos restantes 10% dos casos, em que os pacientes apresentam pontuação entre 3 e 8 na Escala de Coma de Glasgow, estando, portanto, em coma. Nesses casos, as taxas de morbidade e mortalidade são altas, tratando-se de uma emergência médica que requer intervenção agressiva e imediata.

Mecanismo da lesão

De acordo com esta forma de classificação, o TCE pode ser *fechado* ou *aberto*.

- TCE fechado: não há lesão da dura-máter. São usualmente decorrentes acidentes automobilísticos, quedas e agressões;
- TCE aberto ou penetrante: ocorre lesão de dura-máter, em geral devido a lesões por projétil de arma de fogo ou arma branca (facas etc.). Seu tratamento é cirúrgico, consistindo em limpeza e reconstrução dos envoltórios do SNC (meninges).

Morfologia da lesão

Nesta forma de classificação temos as fraturas e as lesões intracranianas.

Fraturas

Em geral não requerem tratamento específico, mas sua existência aumenta em muito a chance de ocorrer hematoma intracraniano.[5] As fraturas dos ossos da base do crânio, por sua vez, podem ocasionar fístulas liquóricas ou paralisia de nervo facial. Os sinais clínicos mais frequentes nas fraturas de base de crânio são a equimose periorbitária ("sinal dos olhos de guaxinim"), a presença de sangue na orelha (na forma de hemotímpano ou otorragia), ou perda de liquor pelo nariz (rinorreia) ou orelha (otorreia).

Lesões intracranianas

Dividem-se em lesões focais e difusas. Nas lesões difusas, o tratamento é clínico; nas lesões focais, a *regra* é o tratamento cirúrgico, havendo, no entanto, algumas exceções.

- Lesões focais:
  - Hematoma extradural (ou epidural) (HED): neste tipo de lesão intracraniana, causada por impacto direto, ocorre formação de um hematoma entre a dura-máter e a calota

craniana, estando associado à presença de fraturas em 95% dos casos (dessas, 60 a 80% localizadas no osso temporal). O local de maior frequência são as regiões temporais e parietais do cérebro (2/3 dos casos). A maior parte é decorrente de sangramento secundário a ruptura arterial (comumente da artéria meníngea média ou seus ramos), mas podem ocorrer também devido a ruptura de veias e seios venosos. O HED corresponde a 0,5% de todas as formas clínicas de TCE e apresenta excelente prognóstico de recuperação, pois a lesão ao parênquima cerebral propriamente dito é mínima (Fig. 5.1). A apresentação clínica clássica do HED contém o chamado "intervalo lúcido", ou seja, um paciente que já está consciente e orientado algum tempo após sofrer o trauma, e que sofre deterioração abrupta do nível de consciência, entrando em coma, ou apresentando herniação cerebral, devido à elevação da pressão intracraniana (PIC) causada pela expansão rápida do hematoma. A realização de TC de crânio precocemente em casos de fratura de crânio é um fator fundamental para evitar essa evolução "catastrófica". O tratamento do HED é cirúrgico na maioria dos casos, consistindo na realização de uma craniotomia* para retirada do hematoma.

– Hematoma subdural agudo (HSDA): essa forma de lesão corresponde a 30% dos casos de TCE grave. Trata-se da formação de um hematoma decorrente do rompimento de veias corticais "em ponte" que desembocam no seio sagital superior, ou de lacerações arteriais na superfície do cérebro (Fig. 5.2), por mecanismo de aceleração-desaceleração anteroposterior. São causados por impactos de intensidade grande. Aqui, há um comprometimento muito maior do parênquima cerebral subjacente, o quadro clínico e o prognóstico são piores do que no HED, com índice de mortalidade de 60 a 80%. O tratamento inicial

---

*Abertura cirúrgica do crânio, com o objetivo de se obter acesso às meninges ou à massa encefálica.

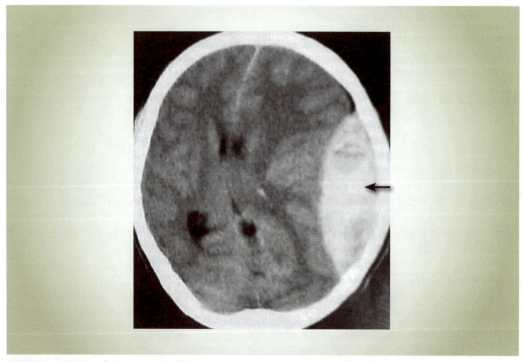

FIGURA 5.1. TC de crânio mostrando HED (seta), com seu típico aspecto biconvexo ou "de lente".

é cirúrgico, que deve ser realizado o mais precocemente possível, e também consiste em craniotomia para drenagem do hematoma.
- Hematoma subdural crônico (HSDC): este tipo de hematoma deriva de um HSDA pequeno, decorrente de traumatismos de menor intensidade, em indivíduos que apresentam algum grau de atrofia cortical, como idosos, alcoólatras crônicos, ou portadores de outras doenças degenerativas de SNC. Assim, o acúmulo de sangue causado pelo HSDA não é suficiente para causar o quadro já descrito antes agudamente, pois há "espaço" para o coágulo se acomodar. A reação inflamatória ao redor do coágulo forma, então, uma cápsula, e o hematoma pode crescer lentamente levando ao aparecimento de sintomas e sinais neurológicos: cefaleia, déficits focais progressivos, demência de evolução rápida, alteração de marcha (Fig. 5.3). Os sintomas e sinais podem ocorrer após um intervalo variável, muitas vezes meses após o trauma. O tratamento é cirúrgico, com realização de craniotomia para retirada do hematoma. Nos casos em que o diagnóstico e a intervenção cirúrgica são realizados precocemente, o prognóstico é muito bom, havendo remissão dos sintomas.
- Contusão cerebral/hematoma intracraniano traumático: são áreas onde, em decorrência do impacto, o tecido cerebral perde sua integridade, havendo necrose (morte tecidual), hemorragias, edema e isquemia (Fig. 5.4). A diferenciação entre os dois se faz essencialmente em função de haver predomínio de necrose (contusão) ou hemorragia (hematoma). Os sintomas (sinais focais) são dependentes do local da lesão, sendo este mais comumente nos polos frontal, temporal e occipital, cerebelo, corpo do lobo temporal e parietal e tronco encefálico. Pode haver aumento do volume da contusão no 4º ou 5º dia após o TCE, devido ao coalescimento de pequenas hemorragias formando um

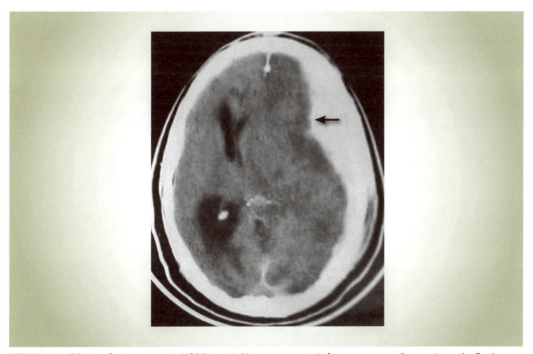

FIGURA 5.2. TC de crânio mostrando HSDA (seta). Notar o aspecto "côncavo-convexo" e a extensa lesão do parênquima cerebral subjacente.

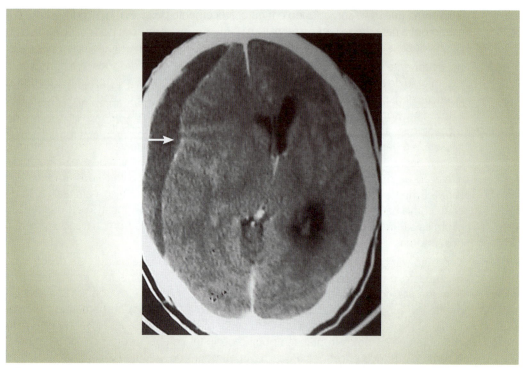

FIGURA 5.3. TC de crânio mostrando HSDC (seta).

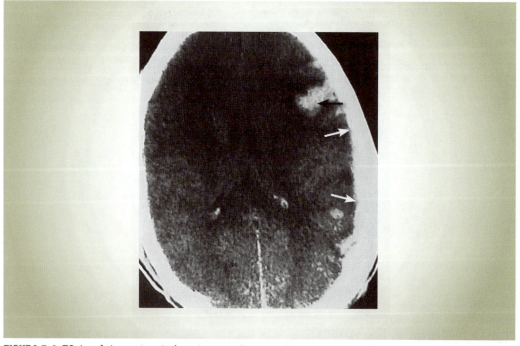

FIGURA 5.4. TC de crânio mostrando área de contusão em região frontal (seta preta) e HSDA (setas brancas).

hematoma maior, ao aumento do edema ou da vasodilatação ao redor da lesão, ocasionando piora neurológica do paciente. O tratamento das contusões pode ser cirúrgico ou clínico, dependendo do local e tamanho da lesão, e do estado neurológico do paciente.

- Lesões difusas:
    - Concussão leve: trata-se de uma lesão que ocorre em traumas leves, podendo haver disfunção neurológica temporária, em que o paciente sempre apresenta consciência preservada. Podem ocorrer confusão mental, desorientação temporoespacial, tontura e amnésia lacunar para um breve período peritrauma (retrógrada e/ou anterógrada), mas os sinais e sintomas são completamente reversíveis.
    - Concussão clássica: neste tipo de concussão, causada por um trauma moderado, ocorre perda transitória da consciência, que pode durar até seis horas. Um exemplo muito conhecido de concussão clássica é o "nocaute" nas lutas de boxe. Ocorre amnésia peritrauma (retrógrada e/ou anterógrada), que é proporcional à gravidade da lesão. Podem ocorrer posturas motoras patológicas e convulsão.
    - Lesão axonal difusa (LAD): neste tipo de TCE, ocorrem vários padrões anatomopatológicos de lesão: rotura de axônios, tosquia (perda da bainha de mielina) e focos de micro-hemorragias (Fig. 5.5). Do ponto de vista funcional, ocorre despolarização neuronal. O que causa essa variedade de lesões é o mecanismo da LAD, que decorre da diferença de densidade entre as estruturas profundas do encéfalo (substância branca subcortical, núcleos da base, hipocampo), que permite a ocorrência de movimentos rotacionais com velocidades diferentes nas diversas estruturas encefálicas, estirando e "rompendo" os axônios. O quadro clínico da LAD é variável, sendo classificado como leve (se houver apenas confusão mental e sonolência), moderado (torpor) e grave (coma) que persistem por mais de seis horas apos o trauma.

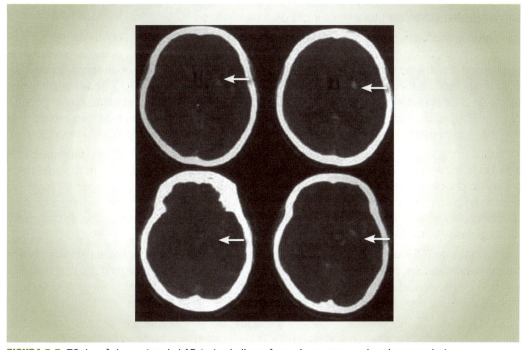

FIGURA 5.5. TC de crânio mostrando LAD (setas indicam focos de necrose e micro-hemorragias).

- *Swelling*: o termo *swelling*, que pode ser traduzido como "inchaço", denota uma forma particular de aumento de volume líquido no encéfalo, que se diferencia do edema cerebral encontrado em outras formas de lesão do parênquima cerebral. Seu mecanismo causal não é totalmente compreendido, podendo resultar de hiperemia (aumento da circulação sanguínea), com posterior acúmulo de água no interstício (edema hidrostático) ou de edema celular. O *swelling* difuso é mais comum em crianças e decorre de uma disfunção do centro de regulação vasomotor, com consequente vasodilatação generalizada, levando a sintomas decorrentes de HIC. O *swelling* hemisférico é mais comum em adultos, quase sempre acompanhando um HSDA, e contribuindo para o aumento da morbidade e mortalidade deste. O *swelling* perilesional é aquele que aparece ao redor de contusões cerebrais.
- Hemorragia subaracnoide traumática: neste tipo de lesão acontece estiramento e ruptura de vasos superficiais do espaço subaracnoide, sobretudo na região da base do crânio, sendo bastante comum em TCEs de maior gravidade. Causa, além dos sintomas de alteração do nível de consciência, sinais associados à irritação meningea: cefaleia, náuseas e vômitos, e rigidez de nuca.

Tratamento

O tratamento do TCE tem como objetivos diminuir a mortalidade, a gravidade das sequelas e as incapacidades decorrentes deste e garantir condições que permitam o maior grau possível de recuperação funcional. Deve estar orientado para a gravidade da lesão primária e para a ocorrência de lesões secundárias, objetivando minimizá-las tanto quanto for possível. Para isso, o paciente deve ser adequadamente examinado, atentando-se para a existência de outros locais de lesão (vias aéreas, região cervical, trauma em órgãos intra-abdominais, fraturas de membros com lesão vascular etc.) que podem levar a problemas de ventilação e choque hipovolêmico, com consequente piora do fluxo sanguíneo e oxigenação cerebral. Assegurar ventilação e manutenção da pressão arterial em níveis adequados constitui a etapa inicial do tratamento do TCE.

O exame neurológico tem como objetivo verificar o nível de consciência do paciente e a presença de sinais localizatórios, além de classificar a gravidade do TCE. Para avaliação do nível de consciência, é usada no mundo inteiro a Escala de Coma de Glasgow, por ser de aplicação rápida e possuir alta concordância interexaminadores. A presença de sinais localizatórios pode indicar a existência de déficits motores, lesões de nervos cranianos ou iminência de herniação cerebral (neste caso, mais especificamente a perda do reflexo pupilar à luz e midríase) (para mais detalhes do exame neurológico do coma e nível de consciência, ver Capítulo 4 – *Coma e Hipertensão Intracraniana*).

Todos os pacientes que sofrem TCE devem realizar radiografia simples de crânio (a menos que já esteja indicada a realização de TC). A TC de crânio, por sua vez, deve ser realizada em todos os casos em que o paciente apresente uma pontuação menor que 15 na Escala de Coma de Glasgow, ou quando há perda de consciência após o trauma, déficit neurológico focal, sinais de fratura de base de crânio, presença de fraturas à radiografia simples de crânio, quando a intensidade do trauma for muito grande e em indivíduos idosos.

Nos casos de TCE leve, após adequada avaliação clínica e por neuroimagem, o paciente poderá receber alta hospitalar, com orientação para retornar imediatamente ao hospital caso ocorram sonolência, cefaleia, náuseas ou vômitos, convulsão, perda de líquidos (sangue ou liquor pelo nariz ou orelhas), confusão mental, alteração de comportamento, ou déficits motores.

Os casos de TCE moderado e grave vão demandar permanência hospitalar mais prolongada. Uma vez controladas as causas clínicas mais básicas que podem levar ao óbito (hipóxia e hipotensão arterial), o grande risco para o paciente com TCE são a HIC e a ocorrência de herniações cerebrais.

Como já exposto, em muitas formas de TCE o tratamento é primariamente cirúrgico. Nessa categoria, estão as fraturas com desnivelamento que ultrapasse a espessura do osso do crânio, os afundamentos ósseos expostos (em que há ruptura do couro cabeludo com solução de continuidade entre o interior do crânio e o meio externo) e as lesões penetrantes. Aqui é realizada limpeza cirúrgica e reconstrução dos envoltórios (meninges, osso, pele). Também é realizado tratamento cirúrgico na maior parte das lesões focais.

O tratamento clínico é empregado no caso das lesões difusas, e nos casos de lesões focais em que não há indicação cirúrgica. Deve ser realizado idealmente em Unidade de Terapia Intensiva (UTI) e consiste basicamente em manter uma adequada estabilização clínica do paciente (PA, oxigenação, hidratação, e outros parâmetros metabólicos), associadamente a medidas para prevenir ou tratar a HIC (para mais detalhes ver Capítulo 4 – *Tratamento da HIC*). Estas incluem manter a cabeça em decúbito de 30° para facilitar o retorno venoso, realizar hiperventilação (para diminuir a taxa de CO_2 sanguíneo, o que provoca vasoconstrição nos vasos intracranianos, e consequente redução do volume de sangue intracraniano), administrar manitol (um agente osmótico, com a finalidade de reduzir o volume de água intracraniano) e indução de coma barbitúrico (a fim de manter os neurônios em um estado de hipometabolismo e, portanto, menos vulneráveis a variações nas condições de oxigenação e aporte de nutrientes). A medição (monitorização) da PIC, através de cateteres colocados no interior dos ventrículos cerebrais, ou de sistemas de fibra óptica, é utilizada rotineiramente para permitir um tratamento mais eficaz.

Prognóstico

Como já exposto, o prognóstico do TCE grave é ruim. Dados de estudos multicêntricos como o European Brain Injury Consortium[9] e o Traumatic Coma Data Bank[10] revelam que cerca de 31% dos TCE resultam em morte, 3% evoluem para estado vegetativo persistente (EVP), e 16% dos pacientes permanecem com sequelas neurológicas incapacitantes. Um dos fatores que mais interfere no prognóstico é a *idade* do paciente, numa relação inversamente proporcional, a partir dos 40 anos de idade (idosos têm taxas mais altas de mortalidade e de sequelas graves). Outros fatores que apresentam alto poder de predizer o mau prognóstico são a pontuação inicial na Escala de Coma de Glasgow (quanto mais baixa, pior a evolução), reflexo pupilar anormal ao exame neurológico inicial, presença de extensas lesões extracranianas[11] e a duração do período de amnésia pós-traumática.[12] Pacientes em que a duração da amnésia pós-traumática é inferior a duas horas apresentam 80% de chance de terem boa recuperação; quando esta excede 12 horas, os índices caem para 73% de incapacidade moderada e 27% de incapacidade grave (sem ocorrência de boa recuperação); por fim, quando a amnésia excede 24 horas, encontram-se índices de 12% de incapacidade moderada e 88% de incapacidade grave.[13] Períodos de coma ou EVP prolongados também estão associados a pior prognóstico no longo prazo.

Existem escalas para avaliar a recuperação dos pacientes ao longo do tempo, sendo a Escala de Prognóstico de Glasgow (Glasgow Outcome Scale – GOS)[14] uma das mais utilizadas (Tabela 5.1). Outras escalas bastante utilizadas são o Índice de Barthel[15] e a Escala de Funcionamento Cognitivo Rancho Los Amigos.[16]

Sequelas cognitivas e comportamentais são frequentes nos TCE, mesmo em casos classificados como leves. A *síndrome pós-concussional* caracteriza-se por prejuízo da memória e aprendizado, déficits de atenção e concentração, cefaleia crônica, fadiga, tonturas, insônia, depressão, irritabilidade e ansiedade, ocorrendo em combinações e intensidades variadas. Esses sintomas podem remitir num período compreendido entre um e 12 meses, mas ocasionalmente persistem por períodos maiores. Em traumas mais graves, as sequelas cognitivas tendem a ser mais dramáticas, podendo

TABELA 5.1. Escala de Prognóstico de Glasgow

RESULTADO	DESCRIÇÃO
Boa recuperação	Apto a retomar as atividades normais do dia a dia de modo independente (incluindo escola e trabalho)
Incapacidade moderada	Apto a viver de modo independente; retorno à escola ou trabalho só é possível com o uso de equipamentos de adaptação, modificação do ambiente, ou outras estratégias compensatórias
Incapacidade grave	Incapaz de viver de modo independente; necessita de assistência para realizar atividades de vida diária; capaz de obedecer a comandos
Estado vegetativo persistente	Incapaz de interagir com o ambiente; não responsivo
Morte	O paciente não sobrevive

causar prejuízos intensos e irreversíveis da memória e aprendizado, atenção e concentração, bem como afasia, agnosias, apraxias. Alterações do comportamento, como síndromes de frontalização (apatia, agressividade, impulsividade, irritabilidade, comportamento social inapropriado) também aparecem, assim como quadros de depressão e ansiedade crônicas. Essas alterações refletem o acometimento das regiões frontais, temporais e parietais do cérebro.[17]

Os déficits motores focais tendem a melhorar com o tempo, e pacientes inicialmente hemiplégicos podem apresentam apenas leve hemiparesia ou inabilidade motora após seis meses de evolução, apenas reflexos profundos exaltados, ou sinal de Babinski isolado. Alterações decorrentes de lesões do tronco encefálico e cerebelo também melhoram, muitas vezes de modo surpreendente. No entanto, a ocorrência de graus variados de espasticidade após TCE em que houve acometimento motor pronunciado é frequente.

Assim, a reabilitação do paciente após TCE envolve abordagem multiprofissional, abrangendo o controle das complicações médicas, reabilitação motora, cognitiva e do comportamento, tanto na fase aguda (durante o tempo que o paciente se encontra internado) como a longo prazo.

Outras complicações tardias

- Epilepsia pós-traumática: é o aparecimento de crises convulsivas após um período de semanas a meses após o TCE (em geral um a três meses, sendo que as crises se iniciam nos dois primeiros anos em 80% dos pacientes que irão desenvolver esta complicação). Sua incidência é de 5% nos traumas do tipo fechados e 50% nas lesões penetrantes, e relaciona-se com a gravidade do trauma. As crises podem ser focais ou generalizadas, e as áreas cerebrais de maior risco para se tornarem epileptogênicas são os lobos parietais e frontais. Em cerca de 10 a 30% dos pacientes com epilepsia pós-traumática ocorre remissão espontânea após alguns anos;
- Hidrocefalia pós-traumática: é uma complicação que pode ser decorrente tabto do TCE em si como da manipulação cirúrgica para seu tratamento, caracterizando-se por um bloqueio do aqueduto cerebral e quarto ventrículo por coágulo sanguíneo, que provoca fibrose da meninge da base do crânio. O quadro clínico inclui cefaleia, náuseas e vômitos, tonturas e confusão mental, e posteriormente apatia e lentificação psicomotora. O tratamento consiste na colocação de válvula de drenagem liquórica ventriculoperitoneal, com bons resultados.

TRAUMA RAQUIMEDULAR

O trauma raquimedular é a causa mais comum de paraplegia e quadriplegia aguda. Nas lesões traumáticas da coluna vertebral, cerca de 55% acometem a região cervical, 15% a região torácica, 15% a transição toracolombar, e 15% a região lombossacra. Associação com TCE ocorre em 25% dos casos de trauma de coluna vertebral. Traumas raquimedulares são ocorrem mais em homens jovens (entre 16 e 30 anos). Nos Estados Unidos sua incidência é de 10.000 novos casos por ano.[18]

As lesões de coluna vertebral podem ser divididas em fratura-luxação, fraturas puras e luxações puras, ocorrendo numa proporção de 3:1:1. A maior parte das lesões ocorre como consequência de uma força aplicada a distância do local da fratura ou deslocamento, como, por exemplo, em impactos no crânio, gerando uma compressão vertical da coluna vertebral, acompanhada de um vetor de anteroflexão ou retroflexão (também chamado hiperextensão).

Nas lesões por anteroflexão, a cabeça se inclina abruptamente para frente no momento do impacto, levando as vértebras a se comprimirem umas contra as outras em sua porção anterior; a porção anteroinferior da vértebra superior é forçada contra a vértebra abaixo, podendo causar sua ruptura. A parte posterior da vértebra fraturada sofre deslocamento posterior e comprime a medula espinhal. Nas lesões por hiperextensão, ocorre uma aplicação da força verticalmente com a cabeça em posição estendida, ocorrendo pressão maior sobre os elementos posteriores das vértebras (lâmina e pedículos) C4 a C6, podendo ocorrer fratura unilateral ou bilateral dessas estruturas, o que faz com que haja deslocamento de um corpo vertebral sobre o adjacente e a medula espinhal fique comprimida entre os dois.

Uma terceira forma de lesão medular, que ocorre com mais frequência em acidentes automobilísticos é a lesão por *mecanismo de chicote*, que pode acontecer quando a cabeça do indivíduo é projetada para trás repentinamente (numa colisão traseira), ou quando é lançada para frente (e depois para trás, em retroflexão), em freadas bruscas ou colisões dianteiras. Esse tipo de impacto pode levar a deslocamentos transitórios dos corpos vertebrais, discos intervertebrais ou ligamento amarelo, causando compressão medular.

Ferimentos penetrantes, sobretudo por projéteis de arma de fogo e, em menor número de casos, por arma branca também são causas frequentes de traumas raquimedulares. Mais raramente, lesões na medula podem ser devidas a mecanismos vasculares, como em traumas que levem a ruptura e embolização de material dos discos intervertebrais para artérias ou veias radiculares, ou em casos de dissecção traumática da artéria aorta, no segmento que dá origem às artérias espinhais.

Quadro clínico

As lesões medulares traumáticas podem ser parciais ou totais (transecção medular), transitórias ou permanentes.

Um exemplo de lesão transitória é a *concussão medular*, em que ocorre disfunção motora e/ou sensitiva por um período curto, que pode variar de minutos a algumas horas ou dias. Pode apresentar-se clinicamente na forma de paresia bibraquial, quadriparesia, hemiparesia, parestesias e disestesias, que remitem espontaneamente. Concussões medulares em geral resultam de impacto direto na medula, por exemplo, na prática esportiva ou quedas.

Lesões permanentes são decorrentes da destruição dos neurônios medulares, em decorrência dos já expostos mecanismos de compressão após fraturas e deslocamentos vertebrais, ou por isquemia medular em traumas que ocasionam lesões vasculares. O quadro clínico varia em função do nível em que ocorre a lesão (Tabela 5.2). O local de uma lesão medular pode ser aferido clinicamente pela identificação dos dermátomos e miótomos preservados, sendo considerado o *nível da lesão* o dermátomo/miótomo mais baixo que mantém a função preservada. Dermátomo é a área de pele inervada por uma determinada raiz nervosa; miótomo corresponde a um músculo ou grupo muscular que pode ser associado a uma determinada raiz nervosa (Tabela 5.3 e Fig. 3.1).

Considera-se como *lesão completa* da medula aquela em que há perda total de função sensitiva e motora abaixo de um determinado nível; *lesão incompleta* designa aquela em que existe alguma evidência de função (qualquer tipo de sensibilidade ou qualquer movimento voluntário de membros inferiores). A preservação da sensibilidade perianal, a contração voluntária do esfíncter anal

TABELA 5.2. Quadro clínico das lesões medulares

NÍVEL DA LESÃO	PRINCIPAIS CARACTERÍSTICAS CLÍNICAS
Luxação atlanto-occipital (disjunção craniocervical)	Ocorre em movimentos de flexão e tração intensos Morte por compressão do tronco encefálico; paralisia do diafragma Nos sobreviventes: quadriplegia; acometimento de nervos cranianos; pode haver ausência de alterações neurológicas
Fratura do atlas (C1)	Ocorre em lesões de sobrecarga axial (p. ex.: queda de um objeto verticalmente sobre a cabeça) Fratura de Jefferson: explosão da vértebra Dor na região suboccipital; habitualmente não há lesão neurológica
Subluxação por rotação em C1	Mais frequente em crianças Postura da cabeça em rotação persistente

Fratura do áxis (C2)
    Fratura de odontoide
    Fratura dos elementos posteriores de C2
	Morte no local do acidente em cerca de 25% dos casos
	Dor occipital ou cervical alta; habitualmente sem lesão neurológica
	"Fratura do enforcado"

Fraturas e luxações cervicais (C3-C7)	Mais comum nos níveis C5-C6 (segmento de maior mobilidade) C4-C5: Quadriparesia/quadriplegia C5-C6: semelhante a C4-C5, porém com preservação da abdução e flexão dos braços C6-C7: paraparesia/paraplegia com déficits motores também nas mãos Em todos os casos ocorre déficit sensitivo abaixo do nível da lesão
Fraturas e luxações torácicas (T1-T10)	Tipos: encunhamento, explosão do corpo vertebral, rachadura na vértebra (fratura de Chance), fratura-luxação Ocorrem em lesões de sobrecarga axial associada a flexão Paraparesia/paraplegia; déficit sensitivo abaixo do nível da lesão
Fraturas da junção toracolombar (T11-L1)	Ocorrem por mecanismo de hiperflexão e rotação angular: quedas de altura e motoristas usando cinto de segurança Paraparesia/paraplegia; déficit sensitivo abaixo do nível da lesão; disfunção vesical e intestinal
Fraturas lombares	Mecanismo de tração com flexão (p. ex.: ação de cinto de segurança: fratura de Chance) Sem lesão medular Síndrome da cauda equina

Adaptado do Comitê de Trauma – Colégio Americano de Cirurgiões.[19]

ou a movimentação do hálux podem ser as únicas evidências de que a lesão é incompleta. Lesões incompletas apresentam prognóstico de recuperação muito superior ao das lesões completas.

Síndromes medulares

- Síndrome central da medula: caracteriza-se pela ocorrência de desproporção entre o déficit motor em membros inferiores e membros superiores, sendo este muito mais acentuado nos membros superiores. A perda sensorial é variável, e pode ser muito discreta. Pode ocorrer disfunção vesical e intestinal. A causa mais comum desse tipo de lesão é o mecanismo de hiperextensão da coluna (por exemplo: queda para frente com choque facial);
- Síndrome anterior da medula: ocorre paraplegia espástica e dissociação do déficit sensitivo, com perda da sensibilidade térmica e dolorosa e preservação da propriocepção, sensibilidade vibratória e de pressão (veiculados pelo funículo posterior da medula). No nível da lesão ocorre paralisia flácida, pelo acometimento dos motoneurônios da coluna anterior. Geralmente é causada por infarto medular, no território da artéria espinal anterior;
- Síndrome de Brown-Séquard: decorre da hemissecção da medula, sendo uma forma clínica rara. Caracteriza-se por um acometimento motor (lesão de trato corticoespinal) e de sensibilidade profunda e tátil discriminativa ipsilateral (lesão do funículo posterior), acompanhada de perda de sensibilidade térmica e dolorosa contralateral (lesão do trato espinotalâmico), que começa um ou dois níveis abaixo da lesão.

TABELA 5.3. Principais dermátomos e miótomos

DERMÁTOMOS	MIÓTOMOS
C5 – área sobre o deltoide	C5 – deltoide
C6 – polegar	C6 – extensores do punho
C7 – dedo médio	C7 – extensor do cotovelo (tríceps)
C8 – dedo mínimo	C8 – flexores dos dedos (até dedo médio)
T4 – mamilo	T1 – adutores do dedo mínimo
T8 – processo xifoide	L2 – flexores do quadril (iliopsoas)
T10 – umbigo	L3 – extensores do joelho (quadríceps)
T12 – sínfise púbica	L4 – flexores dorsais do tornozelo (tibial anterior)
L4 – face medial da perna	L5 – extensores longos do hálux
L5 – espaço entre o primeiro e segundo pododáctilos	S1 – flexores plantares do tornozelo (sóleo e gastrocnêmio)
S1 – face lateral do pé	
S3 – tuberosidade isquiática	
S4 e S5 – região perianal	

Adaptado do Comitê de Trauma – Colégio Americano de Cirurgiões.[19]

Estágios clínicos da lesão medular[20]

- Choque neurogênico: caracteriza-se pela perda do tônus vasomotor e da inervação simpática do coração, devido a lesão das vias descendentes simpáticas da medula espinhal. A perda de tônus vasomotor acarreta vasodilatação dos vasos das vísceras e dos membros inferiores, com represamento do sangue, e hipotensão arterial. O prejuízo da inervação simpática cardíaca provoca bradicardia;

- Estágio de *choque medular* ou arreflexia: logo após a lesão medular, há perda dos movimentos voluntários e da sensibilidade abaixo do nível da lesão, atonia da bexiga, estômago e intestinos, hipotonia muscular e arreflexia. Todas as funções autonômicas ficam comprometidas, com abolição do tônus vasomotor, sudorese e piloereção. A pele se torna seca, fria e pálida, e propensa a formação de úlceras de decúbito. Pode haver hipotensão arterial grave, levando a comprometimento da irrigação da própria medula, o que agrava a lesão. Embora os esfíncteres vesical e retal possam estar contraídos devido a perda das aferências provindas do SNC, tanto o músculo detrusor da bexiga quanto a musculatura lisa do intestino estão atônicos, o que leva a acúmulo de urina, com perda de pequenas quantidades quando a pressão intravesical é alta o suficiente para vencer a resistência do esfíncter. O intestino, por sua vez, sofre distensão devido ao acúmulo de fezes, não havendo peristaltismo (íleo paralítico). Os reflexos genitais (ereção peniana, bulbocavernoso**) também estão diminuídos ou abolidos nessa fase. O estágio de choque medular dura em média de 1 a 6 semanas. A partir de então, começa a ressurgir alguma atividade reflexa, em geral iniciando-se pelo reflexo bulbocavernoso, contração do esfíncter anal, e discretos movimentos do hálux após estímulos dolorosos;

- Estágio de hiper-reflexia: algumas semanas ou meses após a lesão medular, aparecem respostas reflexas a estímulos sensitivos ou dolorosos, inicialmente o sinal de Babinski isolado, posteriormente o *reflexo de tríplice flexão e retirada*: flexão e retirada do pé, perna e coxa. Os reflexos profundos (patelar e aquileu) retornam. O músculo detrusor da bexiga readquire tônus, e a micção e defecação reflexas retornam. O reflexo de retirada torna-se progressivamente mais intenso, dando lugar ao *reflexo em massa*, ocasionando espasmos dos membros inferiores, acompanhado de sudorese, piloereção e esvaziamento reflexo da bexiga (eventualmente do reto). O reflexo em massa pode ser desencadeado tanto por estímulos sensoriais na pele como por estímulos internos, como repleção vesical. Esse estágio pode perdurar por um período prolongado, de muitos anos.

Podem ocorrer também episódios de disautonomia relacionados aos mecanismos de termorregulação acima do nível da lesão (com sudorese profunda, vasodilatação levando a rubor da pele), cefaleia pulsátil, hipertensão arterial e bradicardia reflexa; tais episódios também podem ser desencadeados por distensão vesical e retal.

Após um período de alguns meses, começam a surgir respostas extensoras dos músculos, primeiramente no quadril e coxa, em seguida nas pernas. A postura extensora poderá permitir que o paciente exiba reações de suporte que o habilitem a realizar a *marcha espinhal*. A reação de suporte pode ser obtida então ao se movimentar o paciente da posição sentada para supina com rapidez, por estímulos proprioceptivos (compressão dos músculos da coxa) ou táteis.

Mesmo sem ter havido recuperação da sensibilidade abaixo do nível da lesão, muitos pacientes apresentam sensações referidas (sinestesias), ou seja, um estímulo tátil realizado em uma região normal é sentido como proveniente de uma região localizada abaixo da lesão. Parestesias na região lombar, abdome, nádegas e região genital também podem ocorrer.

**O reflexo bulbocavernoso é obtido pressionando-se a glande do pênis ou o clitóris, o que provoca contração do esfíncter externo do ânus; é integrado nos níveis medulares S2-S4.

Diagnóstico

O exame da coluna, num caso de trauma, consiste na observação da existência de irregularidades e pontos de angulação não habituais, com palpação cuidadosa para identificação de deformidades, crepitação óssea, dor e contusões ou ferimentos penetrantes. A determinação do nível da lesão, quando presente, pode ser obtida pelo exame neurológico, como já exposto. Pacientes com suspeita de lesão de coluna vertebral devem ser mantidos em posição deitada numa superfície firme, usando colar cervical e com a coluna totalmente alinhada; a cabeça e a coluna cervical devem ser mantidas imóveis durante toda a transferência do indivíduo e deve-se evitar a qualquer custo que haja movimento da coluna (flexão, extensão ou rotação).

A avaliação radiológica consiste na realização de radiografia simples de coluna à procura de fraturas, perda de alinhamento das vértebras ou pedículos, herniações discais, lesões de partes moles. As radiografias simples devem ser realizadas em várias incidências (anteroposterior, lateral, transoral). Para avaliação de possível instabilidade da coluna no local do trauma, são realizadas radiografias simples em flexão e extensão, de modo cuidadoso. TC ou RM de coluna podem ser necessárias para avaliar existência de compressão e lesão tecidual na medula e cauda equina.[21]

Tratamento

O tratamento de pacientes com trauma raquimedular inicia-se pela estabilização clínica dos parâmetros ventilatórios e respiratórios, além de colocação de cateter urinário e sonda nasogástrica para prevenir complicações decorrentes da perda da movimentação reflexa vesical e intestinal. Em pacientes com evidência de lesão raquimedular, preconiza-se a administração de corticosteroides por via intravenosa, iniciando-se nas primeiras oito horas após o trauma e sendo mantido em infusão contínua nas 23 horas seguintes. Nos casos em que há luxação de vértebras cervicais, é indicada a colocação de tração, para promover o alinhamento da coluna e manter a imobilização. Tratamento cirúrgico, consistindo em estabilização da fratura e fixação da coluna por meio de próteses, pode ser necessário.

Nos primeiros dias após o trauma, podem ocorrer complicações clínicas como distensão gástrica, íleo paralítico (ver *choque medular*) e infecções. Mais tardiamente, os cuidados necessários deverão enfocar, quando necessário:

- Tratamento das alterações vesicais, por meio de cateterização intermitente, até que o paciente consiga controlar o esvaziamento da bexiga;
- Tratamento das alterações intestinais, por meio de supositórios e enemas;
- Prevenção de úlceras de decúbito;
- Prevenção de tromboembolismo pulmonar;
- Prevenção de infecções (sobretudo urinária, pela retenção vesical e manipulação de cateteres);
- Tratamento da dor crônica e parestesias (que ocorre em 30 a 50% dos casos). As drogas mais utilizadas para essa finalidade são carbamazepina, gabapentina, clonazepam e antidepressivos tricíclicos. Dores resistentes podem requerer o uso de injeções de anestésicos locais, de analgésicos ou corticoides por via epidural, ou implante de estimulador de nervo transcutâneo;
- Tratamento da espasticidade: são utilizadas as drogas baclofen, diazepam e tizanidina. Eventualmente, em casos graves, pode ser indicada a aplicação de baclofen intratecal, por intermédio de uma bomba. Baclofen e diazepam são drogas com atuação no sistema do ácido

gama-aminobutírico (GABA), que funciona como inibidor pré-sináptico dos interneurônios da medula. A tizanidina é um relaxante muscular com mecanismo pouco conhecido, provavelmente atuando no sistema adrenérgico;

- Início da fisioterapia o mais precocemente possível.

Prognóstico

Fatores determinantes do prognóstico na lesão medular incluem a idade do paciente, grau da lesão e aspecto da medula à RM. Pacientes mais jovens apresentam recuperação melhor;[22] lesões medulares completas cervicais, sobretudo aquelas em que não há nenhum ganho de função nas primeiras 24 horas, implicam uma taxa extremamente baixa de recuperação da função deambulatória (1 a 3%);[23] nas lesões incompletas, quase sempre ocorre algum grau de recuperação. Lesões cervicais apresentam melhor prognóstico do que as torácicas ou de transição toracolombar. Sinais de hemorragia intramedular visíveis à RM também indicam um mau prognóstico.[24]

A longo prazo, várias combinações de déficits residuais podem ocorrer: hemiplegias/hemiparesias em graus diversos, paralisia flácida de membros superiores com atrofia associada a paralisia espástica dos membros inferiores (em lesões cervicais), e síndrome de Brown-Séquard, com recuperação variável da sensibilidade abaixo do nível da lesão. Em geral, toda recuperação possível para uma determinada lesão ocorre nos primeiros seis meses após o trauma, embora possa haver ainda alguma melhora dos déficits sensitivos após esse período.

A postura tardia das pernas pode adquirir a forma de *paraplegia em flexão* (flexão extrema dos quadris e pernas, em posição fetal), mais encontrada em lesões cervicais (onde são mais frequentes os espasmos em flexão repetidos), podendo levar a contraturas. Paraplegia em extensão, mais adequada à reabilitação, pode ser favorecida pelo controle dos espasmos em flexão (reduzindo seus estímulos desencadeantes, como dor secundária a infecções), e manutenção das pernas em posição estendida e abduzida. No entanto, a gravidade da lesão medular também influencia esse resultado, havendo mais chance do desenvolvimento de postura em extensão nos casos de lesão incompleta.

Uma complicação tardia possível do trauma medular é a *siringomelia*, que consiste na formação de uma cavidade na porção central da medula no segmento proximal ao nível da lesão, e que ocorre com mais frequência na região cervical. Leva a paresia e atrofia muscular de braços e mãos, com perda sensitiva dissociada, isto é, prejuízo da sensibilidade térmica e dolorosa, com preservação da sensibilidade tátil e profunda.

Bibliografia

1. Nitrini R. Síndromes Neurológicas e Topografia Lesional. In: Nitrini R, Bacheschi LA (eds). A Neurologia que Todo Médico Deve Saber. 2ª ed. São Paulo: Atheneu 2003; 71-83.
2. Ribas GC, Manreza LA. Traumatismo Cranioencefálico. In: Nitrini R, Bacheschi LA (eds.). A Neurologia que Todo Médico Deve Saber. 2ª ed. São Paulo: Atheneu 2003; 189-203.
3. Ropper AH, Brown RH. Craniocerebral trauma. In: Adams and Victor's Principles of Neurology. 9th ed. New York: McGraw-Hill 2009; 846-73.
4. Ropper AH, Brown RH. Diseases of the spinal cord. In: Adams and Victor's Principles of Neurology. 9th ed. New York: McGraw-Hill, 2005; 1181-230.

Referências bibliográficas

1. Guerra SD, Jannuzzi MA, Moura AD. Traumatismo cranioencefálico em pediatria. Jornal de Pediatria (Rio J) 1999; 75(Supl 2):S279-93.

2. Dawodu ST. Traumatic Brain Injury: Definition, Epidemiology, Pathophysiology. In: eMedicine Specialties> Physical Medicine and Rehabilitation> Traumatic Brain Injury. http:/ emedicine.medscape.com. Atualizado em setembro, 2008.
3. Koizumi MS, Lebrão ML, Mello-Jorge MHP, Primerano V. Morbimortalidade por traumatismo crânio-encefálico no município de São Paulo, 1997. Arquivos de Neuropsiquiatria 2000; 58:81-9.
4. Melo JRT, Silva RA, Moreira Jr. ED. Características dos pacientes com trauma cranioencefálico na cidade do Salvador, Bahia, Brasil. Arquivos de Neuropsiquiatria 2004; 62:711-5.
5. Zwienenberg-Lee M, Muizelaar JP. Clinical Pathophysiology of Traumatic Brain Injury. In: Winn HR (ed). Youmans Neurological Surgery. 5th. ed., Philadelphia, Saunders, 2004; 4:5039-64.
6. Goldsmith W. The physical processes producing head injury. In: Head Injury Conference Proceedings, Philadelphia: JB Lippincott, 1966.
7. Comitê de Trauma – Colégio Americano de Cirurgiões. Trauma Craniencefálico. In: Suporte Avançado de Vida no Trauma para Médicos – SAVT (Advanced Trauma Life Support for Doctors – ATLS). Manual do Curso para Alunos, EUA, American College of Surgeons 1997; 181-206.
8. Teasdale G, Jennet B. Assessment of coma and impaired consciouness: A practical scale. Lancet 1974; 2:81-4.
9. Murray GD, Teasdale GM, Braakman R, et al. The European Brain Injury Consortium survey of head injuries. Acta Neurochirurgica (Wien) 1999; 141:223-36.
10. Marshall LF, Toole BM, Bowers SA. The National Traumatic Coma Data Bank. Part 2. Patients who talk and deteriorate: Implications for treatment. Journal of Neurosurgery 1983; 59:285-8.
11. MRC CRASH Trial Colaborators. Predicting outcome after traumatic brain injury: practical prognostic models base don large cohort of international patients. British Medical Journal 2008; 336:425-39.
12. Russell WR. The Traumatic Amnesias, London, Oxford, 1971.
13. Katz DI, Alexander MP. Predicting course of recovery and outcome for patients admitted after severe head injury. Archives of Neurology 1994; 51:661-70.
14. Jannett B, Bond MR. Assessment of outcome in severe brain damage. A practical scale. Lancet 1975; 1:480-4.
15. Mahoney Fl, Barthel DW. Functional evaluation: The Barthel Index. Trabalho apresentado no congresso anual da Rehabilitation Section, Baltimore City Medical Society 1965; 61-3.
16. Hagen C, Malkmus D, Durham P. Levels of cognitive function. In: Rehabilitation of Head-Injured Adult: Comprehensive Clinical Management. Downey, CA: Professional Staff Association, Rancho Los Amigos Hospital, 1979.
17. Diamond PT, Stewart KJ. Rehabilitation and Prognosis after Traumatic Brain Injury. In: Winn HR (ed). Youmans Neurological Surgery. 5th ed. Philadelphia: Saunders 2004; 4:5285- 96.
18. Harvey C, Rothschild BB, Asmann AJ, et al. New estimate of traumatic SCI prevalence. A survey-based approach. Paraplegia 1990; 28:537-544.
19. Comitê de Trauma – Colégio Americano de Cirurgiões. Trauma Raquimedular. In: Suporte Avançado de Vida no Trauma para Médicos – SAVT (Advanced Trauma Life Support for Doctors – ATLS). Manual do Curso para Alunos, EUA, American College of Surgeons 1997; 215-30.
20. Levi ADO. Spinal Trauma – Approach to the Patient and Diagnostic Evaluation. In: Winn HR (ed.) Youmans Neurological Surgery. 5th ed. Philadelphia: Saunders 2004; 4:4869-84.
21. Jenkins III AL, Vollmer DG, Eichler ME. Cervical Spine Trauma. In: Winn HR (ed.) Youmans Neurological Surgery. 5th ed. Philadelphia: Saunders 2004; 4:4885-914.
22. Cifu DX, Seel RT, Kreutzer JS, et al. A multicenter investigation of age-related differences in lenghts of stay, hospitalization changes, and outcomes for a matched tetraplegia sample. Archives of Physical and Medical Rehabilitation 1999; 80:733-40.
23. Levi L, Wolf A, Rigamonti D, et al. Anterior decompression in cervical spine trauma: Does the timing of surgery affect the outcome? Neurosurgery 1991; 29:216-22.
24. Schaefer DM, Flanders AE, Osterholm JL, et al. Prognostic significance of magnetic resonance imaging in the acute phase of cervical spine injury. Journal of Neurosurgery 1992; 76:218-23.

Acidente Vascular Encefálico

6

Márcia Radanovic

CONCEITO E EPIDEMIOLOGIA

Acidente vascular encefálico (AVE)* ou acidente vascular cerebral (AVC) são termos utilizados para designar a síndrome de alteração focal transitória ou definitiva de uma área cerebral (isquemia ou sangramento) causada por *doença cerebrovascular*. O termo doença cerebrovascular (DCV), por sua vez, refere-se a qualquer anormalidade cerebral que resulte de um processo patológico dos vasos sanguíneos, o que inclui: oclusão do lúmen dos vasos por êmbolos ou trombos, ruptura da parede dos vasos, ou alterações de viscosidade do sangue. A Tabela 6.1 mostra as principais alterações dos vasos sanguíneos cerebrais que podem provocar um AVE.

A DCV é um problema de saúde pública em todo o mundo, sobretudo nos países em desenvolvimento, devido aos altos índices de mortalidade e de incapacidade a ela relacionados. Nos Estados Unidos, os AVEs são a terceira causa de morte entre a população, perdendo apenas para doenças cardíacas e câncer, estimando-se que haja 700.000 casos por ano no país. No Brasil, existem poucos estudos epidemiológicos sobre as taxas de morbimortalidade do AVE, e os estudos existentes são em sua maioria regionais, mas um estudo recente mostra uma tendência a queda na mortalidade por AVE em nosso país no período compreendido entre 1980 e 2002 (de 68,2 para 40,9 indivíduos por 100.000 habitantes/ano),[2] o que se deve à melhoria geral da saúde da população. Dados da Organização Mundial de Saúde indicam que, em 2002, houve 130.000 óbitos no Brasil devido a essa doença. AVE é a segunda causa mais frequente de mortalidade no mundo em indivíduos com mais de 60 anos e a quinta causa em indivíduos com idade entre 15 e 59 anos, causando a morte de 5,5 milhões de pessoas no mundo a cada ano (o que representa 10% das mortes anuais no mundo).[3]

FATORES DE RISCO

Os principais fatores de risco para o AVE são a hipertensão arterial sistêmica (HAS), o diabetes *mellitus* (DM), doenças cardíacas (fibrilação atrial crônica, valvopatias, insuficiência cardíaca congestiva – ICC, coronariopatia), tabagismo, dislipidemia (especialmente a hipercolesterolemia), síndrome metabólica (obesidade abdominal, hipertrigliceridemia, HAS, hiperglicemia e baixos níveis

---

*Acidente vascular encefálico é o termo mais correto do ponto de vista anatômico, pois engloba outras regiões além do cérebro que frequentemente são acometidas (troncoencefálico, cerebelo). No entanto, na prática clínica corrente, o termo AVC continua a ser utilizado quase que exclusivamente, independentemente do local da lesão.

TABELA 6.1. Alterações dos vasos sanguíneos cerebrais que podem provocar AVE

Aterosclerose*: processo de endurecimento das artérias pela formação de uma *placa ateromatosa*. Ocorre um espessamento da camada íntima da artéria (formada por células endoteliais e que está em contato direto com o sangue) pelas placas que contêm lipídeos (como o colesterol) e que são propensas a calcificação e a ulceração. A aterosclerose pode provocar *trombose* arterial
Embolia: obstrução de um vaso por um trombo, êmbolo gorduroso, ar, corpo estranho etc.
Isquemia cerebral generalizada: pós-parada cardíaca, hipotensão ou hipóxia prolongada
Hemorragia hipertensiva
Ruptura de aneurismas saculares ou malformações arteriovenosas
Arterites: decorrentes de infecções (sífilis, tuberculose, meningites) ou doenças inflamatórias (colagenoses, arterite de Wegener, arterite necrotizante, arterite temporal, doença de Takayasu, CADASIL**, dentre outras)
Tromboflebite cerebral: por infecções (otites, sinusites etc., levando a meningites e empiemas), pós-operatórios, pós-parto, falência cardíaca, doenças hematológicas (policitemia vera, anemia falciforme)
Desordens hematológicas: uso de anticoagulantes e trombolíticos, doenças da coagulação, policitemia vera, anemia falciforme, trombocitose (aumento de plaquetas no sangue), púrpura trombocitopênica trombótica, e outras
Dissecção traumática das artérias carótida e basilar
Angiopatia amiloide: deposição de proteína amiloide nas paredes arteriais, que predispõe a sangramentos
Migrânea (enxaqueca) complicada, com persistência dos déficits focais
Uso de contraceptivos orais

*O termo *aterosclerose* não deve ser confundido com *arteriosclerose*, um termo mais genérico que descreve o processo de endurecimento e espessamento da parede das artérias, devido a várias causas (p. ex.: HAS).
**CADASIL: *cerebral autosomal dominant arteriopathy with subcortical infarcts and leukoencephalopathy*.
Adaptado de Ropper e Samuels, 2009.[1]

de HDL-colesterol), hiper-homocisteinemia** e sedentarismo. Esses fatores, embora não sejam os únicos que possam provocar um AVE, são altamente prevalentes na população. Isso faz com que seu controle seja um dos principais alvos das políticas em Medicina Preventiva dos órgãos de saúde em todo o mundo, com o objetivo de diminuir a incidência dos AVEs. Outros fatores de risco também importantes para o AVE são o alcoolismo crônico, doenças sistêmicas que cursem com alterações vasculares ou estados de hipercoagulabilidade sanguínea e uso de contraceptivos orais (Tabela 6.1).

VASCULARIZAÇÃO CEREBRAL

O quadro clínico do AVE é diretamente relacionado com a região vascular acometida. A Figura 6.1 ilustra de forma esquemática as principais artérias do encéfalo e suas áreas de irrigação correspondentes. A Tabela 6.2 descreve os territórios irrigados por cada grande artéria dos sistemas carotídeos e vertebrobasilar.

**Homocisteína é um aminoácido não essencial presente no plasma sanguíneo.

Capítulo 6 Acidente Vascular Encefálico 107

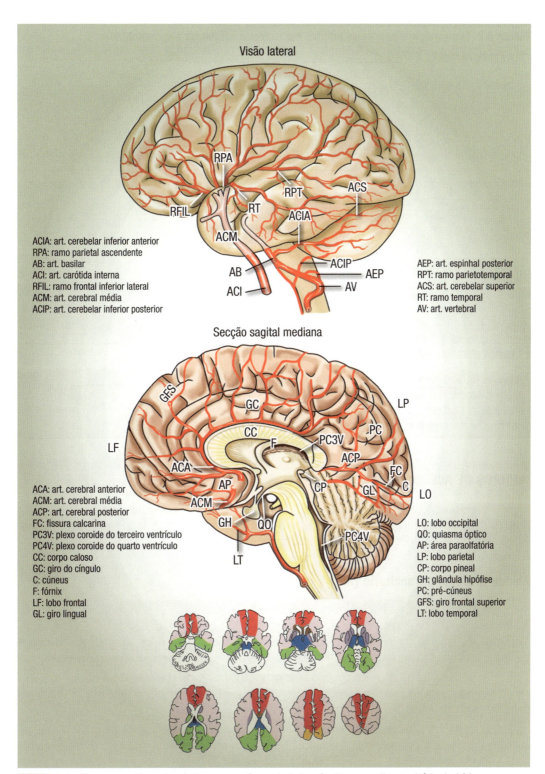

FIGURA 6.1. Principais artérias do cérebro e suas áreas de irrigação. Em vermelho: território da ACA; em rosa: território da ACM; em verde e azul: territórios da ACP; em amarelo: zona de fronteira entre ACM e ACP.

TABELA 6.2. Estruturas irrigadas pelas artérias dos sistemas carotídeos e vertebrobasilar

TERRITÓRIO CAROTÍDEO	
Artéria cerebral anterior (ACA)	Face medial (interna) do lobo frontal Face medial do lobo parietal (porção anterior) Cápsula interna (porção anterior) Núcleo caudado (porção inferior) Fórnix (porção anterior) Corpo caloso (4/5 anteriores)
Artéria cerebral média (ACM)	Face dorsal (externa) dos lobos frontal, parietal e temporal Cápsula interna (porção posterior) Cápsula externa Globo pálido externo Núcleo caudado e putâmen
Artéria cerebral posterior (ACP)	Face medial do lobo occipital Face medial do lobo temporal (porção posterior) Corpo caloso (porção posterior) Mesencéfalo Tálamo (grande parte)
TERRITÓRIO VERTEBROBASILAR	
Artéria cerebelar superior (SUCA) Artéria cerebelar anterior inferior (AICA) Artéria cerebelar posterior inferior (PICA) Ramos paramedianos pontinos da artéria basilar	Cerebelo Tronco encefálico

TIPOS DE AVE

Sob a designação genérica de "AVE", há diferentes entidades clínicas, que apresentam peculiaridades quanto à sua causa, fisiopatologia, curso clínico e prognóstico. A seguir, descreveremos as diferentes formas de AVE e suas características fisiopatológicas.

Ataque isquêmico transitório (AIT)

É definido classicamente como um episódio de déficit neurológico focal no território irrigado por uma determinada artéria intracraniana, que dura menos de 1 hora, sem deixar sequelas. No entanto, a definição só se torna completa se acrescentarmos a ela um exame de neuroimagem que não mostre sinais de acometimento vascular compatível com os sintomas apresentados pelo paciente.

Não se sabe ao certo o mecanismo que leva ao AIT, podendo decorrer de redução do fluxo sanguíneo ou de microembolia, mas qualquer dessas causas irá se somar a uma estenose arterial preexistente, com aterosclerose e formação de trombos.

Embora seja um quadro aparentemente benigno, pela sua completa resolução sem deixar sequelas ou sinais de tecido cerebral lesado, o AIT possui os mesmos fatores de risco e fisiopatologia de um infarto cerebral, e sua ocorrência sinaliza a presença de DCV. AITs de repetição são um sinal da iminência de ocorrência do AVE e, portanto, suas causas devem ser investigadas, e deve ser tratado de forma rápida e agressiva, a fim de prevenir que haja lesão cerebral permanente. O risco de instalação de AVE após AIT é em parte dependente da causa subjacente, mas situa-se, em média, em 12% nos três meses subsequentes à sua ocorrência, embora a maior parte ocorra nos primeiros dois dias. Esse risco é três vezes maior do que o de recorrência do AVE no mesmo período.[4]

AVE isquêmico (AVEi) ou infarto cerebral

Designa os casos de AVE em que o fenômeno causador do déficit neurológico é a *oclusão arterial*. Todo o tecido cerebral que recebe seu suprimento sanguíneo a partir dessa artéria ocluída sofre isquemia e hipóxia, e se esta for duradoura, resultará em morte neuronal. Um estudo brasileiro, realizado em SP, mostrou uma frequência de 63,5% para este tipo de AVE.[5]

A Tabela 6.3 mostra a classificação dos AVEi de acordo com sua etiopatogenia.[6]

O termo *doença de Binswanger* é utilizado para designar a degeneração isquêmica difusa da substância branca decorrente de alterações de pequenos vasos, secundária a HAS crônica e aterosclerose, levando a demência subcortical, paralisia pseudobulbar*** incontinência urinária e alteração de marcha, em diversas combinações. O termo *estado lacunar* (*état lacunnaire*) refere-se à síndrome decorrente de múltiplos infartos lacunares, cuja apresentação clinica é bastante semelhante à da doença de Biswanger.

***Síndrome caracterizada por disartria, disfagia, dificuldades de mastigação e labilidade emocional (choro e riso inapropriados), decorrente da lesão das vias corticobulbares do trato piramidal.

TABELA 6.3. Classiifcação etiopatogênica dos AVEs

Aterosclerose de grandes artérias: oclusão da artéria pela formação de uma placa de ateroma em determinado ponto (em geral na bifurcação das grandes artérias intra ou extracranianas), cujo crescimento termina por provocar uma embolia arterio-arterial a partir de trombos (coágulos) de fibrina e plaquetas formados no local (Fig. 6.2). O déficit pode se instalar de forma súbita, mas, mais frequentemente, evolui em algumas horas, muitas vezes num padrão "intermitente" de piora. Em muitos casos, o evento ocorre durante o sono
Embolia cardiogênica: a oclusão arterial se dá pela impactação de êmbolo, que consiste mais frequentemente de um fragmento de trombo, que se origina do coração. Em casos de endocardite, também pode ocorrer embolia de trombos ou material infectado das válvulas cardíacas acometidas (aórtica ou mitral). Seus principais fatores de risco são: válvulas prostéticas mecânicas, fibrilação atrial (FA) crônica isolada ou combinada a valvopatia (especialmente estenose mitral), miocardiopatia dilatada, insuficiência cardíaca congestiva. Os êmbolos cardíacos em geral impactam em artérias de maior calibre e, portanto, os AVEi embólicos tendem a ser extensos (Fig. 6.3). Sua instalação se dá de forma súbita
Oclusão de pequenos vasos (lacuna): denominam-se infartos lacunares aos pequenos infartos (lacunas), de tamanho inferior a 15 mm que ocorrem por lesão microateromatosa e lipohialinose* de pequenos vasos, como as artérias lenticuloestriadas (ramos da ACM), talamoperfurantes e talamogeniculadas (ramos da ACP) e ramos paramedianos pontinos da artéria basilar. Infartos lacunares ocorrem usualmente na região dos núcleos da base, cápsula interna, tálamo e tronco encefálico
AVEi de outras etiologias definidas (incomum): dissecções arteriais, vasculites primárias e secundárias de SNC, estados de hipercoagulabilidade e doenças hematológicas
AVEi de origem indeterminada: quando há duas ou mais causas potenciais identificadas ou investigação inconclusiva ou investigação incompleta

*Lipohialinose refere-se ao acúmulo de lipídeos e material proteináceo que leva a espessamento e endurecimento da camada média das artérias, o que ocasiona seu enfraquecimento.

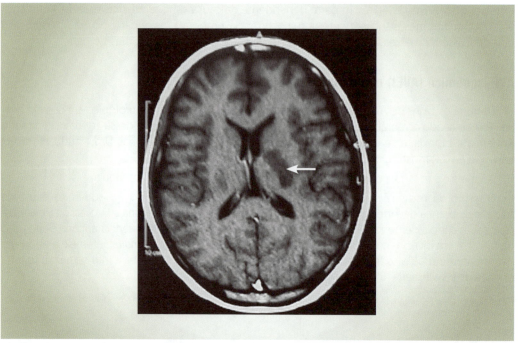

FIGURA 6.2. Imagem axial de RM de crânio em T1 mostrando zona de hipossinal correspondente a AVCi em região de tálamo e cápsula interna à E (seta).

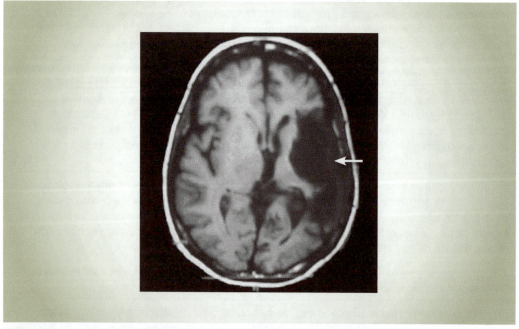

FIGURA 6.3. Imagem axial de RM de crânio em T1 mostrando zona de hipossinal correspondente a AVCi embólico em região fronto-têmporo-parietal E (seta). Este AVCi com formato "em cunha" é característico da oclusão da artéria cerebral média.

Os efeitos da oclusão arterial vão depender do local onde esta ocorre (regiões mais proximais ou mais distais da artéria – Fig. 6.1) e da presença e viabilidade da circulação colateral, seja através do polígono de Willis, ou de anastomoses de pequenas artérias. Assim, uma oclusão da artéria carótida interna pode ser compensada pelo fluxo proveniente das artérias comunicantes anterior e posterior do polígono de Willis (Fig. 6.4), pelo fluxo proveniente da artéria carótida externa via artéria oftálmica, ou outras conexões menores.

Na região central do tecido cerebral infartado, forma-se uma área em que as células sofrem inchaço (edema), e várias alterações bioquímicas acontecem numa cascata de eventos que culmina com a apoptose (morte neuronal), e necrose do tecido cerebral. Esse processo irreversível ocorre cerca de cinco minutos após a deprivação completa do fluxo sanguíneo em uma determinada região cerebral.[1] Dentre as alterações bioquímicas que ocorrem no tecido cerebral infartado, estão a liberação de substâncias inflamatórias (prostaglandinas, leucotrienos), fosfolipases (enzimas que degradam os fosfolípides componentes das membranas celulares neuronais), radicais livres, neurotransmissores excitatórios (glutamato e aspartato). O acúmulo de radicais livres leva a desnaturação das proteínas intracelulares, e os neurotransmissores excitatórios provocam a entrada de sódio e cálcio nos neurônios, e todos esses eventos combinados levam a morte celular.

Ao redor do tecido infartado, ocorre uma região denominada "zona de penumbra", em que os neurônios estão sob risco de sofrer os danos já descritos, mas ainda são viáveis, e podem recuperar sua função caso a perfusão sanguínea seja restabelecida nessa região. A reperfusão pode ocorrer espontaneamente ou pelo uso de agentes trombolíticos (ver Tratamento).

No caso dos AVEi embólicos, de maior tamanho, a reperfusão do tecido infartado necrótico pode produzir o fenômeno conhecido como *transformação hemorrágica*, ou seja, ao ser restabelecido o fluxo sanguíneo (por lise do coágulo, por meio de mecanismos anticoagulantes do próprio organismo, ou por introdução de anticoagulação terapêutica), este passa a perfundir o tecido já necrosado e amolecido, havendo então extravasamento desse sangue na região, o que provoca aumento do edema e volume do tecido cerebral lesado. A transformação hemorrágica ocorre entre o terceiro e o quinto dia após o infarto, e pode levar a piora clínica do paciente. Não deve ser confundida com AVE hemorrágico, que será descrito a seguir.

AVE hemorrágico (AVEh)

Neste grupo encontram-se os AVEs em que ocorre sangramento no parênquima cerebral. Os AVEh classificam-se em *hematoma intraparenquimatoso (HIP****)* e *hemorragia subaracnoide (HSA)*.

No caso dos hematomas ou hemorragias intraparenquimatosas, ocorre ruptura de artérias cerebrais de pequeno calibre (artérias penetrantes, originárias de um vaso maior), em virtude do processo degenerativo de suas paredes causado pela HAS crônica. A ruptura da artéria provoca o extravasamento do sangue e formação de um "coágulo" no interior do tecido cerebral (Fig. 6.5). O extravasamento sanguíneo, por sua vez, leva ao deslocamento e compressão do tecido cerebral adjacente, e grandes hematomas podem provocar grande efeito compressivo, com deslocamento das estruturas da linha média (diencéfalo e tronco cerebral), podendo levar a herniações (ver Capítulo 4 – *Coma e Hipertensão Intracraniana*). Após a hemorragia, há formação de edema, o que aumenta o volume da lesão e o risco de compressão de estruturas adjacentes. Outra complicação das hemorragias é a possibilidade de sangramento para o interior dos ventrículos cerebrais (intraventricular), o que pode provocar bloqueio da circulação liquórica levando a hidrocefalia. Além da HAS, alterações da coagulação sanguínea (por doenças preexistentes ou pelo uso de anticoagulantes) também podem causar HIP.

****Na prática clínica corrente, no entanto, é comum o uso do termogenérico "AVC hemorrágico" para designar os HIP.

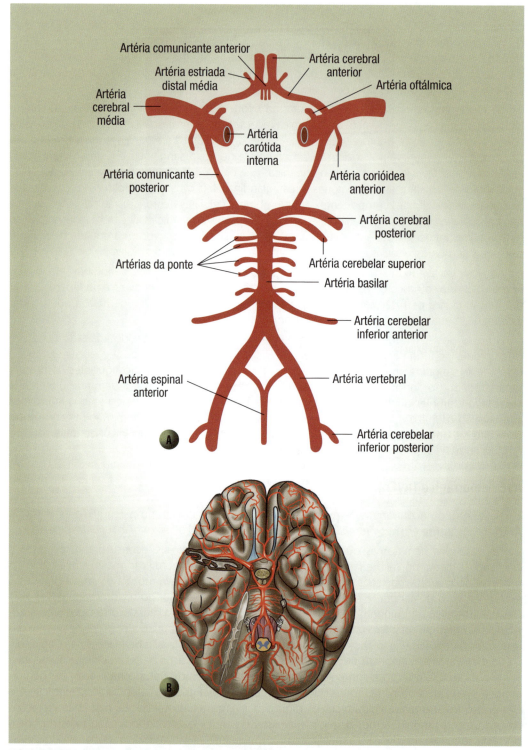

FIGURA 6.4. (A) Polígono de Willis, mostrando as principais conexões entre as artérias cerebrais; (B) Localização do polígono na porção anterior do encéfalo.

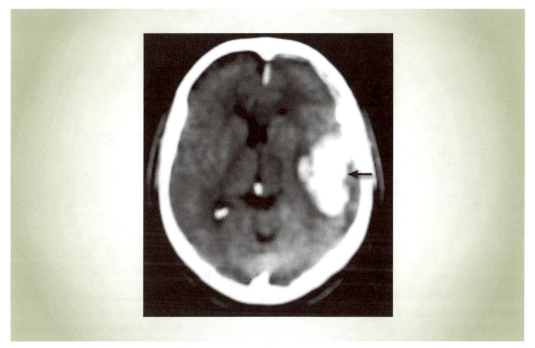

FIGURA 6.5. Imagem axial de TC de crânio mostrando HIP putaminal extenso (seta).

Os locais mais frequentes para ocorrência de HIP são o putâmen e cápsula interna adjacente (50% dos casos), substância branca dos lobos frontal, temporal, parietal ou occipital (hematomas lobares), tálamo, cerebelo e ponte. A instalação dos déficits nas HIP acontece abruptamente, muitas vezes levando a perda de consciência e coma. Seus fatores etiológicos mais frequentes são HAS, angiopatia amiloide, neoplasias intracranianas, arterites primárias e secundárias de SNC, uso de anticoagulantes e doenças que cursam com diáteses hemorrágicas (leucemia aguda, hemofilia, púrpura trombocitopênica idiopática).

Hemorragia subaracnoide (HSA)

Este tipo de hemorragia se caracteriza pelo extravasamento do sangue no espaço subaracnoide, o que faz com que o mesmo permaneça "ao redor" do cérebro, preenchendo as fissuras e cisternas cerebrais (Fig. 6.6).

Essa distribuição do sangramento se deve ao fato de que 75% das HSA decorrem da ruptura de aneurismas cerebrais saculares congênitos, e com mais frequência daqueles localizados nas artérias do polígono de Willis (Fig. 6.7). No entanto, dependendo da localização do aneurisma e da pressão de extravasamento do sangue quando ocorre o sangramento, pode haver a formação de um HIP associado à HSA. Os aneurismas saculares são formados a partir de uma fragilidade congênita (um defeito do desenvolvimento embriológico) ou adquirida das camadas média e elástica das artérias, e quase sempre localizam-se nas bifurcações das artérias ou no local onde nascem seus ramos. Com o passar do tempo, o regime pressórico sanguíneo contínuo aplicado nesse ponto de fragilidade arterial provoca a extroversão da camada íntima da artéria, que se alarga como um "balão", formando o aneurisma. Este se alarga, e pode finalmente romper, causando a HSA. O pico de incidência de ruptura de aneurismas saculares se dá entre os 35 e 65 anos de idade, e não é

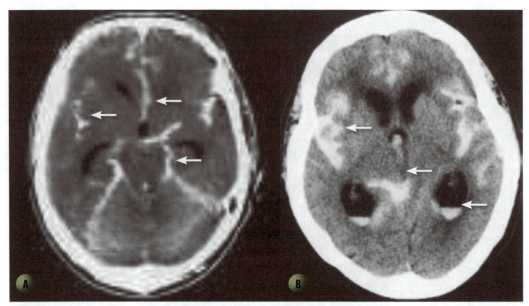

FIGURA 6.6. Imagens axiais de TC de crânio mostrando HSA. Notar a presença do sangue nas cisternas e fissuras cerebrais. À direita, notar a presença de sangue no interior dos ventrículos, o que aumenta a morbidade do quadro, principalmente por causa do risco do desenvolvimento de hidrocefalia aguda.

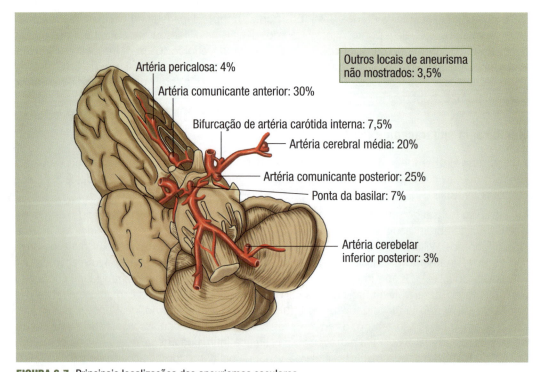

FIGURA 6.7. Principais localizações dos aneurismas saculares.

necessário que a pessoa apresente nenhuma outra doença vascular (como HAS, DM etc.) para que o sangramento ocorra; de fato, é bastante comum que a HSA ocorra em indivíduos hígidos, sobretudo nas faixas etárias mais jovens. Por outro lado, nem todos os indivíduos que têm um aneurisma necessariamente sofrerão HSA, o que é comprovado pelo achado de aneurismas não rotos em autopsias de indivíduos cuja morte deveu-se a outras causas, muitas vezes em idade avançada. A incidência média de HSA decorrente de ruptura de aneurismas saculares é estimada em 10 a 11 casos/100.000 pessoas/ano, havendo, no entanto, uma grande variação nesses números, de acordo com a população estudada.[7]

Outras causas de HSA incluem:

- Aneurismas micóticos: formados a partir de êmbolos sépticos, em casos de endocardite bacteriana, por exemplo; contudo, nesse caso, os aneurismas surgem em localizações mais distais das artérias.
- Malformações arteriovenosas (MAVs): são defeitos no desenvolvimento embriológico dos vasos sanguíneos cerebrais, causando a formação de comunicações anormais entre artérias e veias, que podem se romper. Nesse caso, pode ocorrer tanto HIP, HSA ou uma combinação das duas, dependendo do local da MAV.
- Traumatismo de crânio (TCE): também pode causar HSA pela ruptura de pequenas artérias no momento do trauma. Em geral, seu quadro clínico é menos grave que o das HSA secundárias a aneurismas.

QUADRO CLÍNICO

O quadro clínico dos AVEs está intimamente relacionado com o local onde ocorre o infarto ou sangramento. No entanto, existem algumas particularidades associadas a cada tipo de AVE, e, portanto, abordaremos a sintomatologia clínica de cada tipo separadamente.

AVEi

O quadro clínico dos AVCi é dependente do território arterial afetado e da sua extensão. A Tabela 6.4 mostra os principais territórios arteriais e os quadros clínicos mais comuns encontrados em casos de oclusão desses territórios (os sintomas podem aparecer em várias combinações e graus de intensidade).

AVEh

Hematoma intraparenquimatoso

O quadro cínico dos HIP é também dependente do local onde ocorre a ruptura arterial. Embora os grandes hematomas possam levar a edema cerebral intenso, hipertensão intracraniana (HIC) e consequente alteração do nível de consciência, paradoxalmente a recuperação de um AVEh pode ser proporcionalmente melhor do que a de um AVEi de mesmas proporções, visto que nos AVEh ocorre deslocamento e compressão de estruturas, e o comprometimento de grande parte dos neurônios pode ser apenas funcional, sem que haja morte neuronal em grande escala, como nos casos de AVEi, em que a interrupção do fluxo sanguíneo é alta e rapidamente prejudicial às células. Assim, havendo melhora do edema, e, mais tardiamente, com a reabsorção do hematoma, muitos neurônios retomam sua função, por ainda estarem viáveis. A Tabela 6.5 mostra os principais locais de ocorrência de HIP, e seu quadro clínico mais típico.

TABELA 6.4. Territórios arteriais, quadro clínico e áreas cerebrais acometidas nos AVEi (Fig. 6.1)

TERRITÓRIO ARTERIAL	SINAIS E SINTOMAS	REGIÃO CEREBRAL ENVOLVIDA
Artéria cerebral anterior – ACA (raro)	Monoplegia crural (paralisia da perna contralateral) – pode haver pequeno comprometimento de membro superior	Área motora da perna (lobo frontal – giro pré-central)
	Hipoestesia crural contralateral	Área sensitiva da perna (lobo parietal – giro pós-central)
	Incontinência urinária	Giro frontal superior (porção posteromedial)
	Liberação de reflexos frontais: preensão, sucção, paratonia, "tremor frontal"	Lobo frontal medial
	Abulia, mutismo acinético	
	Apraxia de marcha	Lobo frontal medial
		Frontoestriatal
	Paraplegia crural	Área motora da perna bilateralmente (oclusão bilateral da ACA)
Artéria cerebral média – ACM (muito frequente)	Hemiparesia/hemiplegia contralateral e porção inferior da face (paralisia facial central)	Área motora da perna, braço e face (lobo frontal – giro pré-central e fibras descendentes da coroa radiada)
	Hipoestesia superficial e profunda na metade do corpo contralateral à lesão	Área sensitiva da perna, braço e face (lobo frontal – giro pós-central e projeções talamoparietais)
	Afasia (Broca, Wernicke, global, transcorticais, condução, anômica)	Áreas da linguagem: lobo frontal, temporal, parietal, se a lesão ocorrer no hemisfério dominante (esquerdo em mais de 90% das pessoas).
	Agnosia (tátil, visual, auditiva), anosognosia, negligência	Lobos parietais e temporais (E, D, ou bilateral)
	Apraxia ideatória, ideomotora, construtiva, de vestir-se	Lobos frontais e parietais (E, D, ou bilateral)
	Hemianopsia/quadrantanopsia superior homônima	Radiações ópticas no lobo temporal
	Paralisia do olhar conjugado para o lado oposto	Área motora ocular no lobo frontal
	Hemiplegia pura	Cápsula interna posterior e coroa radiada adjacente
Artéria cerebral posterior – ACP (frequente)	Hemianopsia homônima contralateral	Lobo occipital (córtex calcarino ou visual primário)
	Hemianopsia homônima bilateral, cegueira cortical, acromatopsia (cegueira para cores), apraxia ocular	Lobo occipital bilateral, região parieto-ocipital
	Alexia pura (sem agrafia), anomia para cores	Lobo occipital dominante e parte posterior do corpo caloso
	Déficits de memória	Lobos temporais inferomediais
	Alucinações visuais, distorções diversas das imagens	Lobo occipital (córtex calcarino ou visual primário)

Continua

TABELA 6.4. Territórios arteriais, quadro clínico e áreas cerebrais acometidas nos AVCi (Fig. 6.1) (cont.)

TERRITÓRIO ARTERIAL	SINAIS E SINTOMAS	REGIÃO CEREBRAL ENVOLVIDA
Artéria talamogeniculada (ramo da ACP)	Síndrome talâmica: hipoestesia superficial e profunda, dor espontânea, disestesias, tremor, leve hemiparesia	Núcleo ventral posterolateral do tálamo
Artérias talamoperfurantes (ramos da ACP)	Síndrome de Weber: paralisia do III nervo ipsilateral e hemiplegia contralateral	Mesencéfalo e pedúnculo cerebral
	Hemiplegia contralateral	Pedúnculo cerebral
	Ataxia contralateral ou tremor postural	Trato dentadotalâmico (do tálamo ao núcleo denteado do cerebelo)
	Postura em descerebração	Tratos motores entre o núcleo rubro e os núcleos vestibulares
Artéria basilar: responsável pela irrigação do tronco cerebral (mesencéfalo, ponte e bulbo) e cerebelo	Composição de sinais e sintomas motores, sensitivos, de pares cranianos (incluindo alterações de motricidade ocular, disartria, disfagia) e cerebelares	Tratos motores descendentes, tratos sensitivos ascendentes e núcleos dos nervos cranianos (III ao XII)
	Alterações do nível de consciência (até coma)	Sistema ativador reticular ascendente

Adaptado de Ropper e Samuels, 2009.[1]

Hemorragia subaracnoide

O quadro típico da HSA é de cefaleia de início *súbito*, de fortíssima intensidade, generalizada, quase sempre acompanhada de náuseas, vômitos e rigidez de nuca, porém os pacientes permanecem conscientes. Inclusive, eles conseguem referir com extrema precisão o momento exato do início da cefaleia e invariavelmente a descrevem como a mais intensa que já sentiram (mesmo os indivíduos que têm histórico de enxaqueca ou cefaleia tensional). Outra apresentação clínica possível é aquela em que o paciente apresenta o mesmo quadro de cefaleia súbita e intensa, com vômitos e perda de consciência quase imediata. Mais raramente, pode haver apenas perda de consciência súbita, e o paciente desenvolve quadro de coma em minutos. Os pacientes que sofrem perda de consciência e coma de instalação rápida em geral morrem nas primeiras horas após o sangramento. Estima-se que cerca de 25% dos pacientes que sofrem uma HSA morrem sem nem mesmo receberem atendimento médico,[9] o que coloca essa doença entre as possibilidades de diagnóstico de "morte súbita". A ruptura dos aneurismas saculares quase sempre ocorre quando o paciente está em atividade, sobretudo naquelas que requerem esforço físico (levantar objetos pesados, relações sexuais, exercícios físicos de forte intensidade etc.).

Após o sangramento inicial, algumas das principais complicações da HSA incluem:

- Convulsões: em aproximadamente 6% dos casos.[10]
- Ressangramento: risco de 4 a 6% nas primeiras 24 horas, declinando gradualmente no decorrer dos dias, chegando a um risco acumulado de 20% a 30% em 30 dias. A taxa de mortalidade em casos de ressangramento é de cerca de 70%.[11]

TABELA 6.5. Locais mais frequentes de ocorrência de HIP e quadro clínico correspondente

LOCAL	QUADRO CLÍNICO
Putâmen (e cápsula interna)	Hemiplegia completa contralateral, disartria, cefaleia, vômitos Hematomas grandes: pode-se somar afasia (nas lesões à E) ou negligência (nas lesões à D), diminuição do nível de consciência, desvio do olhar conjugado para o lado oposto à hemiplegia; esses sinais e sintomas decorrem do efeito compressivo do hematoma sobre estruturas adjacentes, edema e HIC.
Lobar	Frontal: hemiparesia contralateral, crises convulsivas focais, cefaleia, sinais de liberação dos reflexos frontais (preensão, sucção), desvio conjugado do olhar para o lado oposto à hemiparesia Parietal: hipoestesia contralateral, hemiparesia leve contralateral, dor na região temporal ipsilateral, síndrome de Gerstmann* (lesões à E), apraxia construtiva e de vestir-se Temporal: hemianopsia, quadrantanopsia, afasia de Wernicke (nas lesões à E), dor na região da orelha ipsilateral Occipital: hemianopsia, dor na região orbital ipsilateral
Tálamo	Hipoestesia superficial e profunda do hemicorpo contralateral Hematomas grandes: pode-se somar afasia (nas lesões à E) ou negligência (nas lesões à D), diminuição do nível de consciência, alterações do olhar conjugado; esses sinais e sintomas decorrem do efeito compressivo do hematoma sobre estruturas adjacentes, edema e HIC. Pode haver hidrocefalia por compressão do III ventrículo ou extravasamento do sangue para o sistema ventricular.
Cerebelo	Cefaleia occipital, vômitos, vertigem, alterações do equilíbrio, com incapacidade para deambular, permanecer em pé, ou mesmo sentado Nistagmo e ataxia cerebelar são raros na fase aguda Disartria e disfagia podem ocorrer
Ponte	Instalação de quadro de coma em poucos minutos Quadriparesia com sinal de Babinski bilateral, postura em descerebração, pupilas mióticas, com reflexo fotomotor presente

*Síndrome de Gerstmann: composta pelo conjunto agrafia, acalculia, agnosia digital e desorientação D-E.
Adaptado de Ropper e Samuels, 2009; Toole, 1990.[1,8]

- Vasoespasmo cerebral e déficit isquêmico tardio: a presença de sangue no espaço subaracnoide leva à liberação de substâncias que provocam a redução do calibre dos vasos nos locais onde há maior concentração de sangue extravasado. Essa redução do calibre, ou vasoespasmo, provoca diminuição do fluxo sanguíneo distalmente ao território arterial acometido, e se este for suficientemente intenso, pode ocasionar um déficit isquêmico (infarto cerebral), denominado *déficit isquêmico tardio pós-HSA*. Esse infarto pode levar às manifestações clínicas já descritas para os AVEi, em função da área cerebral afetada. O vasoespasmo geralmente ocorre entre três e dez dias após o sangramento.
- Hidrocefalia: a presença de sangue nas cisternas cerebrais, ou nos ventrículos, pode levar a obstrução do fluxo liquórico, causando hidrocefalia aguda em cerca de 20 a 30% dos pacientes nas primeiras 72 horas após a HSA.[12] Hidrocefalia tardia ocorre em 18 a 26% dos pacientes que sobrevivem ao sangramento[13,14] (Fig. 6.8).

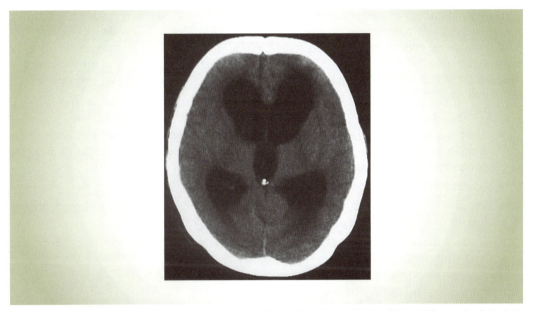

FIGURA 6.8. Imagem axial de TC de crânio mostrando intensa dilatação ventricular (hidrocefalia aguda obstrutiva).

A conduta diante de um caso de HSA depende de vários fatores, que serão discutidos na seção Tratamento. No entanto, essa conduta é influenciada pelo estado clínico do paciente, que é atualmente avaliado pela classificação da World Federation of Neurological Surgeons,[15] a qual se baseia na Escala de Coma de Glasgow (ver Capítulo 4 – *Coma e Hipertensão intracraniana*) (Tabela 6.6). Nesta escala, quanto maior a pontuação do paciente, pior seu prognóstico.

DIAGNÓSTICO

O diagnóstico do AVE, em todas as suas formas, tem início a partir da história de instalação de um déficit neurológico agudo, em poucas horas, sobretudo se acompanhado de cefaleia e alteração do nível de consciência. A presença dos fatores de risco para DCV é um fator que contribui para fortalecer a suspeita clínica, com exceção dos casos de HSA devido a aneurismas saculares. A partir daí, os exames de neuroimagem (TC ou RM) são os mais importantes para evidenciar os

TABELA 6.6. Classificação das HSA de acordo com a World Federation of Neurological Surgeons

GRAU	ESCALA DE COMA DE GLASGOW	DÉFICIT NEUROLÓGICO FOCAL
1	15	Ausente
2	13-14	Ausente
3	13-14	Presente
4	7-12	Ausente ou presente
5	3-6	Ausente ou presente

quadros de infarto e sangramento, seu tamanho, sua localização e presença de complicações, como hidrocefalia e compressão de estruturas adjacentes. A sequência de difusão na RM associada ao mapa de coeficiente de difusão aparente (ADC) permite identificar quadros de isquemia após poucos minutos de sua ocorrência, bem como diferenciar infartos agudos de crônicos. A realização do estudo de perfusão cerebral (também por RM) permite uma estimativa da área de penumbra isquêmica.

Outros exames indicados, a fim de estabelecer fatores etiológicos e de risco para o AVE são:

- Exames básicos, como hemograma, glicemia, ureia e creatinina séricas, eletrólitos (sódio e potássio, outros se necessário), coagulograma, RX de tórax (para verificação de sinais de comprometimento cardíaco/vascular) e eletrocardiograma (ECG);
- Ecocardiograma: na suspeita de fonte embólica cardíaca;
- Pesquisa direcionada ao diagnóstico de doenças auto-imunes/vasculites: anticorpos antifosfolípide (anticoagulante lúpico, anticardiolipina) etc.;
- Doppler transcraniano: para pesquisa de estenose arterial intracraniana e da ocorrência de microêmbolos;
- Doppler de artérias carótidas e vertebrais: para verificar a existência e grau de estenose e presença de trombos nestas artérias;
- Arteriografia (digital, angio-TC ou angio-RM): para avaliação definitiva da existência e grau de estenose arterial, bem como da presença de trombos;
- LCR: nas suspeitas de quadros infecciosos e vasculites.

No caso das HSA, além da TC ou RM, será necessária a realização de arteriografia (digital, angio-TC ou angio-RM) para visualização do aneurisma e planejamento da conduta cirúrgica (Fig. 6.9). Quando o quadro clínico é altamente sugestivo de HSA, mas não há evidência conclusiva de sangramento no exame de neuroimagem, a punção liquórica pode ser realizada, a fim de confirmar o diagnóstico pela presença de hemácias no LCR. No caso de suspeita de vasoespasmo após HSA, o Doppler transcraniano é o exame indicado para confirmação desse diagnóstico e acompanhamento da evolução.

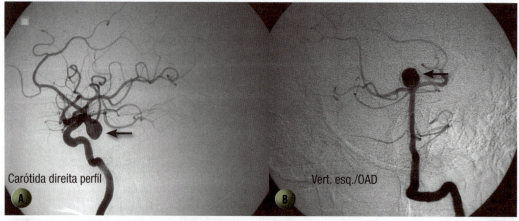

FIGURA 6.9. Imagens de arteriografia digital, mostrando aneurisma sacular na artéria comunicante posterior (A) e basilar (B) (setas).

TRATAMENTO

O tratamento geral dos AVEs inicia-se com a estabilização clínica do paciente, e as medidas necessárias nesse sentido vão variar de acordo com o estado clínico do paciente, e as comorbidades associadas ao icto. Pacientes conscientes podem necessitar apenas de correção de parâmetros metabólicos, como hidratação, manutenção da pressão arterial em níveis adequados, controle dos níveis de eletrólitos e glicose, função cardíaca etc. Pacientes com infecções devem receber antibioticoterapia. No caso de haver convulsões, o uso de anticonvulsivantes está indicado. Pacientes com diminuição do nível de consciência ou em coma devem ter assegurada a ventilação e mantidos em unidades de terapia intensiva.

O tempo de internação dos pacientes com AVE é extremamente variável, pois depende de fatores, como gravidade do quadro clínico, tipo do AVE, presença de complicações e o tipo de tratamento específico. Assim, pacientes com AVEs de pequeno tamanho, que estão conscientes, e cujos parâmetros clínicos encontram-se completamente estabilizados, podem receber alta mais precocemente (com exceção das HSA causadas por aneurismas saculares, que devem ser tratadas cirurgicamente assim que o diagnóstico é realizado). Em AVEs de tamanho médio ou grande, é necessário que o paciente permaneça internado por tempo suficiente para prevenção das complicações já descritas neste capítulo. Como exemplo, um paciente com AVEi embólico de ACM deve permanecer sob observação durante todo o período em que pode ocorrer a transformação hemorrágica, pelo risco de piora do quadro neurológico, estando apto a receber alta caso a complicação não ocorra e seu quadro permaneça estável. Pacientes em coma, ou com graves comorbidades (insuficiência cardíaca, hipertensão de difícil controle, infecções etc.) necessitarão de maior tempo de internação.

O tratamento específico para cada forma de AVE será descrito a seguir, na Tabela 6.7.

TABELA 6.7. Tratamento específico das várias formas de AVE na fase aguda

TIPO DE AVE	TRATAMENTO
1. AVEi	Aplicação de agentes trombolíticos (T-PA)* nas primeiras horas, a fim de tentar promover a recanalização da artéria ocluída
	Anticoagulação com heparina, a fim de prevenir a progressão do AVE ou formação de novos êmbolos
	Cirurgia descompressiva pode ser realizada em ambos os tipos, no caso de infartos grandes, em que haja compressão de estruturas vitais (como tronco cerebral) e HIC (ver Capítulo 4)
2. AVEh	
a. HIP	Estabilização clínica, controle do edema e HIC
	Cirurgia: drenagem do hematoma pode ser indicada em casos de hematomas grandes, com a mesma finalidade descrita para as cirurgias descompressivas
b. HSA	Cirurgia de clipagem (colocação de um clipe) ou embolização para fechamento do aneurisma ou MAV
	Vasoespasmo: nimodipina (vasodilatador) e manutenção de hipervolemia
Hidrocefalia pode ocorrer em todas as formas de AVE, sendo tratada na maior parte dos casos com a colocação de uma válvula de derivação ventriculoperitoneal (DVP)	

*T-PA é a sigla em inglês para *tissue plasminogen activators*, substâncias que convertem o plasminogênio em plasmina, promovendo a dissolução dos coágulos de fibrina.

Após a estabilização clínica do paciente, o tratamento a longo prazo dos AVEs é realizado por meio do controle da doença de base e fatores de risco (HAS, DM, cardiopatia, dislipidemia etc.), da administração de antiagregantes plaquetários (como aspirina) para os AVEi e de anticoagulantes (como warfarin) em pacientes com alto risco de embolia cardíaca (por exemplo: FA crônica). Para os pacientes com AVEh do tipo HIP, não há conduta específica além do tratamento da doença que causou o sangramento. No caso das HSA, a clipagem ou embolização do aneurisma/MAV (e o controle das eventuais complicações decorrentes do sangramento) é o tratamento definitivo, já que muitos desses pacientes não têm outros fatores de risco para DCV.

Um passo importante após o diagnóstico do AVE é a detecção de sua causa, quando esta ainda não é conhecida. Todos os esforços devem ser empregados na tentativa de identificar a causa etiológica do AVE, através de investigação minuciosa das suas potenciais causas em cada paciente a fim de que se possa realizar a prevenção de novos eventos cerebrovasculares. Do mesmo modo, a reabilitação das sequelas neurológicas é um ponto importante no tratamento a longo prazo.

PROGNÓSTICO

A partir do exposto neste capítulo, torna-se fácil compreender que não se pode falar do prognóstico do "AVE" como doença, mas sim de dados referentes às formas particulares de AVE e, mesmo nesse caso, são muitas as variáveis que influenciam as taxas de mortalidade e morbidade em cada tipo de AVE. A principal variável que determina o prognóstico de um AVE, seja qual for o seu tipo, é o nível de consciência do paciente nas primeiras horas após a instalação do quadro. Pacientes que entram em coma logo após o evento ictal têm taxas altas de mortalidade. Outros fatores importantes são o tamanho e localização do AVE, e a ocorrência de complicações.[16]

A National Stroke Association, um dos órgãos do National Institutes of Health (NIH) norte-americano, desenvolveu uma escala com a finalidade de estimar a gravidade e prognóstico dos AVEs. Essa escala é baseada na avaliação de 11 parâmetros: nível de consciência, olhar conjugado, campo visual, paralisia facial, resposta motora em membros superiores, resposta motora em membros inferiores, coordenação, sensibilidade, linguagem, disartria e negligência. Cada item é pontuado separadamente, e o escore total pode variar entre 0 e 42 pontos, assim interpretado:

- Escore maior do que 25: comprometimento neurológico muito grave;
- Escore entre 15 e 25: comprometimento grave;
- Escore entre 5 e 15: comprometimento leve a moderado;
- Escore menor do que 5: comprometimento leve.

Em geral, escores acima de 16 implicam em maiores índices de mortalidade ou sequelas incapacitantes, ao passo que escores abaixo de 6 são preditores de boa recuperação.[17]

Apenas para que tenhamos uma ideia aproximada, podemos resumir os dados de morbi-mortalidade para todos os tipos de AVE considerados em conjunto do seguinte modo: as taxas de mortalidade variam entre 24 e 30% nas primeiras três semanas após a instalação do quadro, sendo esta maior entre os pacientes que permanecem hospitalizados (destes, entre 30 e 60% podem ir a óbito, sendo esse índice relacionado com o nível de consciência, como já mencionado). A taxa de mortalidade anual após um AVE é de cerca de 16 a 18%, estando correlacionada com a doença de base (especialmente a alterações cardíacas e HAS), bem como com a idade mais avançada do paciente.

Em termos de recuperação funcional após episódio único de AVC, estima-se que 15% dos pacientes não apresentarão nenhum grau de incapacidade, 37% apresentarão incapacidade leve, com alguma limitação funcional, mas permanecendo capazes de autocuidado, 16% apresentarão incapacidade moderada, conseguindo deambular, mas necessitando de algum grau de ajuda no autocuidado (como vestir-se) e 32% apresentarão incapacidade grave, necessitando de auxílio para deambular e incapazes de autocuidado, ou estarão restritos ao leito/cadeira, requerendo cuidados constantes.[18] É claro que a recorrência dos episódios de AVE tem impacto negativo sobre essas taxas de morbimortalidade. Por fim, uma variável que tem valor preditivo positivo sobre a recuperação funcional do indivíduo é a taxa de recuperação nos primeiros dias (sobretudo no caso de déficits motores) a meses após o quadro ictal. A persistência de hemianopsia, apraxia, negligência, afasia, alterações de memória ou demência são obstáculos importantes à instituição de terapias de reabilitação.

Referências bibliográficas

1. Ropper HA, Samuels MA. Cerebrovascular Diseases. In: Adams and Victor's Principles of Neurology. 9th. ed. New York: McGraw-Hill 2009; 746-845.
2. André C, Curioni CC, da Cunha CB, Veras R. Progressive decline in stroke mortality in Brazil from 1980 to 1982, 1990 to 1992, and 2000 to 2002. Stroke 2006; 37:2784-9.
3. WHO: The Atlas of Heart Disease and Stroke. Deaths from Stroke in 2002. http://www.who.int/cardiovascular_diseases/resources/atlas/en/, 2014.
4. Johnston SC. Rethinking Transient Ischemic Attacks. In: American Academy of Neurology 59th Meeting Syllabi. Boston, 2007.
5. Yamamoto FI, Massaro AR, Tinone G, et al. Características populacionais e fatores de risco no acidente vascular cerebral. Arq Neuropsiquiatr 1996; 54(suppl):O328.
6. Adams HP Jr, Bendixen BH, Kapelle LI, et al. Classification of subtype of acute ischemic stroke. Definitions for use in a multicenter clinical trial. Stroke 1993; 24:35-41.
7. Britz GW, Winn HR. The natural history of unruptured saccular cerebral aneurysms. In: Winn HR (ed). Youmans Neurological Surgery. 5th. ed. Philadelphia: Saunders 2004; 1781-91.
8. Toole JF. Intracerebral hemorrhage. In: Cerebrovascular Disorders. 4th ed. New York: Raven Press 1990; 365-80.
9. Diringer MN. Complications of Subarachnoid Hemorrhage. In: American Academy of Neurology 59th Meeting Syllabi. Boston, 2007.
10. Pinto AN, Canhao C, Ferro JM. Seizures at the onset of subarachnoid hemorrhage. Journal of Neurology 1996; 243:161-4.
11. Le Roux PD, Winn HR. Surgical decision making for the treatment of cerebral aneurysms. In: Winn HR (ed). Youmans Neurological Surgery. 5th ed. Philadelphia: Saunders 2004; 1793-1812.
12. Sheehan JP, Polin RS, Sheehan JM, Baskaya MK, Kassel NF. Factors associated with hydrocephalus after subarachnoid hemorrhage. Neurosurgery 1999; 45:1120-7.
13. Sethi H, Moore A, Dervin J, Clifton A, MacSweeney JE. Hydrocephalus: comparison of clipping and embolization in aneurysm treatment. Journal of Neurosurgery 2000; 92:991-4.
14. Dorai Z, Hynan LS, Kopitnik TA, Samson D. Factors related to hydrocephalus after aneurysmal subarachnoid hemorrhage. Neurosurgery 2003; 52:763-9.
15. Drake CG. Report of World Federation of Neurological Surgeons Committee on a Universal Subarachnoid Hemorrhage Grading Scale [letter]. Journal of Neurosurgery 1988; 69:985-6.
16. Radanovic M. Características do atendimento de pacientes com acidente vascular cerebral em hospital secundário. Arq Neuropsiquiatr 2000; 58:99-106.
17. Adams Jr. HP, Davis PH, Leira EC, et al. Baseline NIH Stroke Scale score strongly predicts outcome after stroke. A report of the Trial of Org 10172 in Acute Stroke Treatment (TOAST). Neurology 1999; 53:126-31.
18. Barros JEF. Doença Encefalovascular. In: Nitrini R, Bacheschi LA (eds). A Neurologia que Todo Médico Deve Saber. 2ª ed. São Paulo: Atheneu 2003; 171-88.

Demências 7

Márcia Radanovic

DEFINIÇÃO E CONCEITOS

O termo "demência" define uma síndrome clínica em que ocorre deterioração adquirida persistente de funções intelectuais (ou cognitivas), sem alteração primária do nível de consciência ou da percepção, acompanhada de alteração do comportamento e mudanças na personalidade do indivíduo, e que acarretam prejuízo em suas atividades de vida diária (profissionais e sociais).

Essa definição faz distinção entre a perda de habilidades previamente adquiridas durante a vida e os quadros de atraso do desenvolvimento neuropsicomotor. Do mesmo modo, o caráter *persistente* do déficit cognitivo permite diferenciar a demência do estado confusional agudo ou *delirium*, em que ocorre uma incapacidade transitória do indivíduo em pensar com clareza, coerência e velocidade habituais, devido a um problema na capacidade de atenção e concentração, acompanhada de desorientação e alterações da percepção, que podem levar à ocorrência de alucinações e delírio. Estados confusionais podem ser causados por uma série de fatores, tais como alterações metabólicas, infecções, uso de drogas, e são reversíveis, uma vez tratada sua causa.

De acordo com os critérios do Diagnostic and Statistical Manual of Mental Disorders em sua quarta edição (DSM-IV, American Psychiatric Association, 1994),[1] o diagnóstico de demência requer a existência de múltiplos déficits cognitivos, incluindo memória e pelo menos mais um domínio (afasia, apraxia, agnosia ou disfunção executiva). Deve haver prejuízo das atividades sociais e ocupacionais do indivíduo, caracterizando-se *declínio* a partir do desempenho prévio conseguido pelo indivíduo e evidência clínica e/ou laboratorial de que o prejuízo é causado por uma doença (cerebral ou sistêmica). Além disso, devem ser excluídas doenças psiquiátricas primárias (as assim chamadas doenças do eixo I), ou *delirium* como explicações para as alterações cognitivo-comportamentais.

A exigência da existência de déficit de memória para se estabelecer o diagnóstico de demência é atualmente considerada discutível, já que em algumas formas de demência as alterações de comportamento ou de outras funções cognitivas podem preceder a alteração de memória, como na demência frontotemporal (DFT). Por essa razão, o National Institute on Aging e a Alzheimer's Association propõem que o diagnóstico de demência seja baseado nos seguintes critérios: presença de sintomas cognitivos ou comportamentais (neuropsiquiátricos) que: a) interferem com a habilidade de trabalho ou de atividades usuais; b) representam um declínio a partir de um nível de funcionamento prévio; c) não são explicados por *delirium* ou doença psiquiátrica; o prejuízo cognitivo é detectado por história clínica e exame cognitivo de rastreio ou teste neuropsicológico se os dois anteriores não fornecerem informações confiáveis; o prejuízo cognitivo envolve no mínimo dois dos seguintes domínios: déficit na capacidade de aprender e recordar novas informações, déficit da capacidade de raciocínio e de executar tarefas complexas, julgamento prejudicado, déficit das habilidades vioespaciais, déficit de linguagem, alterações de personalidade ou comportamento.[2]

ETIOLOGIA

A demência pode ser causada por lesões primárias ou secundárias do sistema nervoso central (SNC). No primeiro caso, temos as *demências degenerativas*, em que o evento principal que leva à deterioração cognitiva é a degeneração e morte dos neurônios no SNC. Nesse caso, a demência pode ser a principal manifestação clínica (como na doença de Alzheimer), ou fazer parte de uma doença em que ocorrem outros sinais neurológicos, em geral afetando o sistema motor (como na doença de Parkinson com demência).

No caso das demências secundárias, o quadro é decorrente de uma série de condições clínicas que terminam por ocasionar dano neuronal, como doença cerebrovascular, hidrocefalia, infecções de SNC, dentre outras. A Tabela 7.1 apresenta as formas mais frequentes de demências primárias e secundárias.

TABELA 7.1. Principais causas de demência

Doença de Alzheimer
Demência frontotemporal
Demência vascular
Demência com corpos de Lewy
Síndromes parkinsonianas com demência • Doença de Parkinson • Paralisia supranuclear progressiva • Degeneração corticobasal • Atrofia de múltiplos sistemas (degeneração estriatonigral, atrofia olivopontocerebelar, síndrome de Shy-Drager)
Doença de Huntington
Doenças priônicas: Creutzfeldt-Jacob
Infecções: HIV, neurolues, meningites crônicas
Hidrocefalia de pressão normal
Traumatismo craniencefálico: hematoma subdural crônico
Tumores de SNC
Doenças psiquiátricas: depressão (*pseudodemência*), esquizofrenia
Demências toxicometabólicas: alcoolismo, hipotireodismo, encefalopatia hepática, deficiência de vitamina B_{12}, ação de drogas sobre o SNC (hipnóticos, antipsicóticos, anticolinérgicos, antiepilépticos, antidepressivos, analgésicos, e outros)

A relevância de se determinar com a maior exatidão possível a etiologia de um quadro demencial é, em primeiro lugar, a possibilidade da identificação de uma causa potencialmente *reversível* (tratável), como neurolues, hipotireoidismo, ou hematoma subdural crônico. Embora as demências reversíveis representem apenas cerca de 10% de todas as demências,[3] seu reconhecimento é de fundamental importância. Em segundo lugar, atualmente existem tratamentos medicamentosos distintos para as diferentes formas de demência (embora com efeitos modestos), e sua escolha adequada depende do diagnóstico correto.

O número crescente de idosos em diversos países transformou as doenças relacionadas ao envelhecimento em um novo desafio às políticas de saúde pública. No Brasil, em um estudo conduzido em Catanduva (SP), Herrera et al. observaram que a prevalência de demência dobra a cada cinco anos a partir dos 65 anos, sendo de 7,1% na população dessa cidade.[3] A demência ocorre em cerca de 5% dos indivíduos com mais de 65 anos e em 20% ou mais daqueles com mais de 80 anos.[5]

COMPROMETIMENTO COGNITIVO LEVE

O aumento da expectativa de vida da população mundial tem gerado como consequência um número sem precedentes de indivíduos octagenários, nonagenários, e mesmo centenários. Da mesma forma que a senescência implica várias modificações corporais (como diminuição relativa da massa muscular, presbiopia*, presbiacusia** etc.), é razoável supor que ocorram modificações no modo como o cérebro executa suas funções. No entanto, quais modificações no desempenho cognitivo podem ser consideradas como esperadas (envelhecimento normal), e quais devem ser consideradas como doença (exigindo, assim, alguma forma de intervenção, seja para sua prevenção ou tratamento)?

Não existe ainda uma resposta muito clara para essa questão e os limites entre envelhecimento normal e patológico, do ponto de vista do desempenho cognitivo, não são bem definidos. Essa dificuldade levou ao desenvolvimento do conceito de *comprometimento cognitivo leve*, como um modo de englobar os indivíduos que demonstram algum declínio em suas habilidades cognitivas, mas que ainda apresentam suficiente preservação de suas atividades, comportamento e personalidade, e, portanto, não preenchem critérios para o diagnóstico de demência.

Assim, conceitua-se como tendo *comprometimento cognitivo leve* (CCL) o indivíduo que apresenta queixas de declínio cognitivo (em relação a seu próprio desempenho habitual) corroborada por informante e documentada objetivamente por testes neuropsicológicos, com preservação relativa da funcionalidade para realização de suas atividades de vida diária, mas sem preencher critérios para o diagnóstico de demência.[6,7] Todos os quesitos desse conceito devem ser preenchidos criteriosamente, pois existem vários fatores que podem levar a um falso diagnóstico: indivíduos muito queixosos (com perfil de personalidade extremamente exigente, que toleram mal as limitações impostas pelo envelhecimento em si, mesmo que saudável) e familiares pouco tolerantes, por exemplo, podem supervalorizar pequenos esquecimentos ou eventos isolados de falha de raciocínio, e induzir o profissional de saúde a um diagnóstico falso positivo de declínio cognitivo; por outro lado, indivíduos cuja ocupação rotineira exija baixa demanda intelectual, ou com familiares condescendentes ao extremo, podem postergar a procura por ajuda especializada.

O diagnóstico de CCL se baseia, então, na queixa do paciente, acrescida de dados colhidos com um informante. Existem questionários específicos para essa finalidade, sendo o Questionário para Informante sobre Declínio Cognitivo no Idoso (Informant Questionnaire on Cognitive Decline of the Elderly – IQ-Code)[8] um dos mais utilizados. Além disso, o paciente deve ser submetido a uma avaliação objetiva da função cognitiva, por meio de testes neuropsicológicos, demonstrando que seu

---
*Presbiopia: perda da capacidade de acomodação do cristalino, o que leva a dificuldades para enxergar de perto.
**Presbiacusia: diminuição da acuidade auditiva gradual, relacionada à idade.

desempenho é inferior ao esperado para sua faixa etária e escolaridade. Assim, pode-se caracterizar se realmente existe declínio, e em qual(is) domínio(s) ocorre(m).

O CCL pode ser dividido em tipo *amnéstico* (quando o paciente apresenta declínio de memória isolado) ou *não amnéstico* (quando há declínio em outra função cognitiva, com memória preservada). De acordo com o número de funções afetadas, pode ser dividido em *domínio único* (apenas uma função) ou *múltiplos domínios* (mais de uma função). Assim, ao final temos as seguintes possibilidades mostradas na Figura 7.1.

Dentre as causas mais frequentes de CCL, temos: depressão, uso crônico de medicações que atuem sobre o SNC, pós-traumatismo de crânio, doenças clínicas mal controladas, estágio pré-clínico de DA e estágio pré-clínico de outras demências. A prevalência de CCL é de cerca de 12 a 15% na população acima de 65 anos, e a taxa de conversão de CCL para demência é de aproximadamente 10 a 15% ao ano (é importante notar que o diagnóstico de CCL não é sinônimo de demência prodrômica, pois muitos pacientes permanecem estáveis ou melhoram sua função cognitiva, quando a causa é tratável). Nos casos em que ocorre essa conversão, ela se dá seguindo um padrão mais ou menos determinado, como segue:[9]

- CCL amnéstico domínio único: de Alzheimer;
- CCL amnéstico múltiplos domínios: doença de Alzheimer ou demência vascular;
- CCL não amnéstico domínio único: demência frontotemporal;
- CCL não amnéstico múltiplos domínios: demência com corpos de Lewy ou demência vascular.

Pacientes que recebem o diagnóstico de CCL devem ser reavaliados periodicamente, a fim de que o tratamento possa ser iniciado o mais precocemente possível caso haja conversão para alguma das formas de demência.

DOENÇA DE ALZHEIMER

Epidemiologia e fatores de risco

A doença de Alzheimer (DA) é a forma mais prevalente de demência primária, representando cerca de 50% dos casos de demência. A DA que se inicia após os 65 anos é conhecida como *forma senil*, e a que se inicia antes dessa idade é denominada *forma pré-senil*. A forma pré-senil em geral

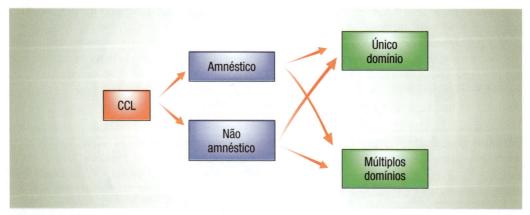

FIGURA 7.1. Possibilidades de classificação do CCL.

apresenta incidência familiar e está relacionada a certas mutações genéticas (ver fatores de risco); sua evolução clínica costuma ser mais rápida que a da forma senil.

Os fatores de risco atualmente aceitos para a DA são a idade e história familiar, além da homozigose (ou seja, possuir os dois alelos) para o gene da apolipoproteína E4; as mutações nos genes da pré-senilina 1 e 2, e da proteína precursora do amiloide (PPA) são fatores determinantes da ocorrência de DA em seus portadores (forma pré-senil). Outros fatores de risco para o desenvolvimento de DA são mostrados na Tabela 7.2. Fatores de proteção identificados até o momento incluem atividade física aeróbica, dieta à base de peixe, frutas e vegetais, e atividade intelectual contínua (a fim de aumentar a reserva cognitiva funcional).[10]

Fisiopatologia

A teoria mais aceita atualmente é de que a degeneração neuronal que ocorre na DA é desencadeada pela deposição de uma forma anômala da proteína β-amiloide no espaço extracelular. Normalmente, uma proteína denominada PPA (proteína precursora do amiloide) é quebrada por uma enzima denominada α-secretase gerando uma forma solúvel da proteína β-amiloide; quando essa quebra é feita pelas enzimas β ou γ-secretases, forma-se uma proteína β-amiloide insolúvel, que se agrega e se deposita no espaço extracelular, formando as *placas amiloides* (ou senis), gerando uma cascata de eventos de origem inflamatória, e culminando na morte celular. Além disso, contribui para esse processo a formação dos *emaranhados neurofibrilares*, que são depósitos intracelulares compostos por proteína tau hiperfosforilada. A proteína tau é uma proteína normalmente encontrada no citoesqueleto dos neurônios, responsável pela manutenção de sua integridade, e que se deposita anormalmente quando sofre o processo de hiperfosforilação (agregação de radicais fosfato à sua estrutura). Além disso, estão implicados na fisiopatologia da DA fatores como disfunção sináptica, depleção de neurotransmissores (acetilcolina) e neurotrofinas (como o BDNF)***, alterações mitocondriais e estresse oxidativo, disfunção das vias de sinalização da insulina, alterações vasculares, mecanismos inflamatórios e alterações no metabolismo do colesterol.[11]

***BDNF: *brain-derived neurotrophic factor* (fator neurotrófico derivado do cérebro).

TABELA 7.2. Fatores de risco para desenvolvimento da DA

FATORES	
Demográficos	Idade História familiar Sexo feminino Baixo nível educacional Analfabetismo
Doenças cardiovasculares	Doença cerebrovascular Hipertensão arterial Dislipidemia
Doenças metabólicas	Diabetes *mellitus* tipo II Síndrome metabólica Obesidade
Doenças neurológicas e psiquiátricas	Traumatismo craniencefálico Depressão

Quadro clínico

O diagnóstico de DA é classificado em *provável* (poucas evidências de que haja outra etiologia), *possível* (não se consegue descartar totalmente a co-ocorrência de outros fatores que possam ser responsáveis pela demência) e *definido* (após estudo anátomo-patológico compatível com a etiologia). Em 2011 foi publicado o mais recente critério para diagnóstico de DA, mostrado na Tabela 7.3.[2]

O curso clínico da DA pode ser dividido em três estágios que ocorrem de forma relativamente ordenada e consistente, na maior parte dos pacientes. O tempo médio de sobrevida dos pacientes com DA é de 5 a 10 anos, a partir do momento em que o déficit de memória se torna evidente. A seguir está descrito o curso clínico habitual da DA forma amnéstica, por ser a forma mais frequente de apresentação da doença.

TABELA 7.3. Critérios diagnósticos para DA

DA PROVÁVEL
Diagnóstico de demência associado às seguintes características:
1. Início insidioso
2. Evolução progressiva
3. Os déficits iniciais e mais proeminentes (evidentes na história e exame clínicos) encontram-se em uma das seguintes categorias:
    a. Apresentação amnéstica (mais frequente): déficit de memória episódica (aprendizado e retenção) associado a prejuízo em outra função entre as descritas abaixo
    b. Apresentação não amnéstica
        - Linguagem: prejuízo em "achar palavras" é o achado mais proeminente, associado a déficit em outro domínio cognitivo
        - Visoespacial: prejuízo cognitivo espacial é o achado mais proeminente, incluindo agnosia para objetos, prosopagnosia[1], simultanagnosia[2] e alexia[3], associado a déficit em outro domínio cognitivo
        - Disfunção executiva: prejuízo em raciocínio, julgamento e solução de problemas são os mais proeminentes, associado a déficit em outro domínio cognitivo

Critérios de exclusão: evidência de a) doença cerebrovascular concomitante; b) características essenciais de demência com corpos de Lewy; c) características proeminentes de demência frontotemporal variante comportamental; d) características proeminentes de afasia progressiva primária nas formas não fluente ou semântica; e) outra doença neurológica em atividade, ou doença clínica (não neurológica) ou uso de medicação que possam ter efeitos sobre a função cognitiva

DA POSSÍVEL
Curso atípico da doença: preenche todos os critérios essenciais para DA, mas apresenta início abrupto ou existem detalhes insuficientes na história ou exame cognitivo objetivo que documentem declínio progressivo
Apresentação mista: preenche todos os critérios essenciais para DA, mas com evidência de a) doença cerebrovascular concomitante; b) características essenciais de demência com corpos de Lewy; c) outra doença neurológica em atividade, ou doença clínica (não neurológica) ou uso de medicação que possam ter efeitos sobre a função cognitiva

DA DEFINIDA
Paciente preenche critérios clínicos e cognitivos para DA e o exame neuropatológico evidencia achados consistentes com o diagnóstico

[1]Prosopagnosia: incapacidade de reconhecer faces.
[2]Simultanagnosia: incapacidade de perceber mais de um objeto por vez (por exemplo, uma paisagem) a despeito da preservação do reconhecimento de objetos simples.
[3]Alexia: prejuízo da leitura, apresentando-se sob várias formas clínicas.

Estágio I

O início da doença é insidioso, caracterizando-se por falta de iniciativa, perda de interesse em atividades anteriormente consideradas prazerosas, negligência na execução de tarefas, que a princípio podem ser atribuídas a cansaço, depressão ou tédio. Em seguida, desenvolve-se o déficit progressivo de memória: esquecimento de nomes próprios, compromissos, conversas recentes (déficit de memória episódica anterógrada). O paciente passa a repetir diversas vezes a mesma pergunta (muitas vezes no decorrer do mesmo dia), mas não consegue reter a resposta. O aprendizado de novas informações fica comprometido. Fatos do dia a dia passam a ser esquecidos, mas a memória para fatos antigos ainda está relativamente preservada.

Aparecem dificuldades no planejamento de atividades, administração de finanças, e compreensão de situações complexas. As habilidades de raciocínio e abstração se tornam comprometidas, bem como a capacidade de julgamento. Tarefas complexas, englobando vários passos, são cada vez mais difíceis de serem executadas. O paciente torna-se progressivamente mais suscetível a distrações, com impersistência psíquica, da fala e motora, acompanhada de perseveração. O aparecimento de desorientação espacial faz com que o idoso se perca mesmo em trajetos bem conhecidos, o que se evidencia especialmente na dificuldade para dirigir veículos.

O comprometimento da linguagem nessa fase caracteriza-se por discurso vazio, com pobreza de ideias, e dificuldade para encontrar nomes. Testes de linguagem revelam déficit de nomeação e os indivíduos têm dificuldade em gerar listas de palavras (por exemplo, nomes de animais em um minuto).

Estágio II

Ocorre deterioração progressiva de todas as funções cognitivas. A memória para informação recente e remota fica gravemente comprometida. As habilidades visoespacias se deterioram: os pacientes não conseguem mais copiar um desenho e passam a se perder mesmo em seu local de moradia. Os déficits de abstração e cálculo se acentuam.

As dificuldades de linguagem se agravam, com progressiva diminuição da fluência, da capacidade de compreensão e da repetição. *Parafasias* (trocas de fonemas ou palavras) também são frequentes.

Apraxia e agnosia são comuns nessa fase, mas sua avaliação é difícil pelo intenso déficit de memória e progressiva deterioração da compreensão da linguagem. Nessa fase, a função motora e a coordenação ainda são normais, mas aparece a perambulação e inquietação.

Estágio III

Nessa fase, todas as funções cognitivas estão gravemente comprometidas. A fala do paciente restringe-se a ecolalia (repetição do que é dito pelo interlocutor), palilalia (repetição sem sentido de fragmentos de sua própria fala) e, posteriormente, mutismo. Ocorre incontinência esfincteriana e dificuldade para deglutição. Na fase terminal, o paciente assume uma postura rígida e em flexão, e a deterioração progressiva do SNC leva ao estabelecimento de um estado conhecido como *decorticação*: sem consciência do ambiente ao seu redor, com os olhos abertos, mas totalmente não responsivo aos estímulos ambientais. Esse estado se perpetua e progride até se configurar o estado vegetativo persistente.

Alterações de comportamento

Na DA, os sintomas psiquiátricos mais comuns são apatia, agitação, depressão, insônia, ansiedade e irritabilidade. Delírios e alucinações, embora menos frequentes, também podem ocorrer. Esses sintomas costumam aparecer em síndromes mais ou menos bem definidas: pacientes com poucos sintomas comportamentais, pacientes com sintomas predominantemente psicóticos (delírios, alucinações) e pacientes com sintomas predominantemente de humor (depressão, irritabilidade). Agitação e apatia costumam se combinar a esses sintomas.[12]

Muitos pacientes com DA apresentam quadro transitório de confusão mental e inquietação ao final do entardecer, na transição do dia para a noite, fenômeno conhecido como agitação crepuscular (*sundowning*).

Alterações da ingestão alimentar também são frequentes, inicialmente aparecendo quadro de compulsão alimentar, seguido de redução da ingestão espontânea, e nos estágios avançados o paciente não solicita mais alimento nem água, tendo que ser alimentado ativamente pelo cuidador.

Diagnóstico

O diagnóstico clínico de DA é baseado no quadro clínico e na exclusão de outras causas que possam levar a deterioração cognitiva (ver Tabela 7.1). Os exames de neuroimagem (tomografia computadorizada [TC] ou ressonância magnética [RM] de crânio) em geral revelam atrofia cortical, predominante no hipocampo, lobo temporal medial e regiões frontoparietais, mas esses achados não são específicos, podendo aparecer em outras doenças (Fig. 7.2A). Exames funcionais como a tomografia por emissão de fóton único (*single photon emission computerized tomography* – SPECT) ou tomografia por emissão de pósitrons (*positron emission tomography* – PET) mostram prejuízo da perfusão e metabolismo cerebral predominantemente em regiões posteriores (temporoparietais) (Fig. 7.2B). O uso de outras técnicas, como perfusão por RM e espectroscopia de prótons por RM, e realização de PET com marcadores para o peptídeo β-amiloide, embora apresentem resultados interessantes na identificação de alterações próprias da DA, ainda não são usados de forma rotineira na prática clínica.

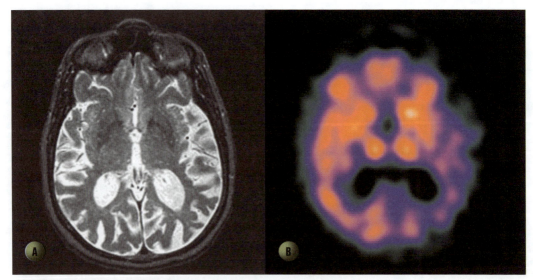

FIGURA 7.2. (A) Imagem axial de RM de crânio em T2 mostrando discreta atrofia cortical; (B) Imagem axial de SPECT mostrando hipoperfusão em região temporoparietal E.

A dosagem de biomarcadores no liquor mostra a ocorrência de baixos níveis de proteína β-amiloide e elevação dos níveis de proteína tau e tau fosforilada em pacientes com DA.[13]

O diagnóstico anatomopatológico baseia-se no achado de atrofia cortical, em especial do hipocampo e das regiões parietais e frontais (áreas associativas), com acentuada perda neuronal, e presença de placas senis (amiloides) e emaranhados neurofibrilares (Fig. 7.3A e B). As placas senis são extracelulares e podem ser difusas, quando contêm apenas depósitos de peptídeo β-amiloide ou neuríticas, quando contêm depósitos de peptídeo β-amiloide, neuritos (terminações nervosas) distróficos e proteína tau, sendo o segundo tipo mais associado à lesão neuronal. Os emaranhados neurofibrilares (EMN) são depósitos intraneuronais de proteína tau hiperfosforilada. Estes depósitos iniciam-se no sistema límbico (hipocampo e córtex entorrinal), progredindo com o passar do tempo para o córtex de associação, núcleos subcorticais e finalmente estruturas do tronco encefálico. Outros achados neuropatológicos incluem a perda neuronal nas camadas piramidais do córtex cerebral e degeneração sináptica que afeta estruturas límbicas e córtex de associação, iniciando-se pelo hipocampo, com relativa preservação das áreas primárias (motora, somatossensitiva e visual).

Tratamento farmacológico

As principais medicações utilizadas na DA são as drogas anticolinesterásicas, cujo efeito é bloquear a enzima acetilcolinesterase, que degrada a acetilcolina liberada nas sinapses, potencializando a ação desse neurotransmissor. O fundamento teórico que sustenta o uso dessa classe de drogas é o fato de que pacientes com DA apresentam perda de neurônios em vias colinérgicas (isto é, que usam a acetilcolina como neurotransmissor). Portanto, o uso de anticolinesterásicos permite um incremento da atividade colinérgica, o que repercute positivamente na disfunção cognitiva, sobretudo na atenção e memória. As drogas mais utilizadas são a rivastigmina, o donepezil e a galantamina. Os resultados do uso desse tipo de medicação são maiores nas fases iniciais da doença e os estudos até o momento documentaram benefícios que duram cerca de um ano, não havendo consenso se o efeito terapêutico persiste após esse período de tempo; caso a medicação seja retirada, os pacientes retornam ao estado pré-tratamento, o que mostra que o tratamento tem um caráter apenas sintomático, não interferindo na evolução natural da doença. No entanto, embora os efeitos sobre a cognição possam ser de pequena magnitude, os anticolinesterásicos atuam também sobre alguns sintomas comportamentais, e, assim, trazem algum benefício para paciente e seus familiares.[14]

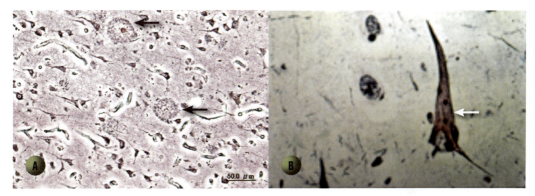

FIGURA 7.3. (A) Placas senis (setas pretas); (B) emaranhados neurofibrilares (seta branca).

Outra droga utilizada na DA é a memantina, cujo mecanismo de ação é inibir receptores do neurotransmissor glutamato nos neurônios, exercendo assim um efeito de neuroproteção. O tratamento farmacológico das alterações de comportamento na DA inclui o uso de neurolépticos (também chamados antipsicóticos), como risperidona, olanzapina e quetiapina e antidepressivos, como sertralina e citalopram.

DEMÊNCIA VASCULAR

Conceitua-se como demência vascular (DV) o quadro de disfunção cognitiva (e comportamental) secundária à destruição de sistemas neuronais por lesão cerebrovascular (acidentes vasculares encefálicos isquêmicos e hemorrágicos). É o segundo tipo mais comum de demência no mundo (correspondendo a cerca de 20% dos casos). Sua prevalência no Brasil é estimada em 0,9%.[10] Devido à alta prevalência de doença cardiovascular na população idosa, que aumenta o risco de doença cerebrovascular, a DV pode ocorrer associada a outras demências, particularmente à DA. Assim, foram estabelecidos critérios para auxiliar o diagnóstico de DV, dentre os quais um dos mais conhecidos é o do National Institute of Neurological Disorders and Stroke – Association Internationale pour la Recherche et l'Ênseignement en Neurosciences (NINDS-AIREN),[15] bastante utilizado para pesquisas na área (Tabela 7.4). O diagnóstico de DV é classificado em provável (poucas evidências de que haja outra etiologia), possível (não se consegue descartar totalmente a co-ocorrência de outros fatores que possam ser responsáveis pela demência) e definido (após estudo anátomo-patológico compatível com a etiologia).

TABELA 7.4. Critérios do NINDS-AIREN para diagnóstico de DV

DV PROVÁVEL
Demência definida por declínio cognitivo a partir de um funcionamento prévio superior ao atual com prejuízo da memória e de dois ou mais domínios cognitivos, mais prejuízo nas atividades de vida diária não atribuível apenas à consequência física do AVE
Critérios de exclusão: transtornos da consciência, *delirium*, psicose, afasia grave ou prejuízo sensorimotor importante que impossibilitem a realização de exame neuropsicológico; doenças sistêmicas ou outras doenças cerebrais (como a DA) que possam ser responsáveis por déficits na cognição
DCV definida pela presença de sinais focais ao exame neurológico (com ou sem história de AVE) e evidência de DCV relevante em exame de neuroimagem (TC ou RM), incluindo infartos múltiplos de grandes vasos ou infarto único estrategicamente localizado (giro angular, tálamo, prosencéfalo basal, ou territórios de ACA ou ACP), bem como lacunas múltiplas em núcleos da base e substância branca ou lesões de substância branca periventricular extensas, ou combinações destas
Relação entre as duas desordens:
 a) início da demência dentro de três meses após um AVE reconhecido
 b) deterioração abrupta ou progressão flutuante, "em degraus", dos déficits cognitivos

DV POSSÍVEL
Demência com sinais focais neurológicos: na ausência de exames de neuroimagem; na ausência de relação temporal clara entre o AVE e o quadro demencial; com início súbito e curso variável (platô ou melhora) havendo evidência de DCV

DV DEFINIDA
Critérios clínicos para DV provável, mais evidência histopatológica de DCV; ausência de emaranhados neurofibrilares e placas neuríticas acima do esperado para a idade; ausência de outros transtornos clínicos que possam causar demência

Recentemente a American Heart Association (AHA) e American Stroke Association (ASA) estabeleceram critérios mais simplificados, para uso na prática clínica.[16] Este critério também permite a classificação em DV provável, possível e definida (Tabelas 7.5 e 7.6). Também aqui a DV definida depende dos achados neuropatológicos compatíveis com o diagnóstico.

Nos últimos anos, tem sido preconizado o uso do termo comprometimento cognitivo vascular (CCV) para designar todo o espectro de declínio cognitivo que pode ser associado à doença cerebrovascular (clínica ou subclínica),[17] e que pode estar correlacionado a uma vasta gama de fatores de risco, patologia de vasos sanguíneos cerebrais, tipos de lesão vascular e distribuição regional destas lesões. De acordo com a AHA – ASA, *CCV leve* designa a síndrome clínica em que há evidência de ocorrência de AVE ou lesão vascular cerebral subclínica e prejuízo de pelo menos um domínio cognitivo.[16]

Da mesma forma que o CCL (Fig. 7.1), o CCV leve também pode ser classificado em quatro subtipos: amnéstico, amnéstico múltiplos domínios, não amnéstico e não amnéstico múltiplos domínios.

Semelhantemente ao preconizado para DV, o exame cognitivo na suspeita de CCV leve deve incluir pelo menos a avaliação das seguintes funções: atenção/funções executivas, memória, linguagem e funções visoespaciais, devendo haver prejuízo em pelo menos um domínio para que se estabeleça o diagnóstico. As atividades instrumentais e de vida diária podem ser normais ou levemente comprometidas *independentemente da presença de déficit motor/sensitivo* (em outras palavras, o déficit deve ser devido ao prejuízo cognitivo em si). Devem ser excluídos como fatores causais o uso de drogas (álcool inclusive) nos últimos 3 meses e *delirium*. O CCV leve pode ser classificado em *provável* e *possível*, seguindo os mesmos critérios descritos para a classificação da DV (Tabela 7.6).

TABELA 7.5. Critérios da AHA-ASA para diagnóstico de DV

Diagnóstico de demência baseado na evidência de declínio das funções cognitivas em relação a um estado prévio com déficit em 2 ou mais domínios, *afetando atividades de vida diária*
A avaliação cognitiva deve incluir pelo menos as seguintes funções: atenção/funções executivas, memória, linguagem e funções visoespaciais
Os déficits nas atividades instrumentais e de vida diária ocorrem *independentemente da presença de déficit motor/sensitivo* (deve ser devido ao prejuízo cognitivo em si)
Excluir uso de drogas (álcool inclusive) nos últimos 3 meses e *delirium*

TABELA 7.6. Classificação da AHA-ASA para os tipos de DV

CRITÉRIO	DV PROVÁVEL	DV POSSÍVEL
Prejuízo cognitivo	presente	presente
Evidência de DCV em neuroimagem	presente	presente
Relação temporal clara entre: • Evento vascular e início dos sintomas cognitivos ou • Gravidade dos sintomas e evidência de DCV subcortical difusa	presente	ausente
Evidências sugestivas de outras doenças neurodegenerativas (DA, DP, etc)	ausente	presente

O CCV leve pode ser reversível, principalmente devido aos seguintes fatores: recuperação pós-AVE, melhora clínica de doenças relacionadas (ICC, HAS etc.) e melhora de quadros depressivos associados. Por outro lado, o CCV leve pode progredir para DV, naqueles casos em que a intervenção para evitar novos eventos cerebrovasculares não é instituída ou não se mostra eficaz, ou quando a DCV subjacente é grave.

Quadro clínico

O quadro clínico da DV varia em função do tipo e localização das lesões. Na *DV do tipo cortical*, podem ocorrer afasia, apraxia, agnosias (incluindo prosopagnosia e simultanagnosia), déficits de memória, frequentemente em combinação com sinais motores e sensoriais unilaterais. A evolução se dá tipicamente "em degraus", com períodos variáveis de platô entre os eventos.

Em cerca de 50% dos casos ocorre *DV do tipo subcortical*, em que as lesões acometem a circuitaria frontal-subcortical, envolvendo estruturas como núcleo caudado, putâmen, globo pálido e tálamo, além da substância branca periventricular. Nesses casos, predominam os déficits de atenção, de funções executivas, redução da fluência verbal e prejuízo da memória de recuperação (o paciente consegue reter informações, mas tem dificuldade em trazê-las novamente à memória). Disartria, incontinência urinária e marcha a pequenos passos podem estar presentes. A evolução desses quadros pode ser "em degraus", progressiva ou flutuante, nem sempre sendo possível estabelecer com precisão uma história típica de ocorrência de múltiplos AVEs.

Os idosos são particularmente suscetíveis à ocorrência de lesões isquêmicas de pequenos vasos, levando aos chamados infartos lacunares (e ao correspondente *estado lacunar*) e à leucoencefalopatia periventricular isquêmica de Binswanger, esta última se caracterizando pela hipoperfusão da substância branca profunda (ver Capítulo 6 – *Acidente Vascular Encefálico*). Nesse tipo de apresentação, o quadro clínico pode se manifestar com alteração de marcha e rebaixamento cognitivo abrupto sem que haja uma evidência de AVE reconhecível como no caso da DV cortical. A Tabela 7.7 sumariza a classificação da DV de acordo com sua apresentação clínica.

TABELA 7.7. Classificação da DV de acordo com o quadro clínico

Demência por múltiplos infartos: corticais e subcorticais
Demência por infarto único estratégico: hipocampo, prosencéfalo basal, giro angular, tálamo, núcleo caudado, territórios de ACA, ACP
Demência por doença de pequenos vasos: • Subcortical: doença de Biswanger, infartos lacunares, CADASIL • Córtico-subcortical: angiopatia hipertensiva e arteriosclerótica, angiopatia amiloide, vasculites, oclusões venosas
Demência por hipoperfusão: encefalopatia anóxica
Demência hemorrágica: hematoma cerebral, hematoma subdural crônico, hemorragia subaracnoide
Combinação das anteriores

Román, 2002.[18]

Alterações neuropsiquiátricas também ocorrem na DV. Depressão é particularmente frequente nessa forma de demência, sobretudo quando ocorre lesão da circuitaria frontal-subcortical. Labilidade emocional e apatia também são comuns e persistentes. Outros distúrbios também encontrados são ansiedade e quadros psicóticos (delírios).[12]

Diagnóstico

No caso da DV, a presença de alterações compatíveis com sinais localizatórios ao exame neurológico, como hemiparesia, alteração de reflexos profundos etc., associada à evidência de lesões de origem vascular em exames de neuroimagem são elementos importantes para orientar o diagnóstico.

Os pacientes tipicamente apresentam fatores de risco ou doenças sistêmicas que se relacionam com doença cerebrovascular, como hipertensão arterial sistêmica, diabetes *mellitus*, cardiopatias, hipercolesterolemia, dentre outros (ver Capítulo 6 – *Acidente Vascular Encefálico*). O uso do escore isquêmico de Hachinski[19] pode auxiliar na determinação de que o quadro demencial esteja relacionado a DCV (Tabela 7.8). Um escore igual ou maior do que 7 é altamente sugestivo de etiologia vascular. As lesões radiológicas podem assumir a forma de infartos (ou hemorragias) em diversos territórios (doença de grandes vasos), lesões únicas em área estratégica para as funções cognitivas (tálamo, núcleo caudado, giro angular E) ou sinais de doença de pequenos vasos. Estes últimos podem se manifestar como pequenos infartos em região subcortical (infartos lacunares) ou como isquemia de substância branca (que aparecem na RM de crânio como sinais de hiperintensidade em substância branca na aquisição em T2) (Fig. 7.4).

TABELA 7.8. Escore isquêmico de Hachinski[19]

ACHADO	PONTUAÇÃO
Início abrupto	2
Deterioração "em degraus"	1
Curso flutuante	2
Confusão noturna	1
Preservação relativa da personalidade	1
Depressão	1
Queixas somáticas	1
Labilidade emocional	1
História de hipertensão	1
Antecedentes de AVE	2
Evidência de aterosclerose associada	1
Sintomas neurológicos focais	2
Sinais neurológicos focais	2

Tratamento farmacológico

O tratamento medicamentoso da DCV inclui o uso de anticolinesterásicos (especialmente o donepezil e a galantamina), antidepressivos e neurolépticos, de forma semelhante à descrita para a DA. No entanto, a medida mais importante para a estabilização do quadro é a prevenção de novos eventos cerebrovasculares, através do adequado controle das doenças de base e fatores de risco (HAS, DM, dislipidemia, etc.).

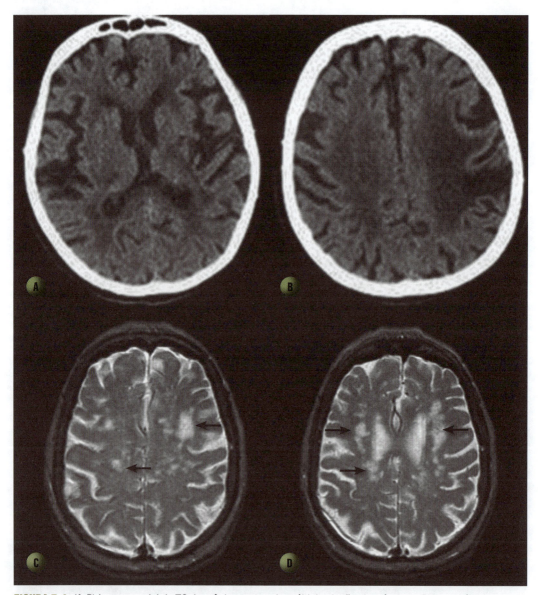

FIGURA 7.4. (A-B) Imagem axial de TC de crânio mostrando múltiplas lesões isquêmicas (DV por múltiplos infartos) (setas). (C-D) Imagem axial de RM de crânio mostrando lesões de substância branca que evidenciam comprometimento vascular (DV tipo subcortical) (setas).

DEMÊNCIA COM CORPOS DE LEWY

A demência com corpos de Lewy (DCL) é uma doença cuja importância diagnóstica vem crescendo nos últimos anos, graças à definição mais precisa dos critérios diagnósticos que têm como objetivo diferenciá-la tanto da DA quanto da doença de Parkinson com demência (DPD), com as quais compartilha várias características clínicas. Atualmente é considerada a segunda causa mais frequente de demência degenerativa na faixa etária senil, correspondendo a 15-25% dos casos, embora possa ocorrer em associação com a DA (quando se utilizam critérios anatomopatológicos para diagnóstico, essa associação pode ocorrer em até 2/3 dos casos). O diagnóstico clínico da DCL também se baseia em critérios clínicos e divide-se em *provável*, *possível* e *definido* (com confirmação neuropatológica) (Tabela 7.9).

O diagnóstico neuropatológico de DCL se baseia no achado de corpos de Lewy em substância negra e tronco encefálico (como ocorre também na DP), mas principalmente no córtex cerebral (neocórtex, região do cíngulo anterior e sistema límbico). Os corpos de Lewy são inclusões eosinofílicas (avermelhadas, quando é realizada a coloração hematoxilina-eosina) encontradas no interior do citoplasma dos neurônios, compostos por duas proteínas: ubiquitina e α-sinucleína (Fig. 7.5).

TABELA 7.9. Critérios para diagnóstico de DCL provável

Característica central: presente em 100% dos casos, obrigatória para o diagnóstico
Declínio cognitivo progressivo suficiente para interferir na função social
ou ocupacional normal. Prejuízo de memória proeminente ou persistente pode não ocorrer
necessariamente nos estágios iniciais, mas normalmente aparece com a progressão do quadro.
Déficits em testes de atenção, de habilidades frontais-subcorticais e visoespaciais podem ser
especialmente acentuados

Características essenciais: altamente prevalentes e sugestivas da doença (característica central + quaisquer duas = DCL provável; característica central + qualquer uma = DCL possível)
- Flutuação da cognição com variações importantes na atenção e alerta (60 a 80% dos casos)
- Alucinações visuais recorrentes tipicamente bem formadas e detalhadas (50 a 75% dos casos)
- Sinais motores espontâneos de parkinsonismo (80 a 90% dos casos)

Características sugestivas: (característica central + uma característica essencial + uma ou mais características sugestivas = DCL provável; característica central + uma característica essencial + três características sugestivas = DCL possível)
- Desordem comportamental do sono REM
- Hipersensibilidade aos neurolépticos
- Diminuição da captação de dopamina nos gânglios da base (SPECT) ou na cintilografia miocárdica (MIBG)

Características de suporte: (comuns na doença, mas apresentando pouca especificidade)
- Quedas e síncope de repetição
- Perdas transitórias de consciência (síncopes) inexplicadas
- Delírios sistematizados
- Alucinações em outras modalidades
- Disautonomia (hipotensão ortostática, incontinência urinária etc.)
- Preservação relativa das estruturas do lobo temporal medial na TC ou RM de crânio
- Sinais de hipoperfusão ou hipometabolismo (SPECT e PET) nas regiões occipitais
- Atividade de ondas lentas acentuadas ao EEG com ondas agudas temporais transitórias

Consensus 2005, McKeith e cols.[20]

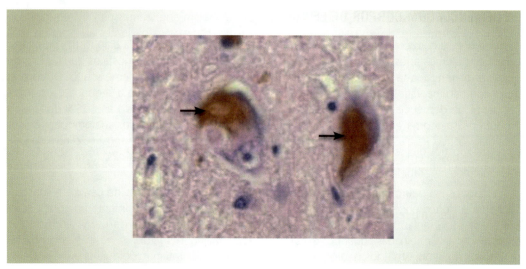

FIGURA 7.5. Corpos de Lewy (setas).

Quadro clínico

A demência na DCL apresenta um padrão em que predomina o déficit atencional e a disfunção executiva, bem como prejuízo intenso das habilidades visoespaciais, já na fase inicial da doença. A memória de curto prazo não é acometida tão precoce e gravemente quanto na DA, e o maior prejuízo desses pacientes é relativamente maior na recuperação das informações estocadas, e não na capacidade de consolidar novas memórias.

Sinais motores parkinsonianos espontâneos (isto é, não induzidos pelo uso de drogas, como neurolépticos) são o segundo achado mais frequente, aparecendo em 80 a 90% dos pacientes. Predomina o quadro do tipo rígido-acinético (rigidez muscular e bradicinesia), simétrico, sendo o tremor pouco comum, o que auxilia na diferenciação da DCL da DPD.

A flutuação dos sintomas cognitivos é um dado clínico importante, estando presente em 60 a 80% dos pacientes. Ocorre variação do nível de alerta e atenção do paciente no decorrer do dia, não relacionada a nenhum fator causal específico. Os pacientes podem alternar períodos de maior lucidez com outros de sonolência excessiva, não obedecendo a nenhum padrão temporal (não ocorre o fenômeno de agitação crepuscular, como na DA). É sempre importante descartar causas metabólicas, infecciosas ou uso de drogas provocando um estado confusional agudo (*delirium*), antes de atribuir a flutuação cognitiva do paciente ao efeito primário da doença.

As alucinações visuais ocorrem em cerca de 50 a 75% dos casos de DCL. Têm caráter recorrente, são imagens bem formadas, em geral de seres vivos (pessoas pequenas, crianças, animais). A reação dos pacientes em relação à ocorrência dessas alucinações é variável, podendo envolver perplexidade, medo, ou ausência de crítica.

Outras alterações comportamentais na DCL incluem apatia, ansiedade, depressão, delírios bem estruturados e alucinações auditivas (embora estas sejam mais raras que as visuais). Um distúrbio que também aparece nessa forma de demência é a desordem comportamental do sono REM, caracterizada por sonhos vívidos (muitas vezes assustadores), acompanhados de comportamento de vocalização e "atuação" por parte do paciente (o indivíduo age como se estivesse "encenando" o conteúdo de seu sonho). Essa alteração aparece durante o estágio de movimentação rápida dos olhos (*rapid eye movement* – REM) do sono.

Embora as manifestações de cunho neuropsiquiátrico sejam abundantes na DCL, um cuidado extremo deve ser tomado no tratamento desses quadros, pois esses pacientes apresentam uma sensibilidade extrema a drogas neurolépticas, cujo emprego pode levar a piora abrupta e importante dos sintomas cognitivos, dos sintomas motores e a disfunção autonômica grave, aumentando a morbidade e mortalidade da doença.

Diagnóstico

O diagnóstico de DCL é clínico, baseado nos critérios expostos na Tabela 7.9. Assim como na DA, os exames subsidiários têm a função principal de excluir outras causas de demência, especialmente as potencialmente reversíveis. Os exames de neuroimagem funcional, como SPECT e PET podem mostrar alterações de perfusão e de metabolismo acentuadas nas regiões occipitais. Esses dois achados auxiliam a diferenciação com a DA.

Tratamento farmacológico

O tratamento medicamentoso da DCL é semelhante ao já descrito para DA: anticolinesterásicos, neurolépticos (em doses mínimas) e antidepressivos, se necessário. A essas medicações associa-se a levodopa, para o quadro motor parkinsoniano e clonazepam para o tratamento da desordem comportamental do sono REM.

▮ DEMÊNCIA FRONTOTEMPORAL

A demência frontotemporal (DFT), atualmente denominada demência frontotemporal variante comportamental (DFTvc – Fig. 7.6), é uma forma de demência caracterizada por alterações precoces e intensas de comportamento e personalidade, que se mantêm por toda a evolução da doença. Seu substrato anatômico é a degeneração focal dos lobos frontais (especialmente regiões pré-frontais) e

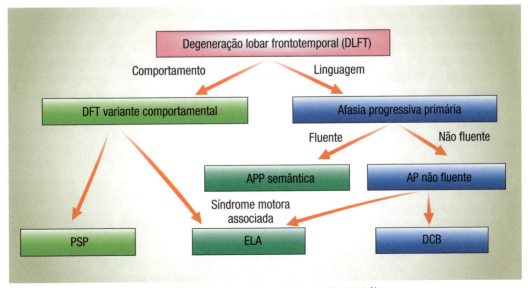

FIGURA 7.6. Formas clínicas da DLFT. Adaptado de Boxer e Miller, ADAD, 2005.[24]

temporais anteriores, denominada degeneração lobar frontotemporal. A DFTvc acomete indivíduos de ambos os gêneros em igual proporção, sendo a idade de início mais frequente entre 45-65 anos. A média de sobrevida após o início da doença é de seis a oito anos. História familiar está presente em cerca de 40 a 50% dos casos. É responsável por cerca de 10% dos casos de demência primária (degenerativa).[21] Os critérios clínicos para o diagnóstico dessa forma de demência estão expostos na Tabela 7.10. Novamente, nesta forma de demência temos a classificação como *DFTvc possível*, *DFTvc provável* e *DFTvc definida* (com confirmação neuropatológica).

Quadro clínico

A alteração de comportamento é a característica predominante na DFTvc. Os pacientes apresentam comprometimento marcante do afeto, do interesse pelo sentimento de outras pessoas e da autopercepção. Emoções básicas, como tristeza, e emoções sociais, como compaixão e empatia, são perdidas. O acometimento dos lobos frontais leva o paciente a apresentar comportamentos estereotipados e repetitivos (gestos motores ou frases), ritualísticos (comer sempre no mesmo horário, limpar a casa sempre na mesma sequência), perseveração motora, e alterações nos hábitos alimentares (hiperfagia, compulsão por doces). Ocorre também distratibilidade, impersistência e comportamento de utilização. O paciente perde o interesse pelo cuidado com sua aparência e pela manutenção dos hábitos de higiene. Uma parcela dos indivíduos com DFTvc apresenta um quadro comportamental em que predominam sintomas de hiperatividade, euforia, desinibição social, impulsividade (por exemplo, tentar descer de um carro em movimento para falar com alguém que viu na rua, pegar comida no prato de outras pessoas) e hipersexualidade, enquanto em outros predominam apatia, inércia e embotamento social. No primeiro caso, estudos de neuroimagem funcional

TABELA 7.10. Critérios do FTDC Consortium para diagnóstico clínico da DFTvc[22]

Padrão clínico: alteração de personalidade e da conduta social são as características dominantes precocemente e em toda a evolução da doença

DFT POSSÍVEL
No mínimo três das características abaixo devem estar presentes
A. Desinibição do comportamento
- Comportamento socialmente inapropriado
- Perda do decoro
- Impulsividade, negligência

B. Apatia e inércia
C. Perda da empatia/compaixão; diminuição do interesse por relações sociais
D. Comportamento perseverativo, estereotipado, compulsivo/ritualístico
E. Hiperoralidade e alteração dos hábitos alimentares (especialmente aumento da ingesta)
F. Perfil neuropsicológico: déficit executivo com relativa preservação da memória episódica e funções visoespaciais

DFT PROVÁVEL
A. Preenche critérios para DFT possível
B. Apresenta significante declínio funcional (relatado por cuidador ou identificado objetivamente pelo examinador através de instrumentos específicos)
C. Exames de neuroimagem compatíveis com DFTvc
- Atrofia frontal e/ou temporal anterior em TC ou RM de crânio
- Hipoperfusão/hipometabolismo frontal e/ou temporal anterior em SPECT ou PET

e da anatomia patológica revelam lesão predominante no córtex orbital frontal e temporal anterior; no segundo caso, a lesão se estende também ao córtex frontal dorsolateral. Lesões que predominam à direita provocam maior alteração de comportamento.

No caso de acometimento de lobos temporais anteriores, pode ocorrer hiperoralidade (colocação compulsiva de objetos na boca), muitas vezes assumindo a forma de tabagismo exagerado e compulsão alimentar. Depressão e ansiedade são comuns na DFTvc.

As alterações cognitivas nessa forma de demência incluem importante prejuízo da atenção, das funções executivas (planejamento, solução de problemas, organização, flexibilidade mental), julgamento e abstração. Em contraste com a DA e DCL, as habilidades visoespacias são surpreendentemente preservadas nesses pacientes, mesmo em estágios avançados, bem como a memória e a orientação. Alterações da fala e linguagem também estão presentes na DFTvc, e incluem redução da produção espontânea, pensamento concreto, dificuldade em nomear ou achar as palavras corretas, fala estereotipada, ecolalia (o paciente repete parte do que lhe é dito), perseveração na fala, e até mesmo mutismo.

O comportamento social na DFTvc é marcadamente comprometido, o que pode ser evidenciado pela dificuldade que esses pacientes têm no reconhecimento de expressões faciais e vocalizações de cunho emocional. Além disso, indivíduos com essa forma de demência têm prejuízo na habilidade de inferir o que os outros sentem ou pensam (habilidade denominada "Teoria da Mente"). O prejuízo do comportamento social é particularmente intenso nos pacientes que apresentam atrofia das regiões orbitofrontais.

Dentro do complexo degeneração lobar frontotemporal (DLFT), além da DFTvc, outras síndromes clínicas se destacam, como a afasia progressiva primária (APP), a DFT com doença do neurônio motor (esclerose lateral amiotrófica – ELA) (DFT-ELA) (ver Capítulo 13 – *Doenças Degenerativas do Sistema Motor*), a DFT com parkinsonismo ligada ao cromossomo 17 (FTDP-17), a degeneração corticobasal (DCB) e paralisia supranuclear progressiva (PSP) (Fig. 7.6).

Atualmente são consideradas três variantes clínicas da APP, uma síndrome em que o comprometimento da linguagem e mais intenso e precoce, sendo o único domínio cognitivo afetado nos primeiros dois anos da doença, que depois progride para alguma forma de demência. São elas: APP não fluente, APP logopênica e APP semântica.[23] Na APP não fluente predominam os sintomas relacionados à produção da fala (diminuição da fluência, fala "telegráfica", parafasias fonêmicas) e atrofia frontotemporal esquerda; na APP logopênica ocorrem dificuldades para "achar palavras" na conversação espontânea, e dificuldades na repetição de sentenças, sendo a lesão frontal ou parietal E (casos desta variante mais frequentemente evoluem para DA); na APP semântica o déficit principal é no campo semântico, ou seja, na compreensão do significado das palavras, sendo a atrofia predominante em lobos temporais bilateralmente ou à E.

Estudos longitudinais recentes demonstram que os pacientes podem sucessivamente apresentar formas sindrômicas diversas, dentro do complexo DLFT, à medida que a degeneração progride para diferentes regiões do SNC.

Do ponto de vista neuropatológico, todas as formas clínicas do complexo DLFT apresentam atrofia acentuada dos lobos frontais e temporais (Fig. 7.6). Do ponto de vista histopatológico, existem as formas com deposição de proteína tau (taupatias) e as em que essa deposição não ocorre (não taupatias). Entre as taupatias encontram-se a DFTvc, APP, FTDP-17, DCB e PSP. Entre as não taupatias, em que há outros depósitos de proteína anormal, encontram-se as formas DLFT-TDP-43[****] (onde também aparecem as APPs) e DLFT-FUS[*****].

[****]TDP-43: *Transactive response DNA binding protein* 43kDa
[*****]FUS: *Fused in sarcoma* (FUS protein)

As formas familiares de DLFT incluem pacientes com mutações no gene da progranulina (proteína cuja não produção leva à perda da integridade neuronal na circuitaria fronto-temporal), localizado no cromossomo 17q21, sendo encontrado nas formas clínicas DFTvc, APP semântica e APP não fluente. Outras mutações incluem a do gene MAPT******, localizado no cromossomo 17q21-22 e mutações no cromossomo 9 (DFT-ELA).

Diagnóstico

Além do quadro clínico, os exames de neuroimagem (TC e RM) podem fornecer dados que auxiliam no diagnóstico, pois em geral mostram atrofia intensa nos lobos frontais e temporais (Figs. 7.7, 7.8 e 7.9). O acometimento do córtex frontal medial pode ser visto precocemente em exame de PET. Anormalidades de atividade das regiões frontotemporais, que podem ser assimétricas, são vistas já no início da doença ao SPECT e RM funcional.

Tratamento farmacológico

Nesta forma de demência são usados apenas medicamentos para controle do quadro neuropsiquiátrico, como os neurolépticos e antidepressivos (ver tratamento da DA).

■ DEGENERAÇÃO CORTICOBASAL (DCB)

É uma forma de demência em que ocorre uma síndrome parkinsoniana (com acinesia, rigidez plástica, instabilidade postural), sinais de acometimento corticoespinal, apraxia, alterações sensoriais, agnosia, disfunção executiva, mioclonias (Fig. 7.6). Os sinais motores são unilaterais na maior parte dos casos. O achado clínico mais característico dessa doença (embora não esteja presente em todos os pacientes) é a "síndrome da mão estrangeira" (*alien hand*), um fenômeno motor em que o paciente apresenta movimentos inapropriados com aumento da rigidez, muitas vezes assumindo uma postura em elevação persistente (sem que o indivíduo perceba), quando tenta realizar algum movimento voluntário. Os sintomas relacionam-se a atrofia frontoparietal, que é geralmente assimétrica, associada a degeneração de substância negra e outras estruturas subcorticais, como globo pálido e núcleo subtalâmico.

******MAPT: *Microtubule associated protein tau*

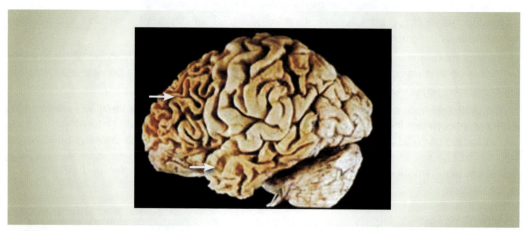

FIGURA 7.7. Intensa atrofia em regiões frontal e temporal na DFTvc (setas).

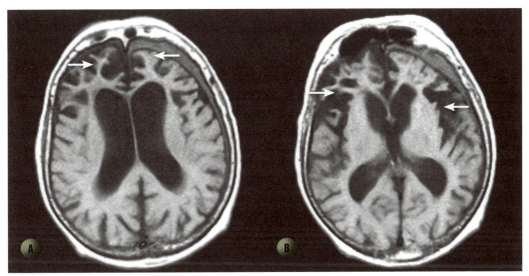

FIGURA 7.8. Imagem axial de RM de crânio em T1 mostrando intensa atrofia em regiões frontais e temporais em um caso de DFTvc (setas).

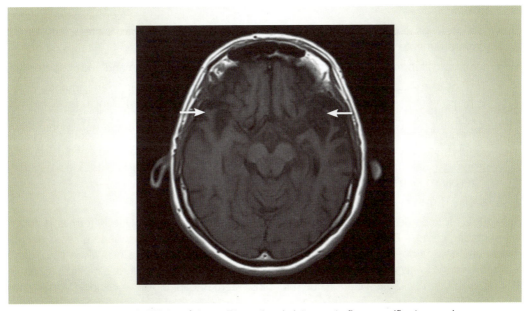

FIGURA 7.9. Imagem axial de RM de crânio em T1 mostrando intensa atrofia em regiões temporais em um caso de APP semântica (setas).

DEMÊNCIAS SUBCORTICAIS

Durante muito tempo utilizou-se uma forma de classificação das demências que contrapunha o conceito de "demência cortical" (cujo exemplo mais típico é a DA) com o de "demência subcortical", cujo protótipo é a paralisia supranuclear progressiva (PSP). O termo "demência cortical" propunha-se, então, a englobar a forma clínica em que predominam as disfunções como agnosia, apraxia, alterações de linguagem, alterações de memória etc., e que aparecem nas demências em que a lesão é predominantemente no córtex cerebral. O termo "demência subcortical", por sua vez, designa as formas de demência em que a lesão predominante situa-se em estruturas subcorticais (como núcleos da base, tálamo, vias de associação), e em que as manifestações clínicas mais evidentes são lentidão do pensamento (bradifrenia), disfunção executiva, e alterações comportamentais, como apatia e depressão.

Atualmente sabemos que essa divisão entre lesão "cortical" e "subcortical" é artificial, e que reflete muito mais o padrão temporal de evolução nas doenças degenerativas do que a real localização anatômica. Assim, existe acometimento subcortical nas doenças "corticais", como a DA, e, inversamente, também ocorre acometimento cortical nas doenças "subcorticais" como a DP. No entanto, o termo demência subcortical ainda é usado para definir uma síndrome clínica que apresenta as seguintes características:

- Alteração de memória explícita: embora ocorra prejuízo do aprendizado e memória imediata, a taxa de retenção de informação é superior, por exemplo, à da DA, e há melhora importante da evocação tardia (após intervalo) com o fornecimento de pista (em tarefas de reconhecimento). Isso sugere que ocorre estocagem do material (ao contrário da DA), e o mau desempenho se deve mais a dificuldades de estratégia de procura (recuperação) da informação, que é melhorada com o fornecimento de pistas (por exemplo, a primeira letra da palavra a ser recordada).
- Alterações de memória implícita: prejuízo no aprendizado de habilidades (relacionadas ao *striatum*).
- Disfunção visoespacial: inabilidade em usar a informação sensorial para planejar e iniciar um comportamento complexo.
- Disfunção atencional: presente tanto no direcionamento quanto na manutenção da atenção.
- Disfunção executiva: déficit em funções como abstração, iniciação, planejamento, ações e pensamentos sequenciais, monitoração do comportamento, e mudança de *set* mental, quando apropriado. A disfunção executiva é considerada o elemento central e mais proeminente da demência subcortical, estando subjacente à maior parte dos outros prejuízos apresentados pelos pacientes, e reflete alteração em qualquer dos componentes da rede frontoestriatal: núcleos da base, tronco encefálico, tálamo e substância branca, e suas projeções para o lobo frontal.

A Tabela 7.11 mostra as principais etiologias da demência subcortical.

Algumas formas de demência subcortical serão descritas a seguir. Outras formas já foram apresentadas, como a DV subcortical, neste capítulo. Em capítulos subsequentes, serão discutidas a demência na doença de Parkinson, doença de Huntington, doença de Wilson (Capítulo 9 – *Distúrbios do Movimento*), neurolues (Capítulo 10 – *Infecções do SNC*), esclerose múltipla (Capítulo 11 – *Doenças Desmielinizantes*) e atrofia de múltiplos sistemas (Capítulo 13 – *Doenças Degenerativas do Sistema Motor*).

Demência na doença de Parkinson

A demência na doença de Parkinson (DPD) ocorre em cerca de 30 a 40% dos pacientes. O padrão neuropsicológico dessa demência é muito semelhante ao encontrado na DCL: predomínio dos déficits atencionais, de funções executivas e visoespaciais, com relativa preservação da memória de curto prazo (para mais detalhes ver Capítulo 9 – *Transtornos do Movimento*). As alterações de comportamento também compartilham muitas das características já expostas para a DCL. Os principais dados clínicos que auxiliam no diagnóstico diferencial entre as duas doenças são:

TABELA 7.11. Principais etiologias das demências subcorticais

A. DEGENERATIVAS

Doença de Parkinson com demência (DPD)

Paralisia supranuclear progressiva (PSP)

Atrofia de múltiplos sistemas
- Degeneração estriatonigral
- Atrofia olivopontocerebelar
- Síndrome de Shy-Drager

Doença de Huntington

Neuroacantocitose

B. SECUNDÁRIAS

Vascular
Demência vascular subcortical (encefalopatia de Binswanger, estado lacunar)

Infecciosas
Complexo HIV-demência
Neurolues (neurossífilis)
Doença de Whipple

Desmielinizantes
Esclerose múltipla

Metabólicas
Doença de Wilson (alteração do metabolismo do cobre)
Doença de Hallervorden-Spatz (deposição de ferro no globo pálido e substância negra)
Calcificação idiopática dos núcleos da base

Outras
Hidrocefalia de pressão normal
Síndrome demencial da depressão

- A evolução temporal: na DDP o quadro motor parkinsoniano *precede* as manifestações cognitivas, tendo sido estabelecido que deve haver um intervalo mínimo de um ano entre o aparecimento dos sintomas e sinais motores e o declínio cognitivo para que se possa fazer o diagnóstico de DDP. No caso da DCL, o quadro motor se instala *após* ou *quase simultaneamente* ao declínio cognitivo.
- O padrão motor: na doença de Parkinson, o tremor de repouso é muito mais frequente do que na DCL, e o acometimento motor em geral é assimétrico (predominando em um dos lados do corpo) nas fases iniciais. Na DCL, predomina a forma de parkinsonismo rígido-acinética, bilateral e simétrica.

Tratamento farmacológico

Consiste no uso de medicamentos para o quadro motor (ver Capítulo 9 – *Distúrbios do Movimento*) e, quando necessário, neurolépticos e antidepressivos (ver tratamento da DA e DCL).

Paralisia supranuclear progressiva (PSP)

A PSP é a doença-protótipo da "demência subcortical". Nessa doença, ocorre disfunção executiva grave e precoce (a prevalência de demência é de 60% após três anos de evolução) (Fig. 7.6). Inicia-se em torno da sexta ou sétima década de vida. O quadro neurológico geral inclui: instabilidade postural, com quedas frequentes, síndrome rígido-acinética predominantemente axial, paralisia supranuclear do olhar vertical, distonia do pescoço (em extensão) e de membros, disartria, disfagia e síndrome de frontalização, que pode se manifestar com apatia ou desinibição. Pacientes com PSP apresentam uma expressão facial característica, Os achados neuropatológicos demonstram emaranhados neurofibrilares e neuropilos em globo pálido, *striatum*, substância negra, ponte, complexo oculomotor, bulbo, núcleo denteado do cerebelo. Exames de neuroimagem revelam importante hipometabolismo e hipoperfusão no córtex frontal, sendo esse processo denominado "deaferentação frontal".[25] A RM de crânio mostra atrofia mesencefálica, dos corpos quadrigêmeos e dos pedúnculos cerebelares superiores.

Hidrocefalia de pressão normal (HPN)

Caracteriza-se clinicamente pela tríade de Hakim (alteração de marcha, incontinência urinária e declínio cognitivo), cuja ordem de aparecimento pode ser variável, acrescida da evidência de sinais de dilatação dos ventrículos em exames de neuroimagem. É chamada hidrocefalia "de pressão normal" em contraste com a hidrocefalia obstrutiva, em que ocorre uma obstrução aguda ao fluxo liquórico, com consequente hipertensão intracraniana. Esse nome, no entanto, não é completamente correto, pois ocorrem períodos de aumento da produção liquórica com consequente aumento da pressão intracraniana, seguidos de mecanismos de compensação e diminuição dessa pressão. Assim, existe alternância de períodos de hipertensão liquórica (ocasionando compressão das estruturas cerebrais adjacentes e as alterações neurológicas), com períodos de normotensão, sem que ocorram os sintomas exuberantes da hidrocefalia hipertensiva aguda. Assim, uma descrição mais acurada dessa síndrome seria "hidrocefalia com aumento de pressão intermitente".

A causa da HPN é pouco compreendida; a maioria dos casos é considerada idiopática (de causa desconhecida), podendo ser devida a reabsorção deficiente do LCR pelas granulações aracnoides (compensada na infância) ou pela presença de isquemia de substância branca em adultos e idosos, o que aumentaria a resistência ao fluxo do LCR. Em alguns casos, pode ser secundária a traumatismos cranianos, meningites e outras infecções de SNC, hemorragia subaracnoide, hematoma subdural, tumores. Estima-se que a HPN seja a causa primária em cerca de 5% das demências; além disso, pode estar associada a outras formas de demência, contribuindo para a piora dos sintomas de outras demências degenerativas. É diagnosticada através da realização de RM de crânio com estudo do fluxo liquórico. A importância de seu reconhecimento é o fato de ser potencialmente tratável, com a colocação de uma derivação (válvula) liquórica ventriculoatrial ou ventriculoperitoneal, permitindo assim que o excesso de liquor seja drenado dos ventrículos cerebrais para a cavidade atrial ou para o peritônio.[26] No entanto, nem todos os pacientes melhoram após esse procedimento, provavelmente devido a fatores como tempo de evolução da doença (quanto maior a demora para identificação do quadro e instituição do tratamento, maior a chance de haver lesão cerebral irreversível) ou concomitância com outras formas de demência degenerativa.

Complexo HIV-demência

Pacientes com infecção pelo HIV apresentam demência numa proporção estimada de 15 a 50%.[27] As principais características clínicas dessa forma de demência incluem prejuízo da memória de curto prazo já nas fases iniciais, lentidão no processamento cognitivo, alterações de compreensão e leitura, apatia, lentidão psicomotora e disfunção executiva. A evolução do quadro depende de fatores, como adesão do paciente ao tratamento e efetiva supressão da atividade viral, podendo assumir uma forma subaguda progressiva, crônica ativa (em que ocorre alguma melhora do quadro em resposta ao tratamento antiviral) e reversível.

AVALIAÇÃO COGNITIVA E FUNCIONAL NAS DEMÊNCIAS

Para se estabelecer o diagnóstico clínico de demência, é necessária a aplicação de um instrumento que possa detectar o declínio cognitivo do paciente. Existem diversos testes curtos, de aplicação relativamente fácil, desenvolvidas com esse objetivo. Essas baterias contêm questões pertinentes a diversos domínios cognitivos, a fim de diferenciar declínio cognitivo mais generalizado de déficits focais (como afasias, agnosias ou apraxias).

O mais conhecido desses testes é o Miniexame do Estado Mental,[28] que já foi traduzido e adaptado para uso no Brasil.[29] Outras baterias usadas frequentemente no Brasil são a Bateria Breve de Rastreio Cognitivo Breve (BBRC-Edu)[30] (que tem a vantagem de ter sido totalmente desenvolvida em nosso país, respeitando assim as características da nossa língua e cultura), a bateria neuropsicológica do Consortium to Establish a Registry for Alzheimer's Disease (CERAD)[31] e a bateria CAMCog (teste cognitivo embutido na avaliação Cambridge Mental Disorders of the Elderly Examination – CAMDEX),[32] e o Montreal Cognitive Assessment (MoCA)[33], as três últimas tendo sido traduzidas e adaptadas para uso no Brasil.[34,35,36] As baterias breves permitem que se estabeleça a detecção inicial do declínio cognitivo, sendo recomendada, sempre que possível, a complementação do diagnóstico por meio de testes neuropsicológicos mais específicos.

O grau de demência em que o paciente se encontra também pode ser estabelecido por meio de escalas apropriadas. Uma escala que é usada de modo cada vez mais frequente é a Clinical Dementia Rating (CDR),[37] já traduzida e adaptada para uso no Brasil.[38] De acordo com essa escala, temos a seguinte correspondência: indivíduos cognitivamente preservados – CDR 0; CCL/demência incipiente – CDR 0,5, demência leve – CDR 1, demência moderada – CDR 2 e demência grave – CDR 3.

Para estabelecer o diagnóstico de demência, é necessário também documentar o prejuízo funcional e das atividades de vida diária do paciente. Escalas como o Questionário de Atividades Funcionais de Pfeffer,[39] Escala de Blessed[40] e a Escala Bayer de Atividades de Vida Diária (The Bayer Activities of Daily Living Scale – B-ADL)[41] estão entre as mais utilizadas para este propósito.

Referências bibliográficas

1. American Psychiatric Association. Diagnostic and Statistical Manual of Mental Disorders, 4ª ed. Washington, DC, American Psychiatric Association, 1994.
2. McKhann GM, Knopman DS, Chertkow H, et al. The diagnosis of dementia due to Alzheimer's disease: Recommendations from the National Institute on Aging-Alzheimer's Association workgroups on diagnostic guidelines for Alzheimer's disease. Alzheimer's & Dementia 2011; 7:263-9.
3. Takada LT, Caramelli P, Radanovic M, et al. Prevalence of potentially reversible dementias in a dementia outpatient clinic of a tertiary university-affiliated hospital in Brazil. Arquivos de Neuropsiquiatria 2003; 61:925-9.
4. Herrera E Jr, Caramelli P, Silveira AS, Nitrini R. Epidemiologic survey of dementia in a community-dwelling Brazilian population. Alzheimer Disease and Associated Disorders 2002; 16:103-8.
5. Jorm AF, Van Duijin CM, Chandra V, et al. The prevalence of dementia: a quantitative survey of the literature. Acta Psychiatrica et Neurologica Scandinavica 1987; 76:465-79.
6. Portet F, Ousset PJ, Visser PJ, et al., the MCI Working Group of the European Consortium on Alzheimer's Disease (EADC). Mild cognitive impairment (MCI) in medical practice: a critical review of the concept and new diagnostic procedure. Report of the MCI Working Group of the European Consortium on Alzheimer's Disease. Journal of Neurology, Neurosurgery and Psychiatry 2006; 77:714-8.

7. Petersen RC. Alzheimer's Disease and Mild Cognitive Impairment. In: American Academy of Neurology 59th Meeting Syllabi. Boston, 2007.
8. Jorm AF, Jacomb PA. The informant questionnaire on cognitive decline in the elderly (IQCODE): Sociodemographic correlates, reliability, validity and some norms. Psychological Medicine 1989; 19:1015-22.
9. Petersen RC. Overview of MCI. In: American Academy of Neurology 59th Meeting Syllabi. Boston, 2007.
10. Kalaria RN, Maestre GE, Arizaga R, et al for the World Federation of Neurology Dementia Research Group. Alzheimer's disease and vascular dementia in developing countries: prevalence, management, and risk factors. Lancet Neurology 2008; 7:812-26.
11. Querfurth HW, LaFerla FM. Alzheimer's Disease. New England Journal of Medicine 2010; 362:329-44.
12. McKeith I, Cummings J. Behavioural changes and psychological symptoms in dementia disorders. Lancet Neurology 2005; 4:735-42.
13. Forlenza OV, Diniz BS, Talib LL, et al. Clinical and biological predictors of Alzheimers disease in patients with amnestic mild cognitive impairment. Revista Brasileira de Psiquiatria 2010; 32:216-22.
14. Petersen RC. Alzheimer's Disease and Mild Cognitive Impairment. In: American Academy of Neurology 58th Meeting Syllabi. San Diego, 2006.
15. Román GC, Tatemichi TK, Erkinjuntti T, et al. Vascular dementia: diagnostic criteria for research studies. Report of the NINDS-AIREN international workshop. Neurology 1993; 43:250-60.
16. Gorelick PB, Scuteri A, Black SE et al. Vascular contributions to cognitive impairment and dementia: a statement for healthcare professionals from the American Heart Association/American Stroke Association. Stroke 2011; 42:2672-713.
17. Chui HC, Nielsen-Brown N. Vascular Cognitive Impairment. Continuum-Dementia, 2007; 13(2).
18. Román GC. Defining dementia: clinical criteria for the diagnosis of vascular dementia. Acta Neurologica Scandinavica (Suppl) 2002; 178:6-9.
19. Hachinski VC, Illif LD, Zihka E, et al. Cerebral blood flow in dementia. Archives of Neurology 1975; 32:632-7.
20. McKeith IG, Dickson DW, Lowe J, et al. Consortium on DLB. Diagnosis and management of dementia with Lewy bodies: third report of the DLB Consortium. Neurology 2005; 65:1863-72.
21. Neary D, Snowden J, Mann D. Frontotemporal dementia. Lancet Neurology 2005; 4:771-80.
22. Rascovsky K, Hodges JR, Knopman D, et al. Sensitivity of revised diagnostic criteria for the behavioural variant of frontotemporal dementia. Brain 2011; 134:2456-77.
23. Gorno-Tempini ML, Hillis AE, Weintraub S, et al. Classification of primary progressive aphasia and its variants. Neurology 2011; 76:1006-14.
24. Boxer AL, Miller BL. Clinical features of Frontotemporal Dementia. Alzheimer Disease and Associated Disorders 2005; 19:S3-S6.
25. Pillon B, Dubois B, Ploska A, et al. Severity and specificity of cognitive impairment in Alzheimer's, Huntington's, and Parkinson's diseases and progressive supranuclear palsy. Neurology 1991; 41:634-43.
26. Williams MA, Wilson RK. Diagnosis and treatment of normal pressure hydrocephalus. In: American Academy of Neurology 59th Meeting Syllabi. Boston, 2007.
27. McArthur JC, Sacktor N, Selnes O. Human Immunodeficiency Virus-associated dementia. Seminars in Neurology 1999; 19:129-50.
28. Folstein MF, Folstein SE, McHugh PR. "Mini-mental state": a practical method for grading the cognitive state of patients for the clinician. Journal of Psychiatric Research 1975; 12:189-98.
29. Brucki MD, Nitrini R, Caramelli P, Bertolucci PHF, Okamoto IH. Sugestões para o uso do Mini-Exame do Estado Mental no Brasil. Arquivos de Neuropsiquiatria 2003; 61:777-81.
30. Nitrini R, Lefèvre BH, Mathias SC, et al. Testes neuropsicológicos de aplicação simples para o diagnóstico de demência. Arquivos de Neuropsiquiatria 1994; 52:457-65.
31. Morris JC, Heyman A, Mohs RC, et al. The Consortium to Establish a Registry for Alzheimer's disease (CERAD): Part 1. Clinical and Neuropsychological assessment of Alzheimer's disease. Neurology 1989; 39:1159-65.
32. Roth M, Tym E, Mountjoy CQ, et al. CAMDEX: a standardised instrument for the diagnosis of mental disorder in the elderly with special reference to the early detection of dementia. British Journal of Psychiatry 1986; 149: 698-709.
33. Nasreddine ZS, Phillips NA, Bédirian V, et al. The Montreal Cognitive Assessment, MOCA: a brief screening tool for mild cognitive impairment. Journal of the American Geriatric Society 2005; 53:695-9.
34. Bertolucci PH, Okamoto IH, Brucki SM, et al. Applicability of the CERAD neuropsychological battery to Brazilian elderly. Arquivos de Neuropsiquiatria 2001; 59:532-6.

35. Bottino CM, Almeida OP, Tamai S, Forlenza OV, Scalco MZ, Carvalho IA. CAMDEX: The Cambridge examination for mental disorders of the elderly. Edição brasileira. Tradução e adaptação para o português com autorização da Cambridge University Press, 1999.
36. Memória CM, Yassuda MS, Nakano EY, Forlenza OV. Brief screening for mild cognitive impairment: validation of the Brazilian version of the Montreal cognitive assessment. International Journal of Geriatric Psychiatry 2013;28:34-40.
37. Hughes CP, Berg L, Danziger WL, Coben LA, Martin RL A new clinical scale for the staging of dementia. British Journal of Psychiatry 1982; 140:566-72.
38. Maia ALG, Godinho C, Ferreira ED, Almeida V, Schuh A, Kaye J, Chaves MLF. Aplicação da versão brasileira da escala de avaliação clínica da demência (Clinical Dementia Rating – CDR) em amostras de pacientes com demência Arquivos de Neuro-Psiquiatria 2006; 64:485-9.
39. Pfeffer RI, Kurosaki TT, Harrah CH Jr, et al. Measurement of functional activities in older adults in the community. Journal of Gerontology 1982; 37:323-9.
40. Blessed G, Tomlinson BE, Roth M. The association between quantitative measures of dementia and of senile change in the cerebral gray matter of elderly subjects. British Journal of Psychiatry 1968; 114:797-811.
41. Hindmarch I, Lehfeld H, Jongh P. The Bayer Activities of Daily Living Scale. Dementia and Geriatric Cognitive Disorders 1998; 9(Suppl 2):20-6.

Epilepsia

8

Márcia Radanovic

CONCEITO E EPIDEMIOLOGIA

Epilepsia é uma desordem crônica do SNC, caracterizada por crises epilépticas recorrentes, sem que existam fatores desencadeantes evidentes,[1] associada às consequências neurobiológicas, cognitivas, psicológicas e sociais dessa condição.[2]

Uma crise epiléptica, por sua vez, é a ocorrência transitória de sinais e/ou sintomas provocados por uma descarga neuronal anormal excessiva ou síncrona em uma determinada região do cérebro, causando disfunção temporária e reversível do SNC. É importante diferenciar esse conceito da ocorrência de crises convulsivas (mesmo que mais de uma vez na vida) que sejam desencadeadas por agentes agressores do SNC, e que podem ocorrer em qualquer indivíduo.

Ter uma (ou mesmo mais de uma) crise convulsiva não permite que se caracterize um indivíduo como epiléptico. Como exemplo, podemos citar um indivíduo diabético, que tenha uma convulsão durante um episódio de hipoglicemia intensa, ou alguém que convulsione após a ingestão de uma droga (seja esta lícita – um medicamento – ou ilícita) que aumente a excitabilidade neuronal, ou uma convulsão que ocorra no momento de um traumatismo craniano. Nesses casos, uma vez tratada a causa da convulsão, é provável que o indivíduo não tenha novos episódios, se não for exposto novamente ao agente ou mecanismo causal. Aqui também devemos diferenciar um indivíduo que convulsiona imediatamente após um trauma de crânio ou um AVE e aquele que passa a convulsionar anos após a ocorrência dos mesmos eventos, sem nenhuma lesão nova. No primeiro caso, trata-se de uma crise convulsiva perfeitamente explicável como parte do quadro clínico de uma lesão aguda de SNC, não constituindo epilepsia; já no segundo caso, o indivíduo provavelmente desenvolveu epilepsia secundária à lesão sofrida previamente. Para se caracterizar como epiléptico é necessário que o indivíduo apresente pelo menos uma crise epiléptica sem que tenha ocorrido nenhum fator agressor agudo do SNC evidente ("crise não provocada").

Epilepsia é uma das doenças neurológicas mais frequentes. De acordo com dados da Liga Brasileira de Epilepsia, sua prevalência na população varia de 1% (em países desenvolvidos) a 2% (nos países em desenvolvimento).[3] Dados da Organização Mundial de Saúde (OMS) estimam sua incidência em 50 a 100 casos novos por ano, nos países desenvolvidos e em desenvolvimento, respectivamente, o que nos leva a um número aproximado de 50 milhões de epilépticos no mundo.[4] No Brasil, estima-se que haja em torno de 2,5 milhões de indivíduos epilépticos.[5] A maior incidência em países em desenvolvimento se deve à maior frequência de ocorrência de fatores que podem causar a epilepsia, como meningite, neurocisticercose, complicações de pré- ou periparto, traumatismos cranianos etc.

A epilepsia é mais frequente em crianças (mais de dois terços das crises começa na infância) e indivíduos acima de 60 anos.[6] Nas crianças, é mais comum a ocorrência de epilepsia de causa desconhecida ou genética; nos idosos, há predominância da epilepsia secundária a alguma lesão cerebral.

CLASSIFICAÇÃO

A classificação das crises e das epilepsias é importante, pois cada grupo tem peculiaridades de evolução clínica (e, consequentemente, diferentes tipos de impacto que sobre a vida do paciente), prognóstico e tratamento a ser adotado, já que diferentes drogas atuam de modo distinto em cada tipo de crise.

As epilepsias são classificadas de acordo com a sua etiologia, e uma nova classificação foi publicada pela International League Against Epilepsy (2010).[7] Por isso, exporemos neste capítulo a nova terminologia acompanhada da antiga, para que os leitores possam ter uma compreensão adequada das mudanças que foram realizadas.

Segundo a nova classificação, as epilepsias podem ser divididas em *genéticas* (70%), *estruturais-metabólicas* e *de causa desconhecida* (30%). Epilepsias *genéticas* (antigamente conhecidas como *idiopáticas* ou *primárias*) são aquelas em que não é possível evidenciar uma lesão estrutural de SNC que explique a ocorrência das crises; o mais provável, nesses casos, é que a alteração ocorra a nível celular, não sendo detectável pelos atuais métodos diagnósticos. Essas epilepsias são benignas (isto é, cursam sem que o paciente apresente outras anormalidades neurológicas ou perturbações no desenvolvimento), seu início é relacionado com a idade, e, em geral, remitem após alguns anos, sem causar sequelas.

Nas epilepsias *estruturais-metabólicas* (antes denominadas *sintomáticas* ou *secundárias*), identifica-se um fator causal que explica a gênese das crises, em geral uma "cicatriz" de uma lesão prévia (por exemplo, um traumatismo craniano, AVC, meningite, hipóxia neonatal etc.), ou, em alguns casos, a epilepsia pode ser o sintoma de um processo ainda em atividade (tumor cerebral, neurocisticercose).

Por fim, nas epilepsias *de causa desconhecida* (antes chamadas de *criptogênicas* ou *provavelmente sintomáticas*) não se detecta um fator causal para as crises, mas suspeita-se que ele exista, pois em geral nesse grupo ocorre atraso do desenvolvimento neuropsicomotor, alterações de exame neurológico, e a evolução é desfavorável, tanto do ponto de vista de controle das crises, como de qualidade de vida do paciente.

As crises convulsivas em si podem ser classificadas em *parciais* ou *focais* e *generalizadas*. Crises parciais ou focais originam-se numa rede limitada de neurônios em um hemisfério cerebral, que pode ser cortical ou subcortical, (conhecido como *foco*). A sintomatologia apresentada pelo paciente irá depender da área do cérebro em que ocorre essa crise, podendo se manifestar como movimentos involuntários da mão e braço, alucinações auditivas ou visuais, sensação de medo etc. Essas crises podem se propagar para o outro hemisfério, tornando-se bilaterais (o que se designava previamente como *generalização secundária*). As crises generalizadas originam-se em um ponto, mas rapidamente se espalham pelas redes neuronais bilateralmente, podendo incluir estruturas corticais e subcorticais. A classificação das crises epilépticas está exposta na Tabela 8.1.

As crises focais, por sua vez, classificam-se em *sem comprometimento da consciência* (previamente denominadas *simples*) e *com comprometimento da consciência* (previamente denominadas *complexas*). Nas crises focais sem comprometimento da consciência, o indivíduo é capaz de manter contato com o ambiente, conversar etc., mesmo enquanto a crise está ocorrendo. Nas crises focais com alteração da consciência, o indivíduo não é capaz de interagir com o ambiente durante a ocorrência da crise (fenômeno comumente descrito pelos pacientes ou observadores como "desligamento"

TABELA 8.1. Classificação das crises epilépticas (ILAE, 2010)

1. Crises generalizadas
   Tonicoclônicas (em qualquer combinação)
      Ausência
         Típica
         Atípica
         Ausência com características especiais
            Ausência mioclônica
            Mioclonia de pálpebras
      Mioclônicas
         Mioclônicas atônicas
         Mioclônicas tônicas
      Clônicas
         Tônicas
         Atônicas

2. Crises focais

3. Desconhecidas
   Espasmos epilépticos

ou "ausência"). Não se deve utilizar o termo *ausência* para esse tipo de crise, pois, como exposto na Tabela 8.1, esse nome se refere a um tipo específico de crise, que ocorre na infância.

As crises focais em que ocorrem apenas fenômenos subjetivos (sejam eles sensitivos, como parestesias, ou psíquicos, como sensações bizarras de despersonalização, medo, de estar fora do corpo etc.) eram muitas vezes denominadas *auras* e interpretadas como uma fase precoce da crise propriamente dita. Esse conceito foi modificado e os fenômenos descritos são atualmente considerados como constituintes da própria crise em si, que pode se propagar para outras áreas.

A descrição das crises epilépticas focais baseia-se nas seguintes características: o tipo de início (focal ou generalizada), se há ou não propagação para outras áreas (adjacentes, ipsilaterais ou contralaterais), e o tipo de crise (motora, sensorial etc., com as diferentes formas clínicas em que esses fenômenos podem ocorrer) (Tabela 8.2).

Uma terceira classificação, por sua vez, propõe a organização das epilepsias com base no tipo de crises, idade de início, ocorrência (ou não) familiar, presença de alterações neurológicas, padrão eletroencefalográfico e achados de neuroimagem. Essa classificação, ainda em fase de ajuste, é denominada eletroclínica, e sua utilidade é agrupar síndromes que compartilham semelhantes mecanismos fisiopatológicos, resposta ao tratamento, comorbidades e prognóstico.[8]

FISIOPATOLOGIA

A ocorrência de uma crise convulsiva depende da existência de um grupo de neurônios que sejam hiperexcitáveis, aumento da atividade excitatória (mediada pelo neurotransmissor glutamina) a fim de criar condições para a propagação da descarga, e diminuição da atividade inibitória (mediada pelo neurotransmissor GABA). O estado de hiperexcitabilidade parece estar relacionado com um aumento da permeabilidade da membrana celular desses neurônios, mas a razão exata por que isso acontece ainda não é conhecida; no entanto, sabe-se que em algumas formas de epilepsia

TABELA 8.2. Descrição das crises epilépticas focais (ILAE, 2010)

Sem comprometimento da consciência • Com componentes motores ou autonômicos observáveis: focal motora ou focal autonômica, dependendo da manifestação clínica da crise. • Envolvendo fenômenos sensitivos ou psíquicos subjetivos apenas (anteriormente denominada "aura" da crise).
Com comprometimento da consciência • Propõe-se o termo "discognitiva" para esse tipo de crise
Com evolução para crise convulsiva bilateral (tônica, clônica, ou tonicoclônica)

familiares, existem mutações genéticas específicas que levam a alterações de canais de sódio, potássio, receptores de GABA, e pode-se especular que tais alterações sejam um bom modelo do que ocorre em outras formas de epilepsia.

Os neurônios em estado de hiperexcitabilidade ficam suscetíveis a qualquer pequena modificação nas condições ambientais, e qualquer pequeno estímulo, que normalmente não teria poder de provocar uma descarga, pode causar uma descarga excessiva (ativação anormal) desse grupo de neurônios. Exemplos de estímulos capazes de produzir essa resposta anormal são hipóxia, hipoglicemia, hipertermia, estimulação sensorial repetida (como luzes piscando intermitentemente), e certas fases do sono. Uma vez iniciada a excitação nesse grupo de neurônios, esta se propaga para o córtex adjacente (fase de crise focal), e pode se propagar para o córtex contralateral, através de vias de projeção inter-hemisféricas, e também através de estruturas subcorticais, como os núcleos da base, tálamo e formação reticular do tronco encefálico. A atividade dos núcleos subcorticais sofre uma retropropagação ao foco original, e dali para outras áreas, gerando uma amplificação da excitação. Essa fase de excitação de estruturas subcorticais dá origem à fase tônica da crise tônico-clônica generalizada (TCG) (onde ocorre perda de consciência e os fenômenos autonômicos – ver descrição no tópico Quadro Clínico); finalmente a propagação para os neurônios espinais ocasiona os movimentos toniclônicos. A propagação da atividade exacerbada gera um fenômeno de inibição que se inicia no diencéfalo: a crise cessa, e os neurônios hiperativados ficam num estado de "esgotamento" (hipoexcitabilidade devida a hiperpolarização), o que se presume ser o mecanismo responsável pelo fenômeno de Todd (ver Quadro Clínico), do coma e cefaleia pós-ictal (Fig. 8.1).

Descargas elétricas e registro de eletroencefalograma (EEG)

O EEG registra com precisão toda a atividade excessiva e anormal que caracteriza a crise epiléptica. É realizado com a colocação de eletrodos no escalpo, em locais predeterminados, que permite o registro da atividade elétrica nas várias regiões cerebrais (frontal, parietal, temporal e occipital). O registro de EEG *durante* a crise é denominado *ictal*, o registro pós-crise é chamado de *pós-ictal*, e o registro fora da ocorrência de crises é denominado *interictal*. Este último pode ser totalmente normal em 50% dos pacientes epilépticos. Em geral, a realização do EEG é composta de várias fases, em que o paciente tem seu registro feito em vigília, sono (o paciente é orientado a não dormir na véspera do exame, desencadeando, assim, um estado de privação de sono, e também para facilitar que o mesmo consiga dormir durante o exame), hiperventilação (realização de movimentos respiratórios rápidos e profundos) e fotoestimulação (através do piscamento de luzes), pois como exposto antes, esses estímulos são capazes de ativar um foco epiléptico, aumentando a sensibilidade do exame para cerca de 70-80%. Normalmente, a atividade elétrica anormal nas crises epilépticas

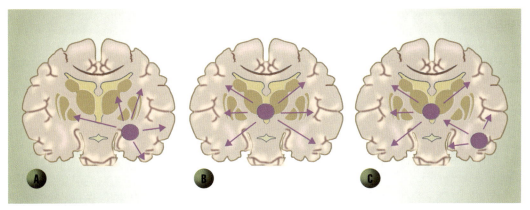

FIGURA 8.1. (A) Ilustra a propagação de uma crise focal, com origem no lobo temporal; (B) Ilustra a propagação de uma crise generalizada, a partir de estruturas subcorticais e formação reticular; (C) Ilustra a propagação de uma crise de origem focal, com posterior propagação bilateral.

assume a forma de registros, denominados *espículas* (potenciais elétricos rápidos, de até 70 ms, polifásicos, em que a fase negativa é maior), *ondas agudas* (em que a duração vai de 70 a 200 ms), e *ondas lentas*. Os padrões epileptiformes em geral são formados por combinações desses padrões, ou complexos, como espícula-onda, poliespículas, e assim por diante, e sua morfologia, associada à frequência das ondas (em Hz) caracteriza os diferentes tipos de epilepsia.

QUADRO CLÍNICO

Como já descrito, o quadro clínico das crises epilépticas varia de acordo com a localização de seu local de origem. Foge ao escopo deste livro uma descrição detalhada de todas as formas de epilepsia (classificação eletroclínica). No entanto, exporemos as principais síndromes, seja pela sua frequência, seja pela importância de ser identificada corretamente. Iniciaremos esta seção descrevendo os principais sinais e sintomas dos diversos tipos de crise epiléptica e o padrão correspondente de EEG, e, em seguida, as características clínicas e eletroencefalográficas das principais síndromes epilépticas (Tabela 8.3).

Formas clínicas de crise epiléptica
Crises focais sem comprometimento da consciência

Quanto aos sintomas, podem ser:
- Motoras: clônus, jacksoniana, posturas tônicas. Denomina-se *marcha jacksoniana* ao padrão motor que se inicia com contração tônica dos dedos das mãos, hemiface, ou músculos de um pé, que se transformam em movimentos clônicos e espalham-se para outros músculos do mesmo lado do corpo.
- Sensoriais: visuais, auditivas, olfativas, gustatórias.
- Autonômicas: sensação epigástrica, enrubescimento, piloereção, vômitos.
- Psíquicas (*fenômenos experienciais*): *déjà vu*[*], sensação de medo, alucinações estruturadas.

[*]Sensação subjetiva de que algo que está ocorrendo já aconteceu, mesmo diante de evidências irrefutáveis de que isso não é possível (por exemplo: ter a certeza subjetiva de que já esteve sentado na sala do dentista extraindo o mesmo dente que está sendo extraído no momento da sensação, olhando para um relógio que marca exatamente o mesmo horário, ouvindo o dentista dizer a mesma frase como na "extração anterior").

As crises motoras se originam no córtex frontal, provocando sintomas contralateralmente. As crises sensoriais se originam nos lobos parietais. As crises autonômicas e psíquicas têm origem nos lobos temporais. Os sintomas das crises são sempre contralaterais à localização do foco. Do ponto de vista eletroencefalográfico, surgem espículas na região acometida em cerca de 30% dos casos durante o íctus.[9]

Crises focais com alteração do nível de consciência

Podem se iniciar na forma de uma crise focal sem comprometimento da consciência, seguindo-se a fase "discognitiva", ou o prejuízo da consciência pode estar presente desde o início. O paciente fica com o olhar parado e não responsivo aos estímulos do ambiente; muito frequentemente apresentam *automatismos*, que são movimentos rudimentares e estereotipados, como mastigar, engolir, piscar, rolar os dedos das mãos, deambular aleatoriamente etc. Essas crises duram de 15 segundos a alguns minutos. Após a crise, o paciente apresenta um breve período de confusão mental e amnésia para o evento.[10]

O EEG mostra atividade rítmica ictal sobre a área acometida ou um hemisfério.

Crise focais com generalização bilateral

Caracterizam-se pela ocorrência de uma convulsão tônica, clônica ou tonicoclônica generalizada, a partir da propagação de uma crise focal (sem ou com comprometimento da consciência.[11]

Crises de ausência

- Ausência típica: nessas crises, ocorre perda súbita da consciência; as crises duram entre 5 e 20 segundos, e terminam abruptamente, sem confusão pós-ictal. Durante a crise, o paciente fica com o olhar parado, apresentando leves movimentos rítmicos (piscamento, mastigação). Eventualmente, podem ocorrer outras formas de automatismos ou mioclonias. O EEG ictal característico mostra descargas de espícula-onda na frequência de 3 Hz. São facilmente desencadeadas pela hiperventilação.
- Ausência atípica: nesse caso, o início é menos abrupto, e a duração maior (15 segundos a minutos), ocorrendo confusão pós-ictal. O EEG mostra descargas de espícula-onda, com frequência menor do que 3 Hz.[12]

Crises tonicoclônicas generalizadas (TCG)

São as crises mais comumente associadas ao termo "convulsão": iniciam-se com uma fase tônica, seguida de uma fase clônica. A fase tônica dura entre 10 e 15 segundos, e caracteriza-se por enrijecimento de todos os músculos, e o paciente emite um grito gutural, que é o resultado da passagem forçada do ar pelo sistema vocal e respiratório, graças à contração espasmódica do diafragma. É muito comum ocorrer mordedura da língua e liberação esfincteriana da bexiga, provocando incontinência urinária. A fase seguinte, clônica, dura de um a dois minutos e se caracteriza por abalos musculares generalizados dos quatro membros. No período pós-ictal, o paciente permanece em coma, na maior parte das vezes por apenas alguns minutos, mas períodos de letargia e confusão mental podem durar horas. O EEG característico dessas crises mostra complexos de espícula-onda ou poliespículas em todas as regiões de ambos os hemisférios.[13]

Crises tônicas

São crises que correspondem à fase tônica da crise já descrita. Ocorre um episódio de enrijecimento muscular de breve duração (5 a 30 segundos). O EEG mostra atividade rápida generalizada (10-25 Hz).

Crises clônicas

Crises de contrações rítmicas de grupos musculares, que podem ocorrer nos braços, pescoço, face. O EEG mostra espículas ou complexos espícula-onda generalizados.

Crises mioclônicas

Nessas crises, ocorrem de abalos musculares rápidos, em membros isolados ou generalizados (como "sustos"), muitas vezes em salvas. O EEG mostra complexos de espícula-onda ou poliespícula-onda generalizados.

Crises atônicas

Caracterizam-se pela ocorrência de episódios de perda súbita de tônus muscular, em que o paciente pode cair ao solo (também conhecidos como *drop attacks*), de duração rápida, sem perda de consciência. O EEG mostra espículas ou ondas agudas generalizadas, ondas lentas generalizadas ou atenuação difusa da atividade de fundo.[13]

Fenômeno de Todd

Trata-se de um episódio de paralisia, afasia ou outro sinal focal que se segue à ocorrência de uma crise, e pode durar de segundos a horas. O local de acometimento é o mesmo da crise que o originou, e sua ocorrência é mais comum nos casos em que existe uma lesão estrutural cerebral que provoca a epilepsia.

Descrição clínica das principais síndromes epilépticas

Destacadas na Tabela 8.3.

Síndrome de West (espasmos infantis)

Nesta síndrome, as crises costumam aparecer durante o primeiro ano de vida, e são caracterizadas por episódios breves, únicos ou recorrentes, de movimentos de flexão do tronco e membros

TABELA 8.3. Principais síndromes epilépticas, de acordo com a idade (classificação eletroclínica – ILAE, 2010)

Período neonatal
    Epilepsia benigna familiar neonatal
    Encefalopatia mioclônica precoce
    Síndrome de Ohtahara

Primeira infância
    Epilepsia da infância com crises focais migratórias
    Síndrome de West
    Epilepsia mioclônica da infância
    Epilepsia infantil benigna
    Síndrome de Dravet
    Encefalopatia mioclônica em doenças não progressivas

Continua

TABELA 8.3. Principais síndromes epilépticas, de acordo com a idade (classificação eletroclínica – ILAE, 2010) (cont.)

Infância
  Convulsões febris *plus*
  Síndrome de Panayiotopoulos
  Epilepsia com crises mioclônicas atônicas
  Epilepsia benigna com espículas centrotemporais
  Epilepsia do lobo frontal noturna autossômica dominante
  Epilepsia occipital com início tardio (tipo Gastaut)
  Epilepsia com ausências mioclônicas
  Síndrome de Lennox-Gastaut
  Encefalopatia epiléptica com espículas-ondas contínuas durante o sono
  Síndrome de Landau-Kleffner
  Epilepsia ausência da infância

Adolescentes-adultos
  Epilepsia ausência juvenil
  Epilepsia mioclônica juvenil
  Epilepsia com crises tonicoclônicas generalizadas isoladas
  Epilepsia autossômica dominante com sintomas auditivos
  Outras epilepsias familiares do lobo temporal

Relação pouco específica com a idade
  Epilepsia familiar focal com focos variáveis (infância a adultos)
  Epilepsias reflexas

Síndromes distintas
  Epilepsia do lobo temporal mesial com esclerose hipocampal
  Síndrome de Rasmussen
  Crises gelásticas com hamartoma hipotalâmico
  Epilepsia hemiconvulsão-hemiplegia
  Epilepsias que não se enquadram em nenhuma dessas categorias podem ser classificadas de acordo com a presença ou ausência de uma lesão estrutural ou metabólica e, então, com base no modo de início (generalizada X focal)

Epilepsias atribuídas a causas estruturais-metabólicas
  Malformações corticais
  Síndromes neurocutâneas (esclerose tuberosa, síndrome de Sturge-Weber etc.)
  Tumor
  Infecção
  Trauma
  Angioma
  Lesões perinatais
  AVC
  Outras

Epilepsias de causa desconhecida

Condições clínicas em que ocorrem crises epilépticas, mas que não são diagnosticadas como epilepsia
  Convulsões benignas neonatais
  Convulsões febris

("crises em canivete") ou, mais raramente, de extensão. As crises diminuem em frequência à medida que a criança cresce, usualmente desaparecendo no quarto ou quinto ano de vida, porém apresentam deficiência mental. O padrão de EEG mais encontrado nessa síndrome é denominado *hipsarritmia*, composto por espículas e ondas lentas multifocais de grande amplitude. Essa síndrome responde muito bem ao tratamento com hormônio adrenocorticotrópico (ACTH), corticosteroides e clonazepam.

Epilepsia benigna com espículas centrotemporais (rolândica)

Trata-se de uma forma de epilepsia com idade de início entre 5 e 9 anos, tende a ser autolimitada (desaparece durante a adolescência), e apresenta caráter hereditário, com forma de transmissão autossômica dominante. As crises se caracterizam por um início focal, com contrações clônicas de um lado do rosto, ou eventualmente um braço ou perna, seguida de tonicoclônica generalizada. O EEG mostra espículas na região rolândica ou centrotemporal.

Epilepsia do lobo frontal

Este grupo se caracteriza pela ocorrência de crises rápidas, de início e final abruptos, muitas vezes em salvas. Crises frontais ocorrem muitas vezes durante o sono, sendo às vezes difícil de serem diferenciadas de distúrbios do sono, como pesadelos ou terror noturno. Os automatismos frequentes e exuberantes (como debater-se, atirar-se, chutar, pedalar, balançar-se, fazer movimentos bizarros, algumas vezes da região pélvica com manipulação digital) e a quase inexistência de confusão pós-ictal levam esses pacientes a serem muitas vezes diagnosticados como portadores de quadros psicogênicos. Outros sinais e sintomas das crises frontais incluem movimentos clônicos dos membros (podendo ocorrer a marcha jacksoniana), movimentos versivos da cabeça e olhos, bloqueio da fala (afasia), alucinações olfatórias, vocalizações, movimentos orofaciais (de mastigação, deglutição, salivação, alucinações gustativas).[14]

Síndrome de Lennox-Gastaut

Nesta síndrome, a idade de início pode variar entre 1 e 14 anos de idade, podendo ter várias etiologias (25% são de causa desconhecida). As crises são polimórficas, podendo ser tônicas, atônicas, ausências atípicas, tonicoclônicas, mioclônicas e focais com alteração da consciência. O quadro de epilepsia é acompanhado de deficiência mental. O EEG mostra um padrão de espícula-ondas lentas (1-2,5 Hz) e atividade paroxística rápida generalizada. O prognóstico desta forma de epilepsia é pouco favorável, pela dificuldade de controle das crises, mesmo com medicação adequada, e pela coexistência de retardo mental.

Síndrome de Landau-Kleffner

Trata-se de um quadro de afasia adquirida na infância, acompanhada de crises focais ou generalizadas, com distúrbios de comportamento e intelectuais. O EEG mostra um padrão de espículas ou espícula-ondas.

Epilepsia ausência da infância

É o tipo de epilepsia mais característico nessa faixa etária, iniciando-se após os 4 anos de idade, e, em geral, remitindo na adolescência. Caracteriza-se pela parada súbita de atividade da criança, que mantém o olhar parado e para de falar, brincar etc. Ocorrem movimentos clônicos das pálpebras (semelhantes a piscamentos, porém mais rápidos), músculos faciais, dedos das mãos ou braços, sincronizados (três por segundo). Podem ocorrer automatismos como protrusão dos lábios (num gesto como de beijo), mastigação. As crises duram entre 2 e 10 segundos, mas podem ocorrer com grande frequência, chegando a centenas no mesmo dia, e são facilmente desencadeadas quando o paciente realiza hiperventilação voluntária. Em geral, os pacientes não apresentam queda, e podem continuar fazendo movimentos complexos, como andar a pé ou de bicicleta; muitas vezes, o que sinaliza as crises é o fato de perceberem que perderem a sequência de uma frase numa conversa, ou durante a leitura. Crises de ausência não diagnosticadas e não tratadas podem ocasionar dificuldades de aprendizado na escola. O EEG mostra um padrão típico de espícula-onda generalizada na frequência de 3 Hz (Fig. 8.2).

Epilepsia mioclônica juvenil

É uma síndrome frequente, estimando-se que corresponda a 10% de todas as formas de epilepsia. A idade de início situa-se entre 10-20 anos de idade. As crises, do tipo mioclônica, ocorrem especialmente ao despertar, e pioram quando o paciente sofre privação de sono ou com abuso de álcool. Em cerca de 80% dos pacientes ocorrem crises TCG, e em 30% ocorrem crises de ausência. Ocorre fotossensibilidade (desencadeamento das crises por luzes piscando) em 20 a 40% dos pacientes.

Epilepsias reflexas

Neste grupo, encontram-se as crises que são desencadeadas por estímulos sensoriais específicos (e que são estereotipados para cada paciente). As crises desencadeadas podem ser focais ou generalizadas. Esses estímulos podem ser:

- Visuais: aqui se incluem luzes piscando, determinados padrões visuais, cores (especialmente vermelho), estimulação fótica (como nas imagens de TV ou videogames).
- Auditivos: sons inesperados (epilepsia *startle*), determinados sons, música ou vozes.
- Somatossensoriais: sobretudo estímulos sensoriais e térmicos.
- Leitura ou escrita.
- Comer.

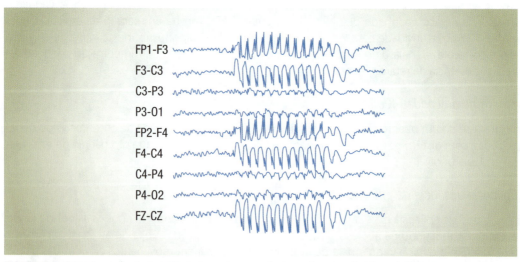

FIGURA 8.2. Crise de ausência da infância (complexos espícula-onda generalizados a 3 Hz).

Epilepsia do lobo temporal mesial com esclerose hipocampal

Esta forma de epilepsia é caracterizada por crise focal afetiva, visceral ou psíquica, seguida de um estado de imobilidade do paciente e alteração precoce do nível de consciência, com automatismos, podendo ocorrer postura distônica ou clônus contralateral.[15,16] O achado característico à ressonância magnética (RM) de crânio é a *esclerose mesial temporal e hipocampal* (ver Diagnóstico). Esta se caracteriza por perda celular e astrocitose no córtex temporal mesial, hipocampo, amígdala, giro para-hipocampal e córtex entorrinal; o acometimento é, em geral, bilateral, sendo mais grave em um dos lados[17] (Fig. 8.3).

Epilepsia temporal lateral

A crise típica neste grupo é composta de uma crise focal de alucinações bem estruturadas (visual ou auditiva), podendo ocorrer perda de consciência após algum tempo (crise parcial complexa).

Epilepsia do lobo occipital

As crises neste grupo se caracterizam pela ocorrência de alucinações visuais elementares (formas simples, luzes ou cores, que se diferenciam das alucinações de imagens mais complexas originadas no lobo temporal), amaurose (cegueira) ictal, sensação de movimento ocular, desvio tônico ou clônico no olhar, piscamento ou *flutter* palpebral. Essas crises podem se espalhar para regiões cerebrais adjacentes, provocando fenômenos motores ou sensoriais, postura tônica, alucinações visuais mais complexas e automatismos.

Epilepsia do lobo parietal

Este grupo caracteriza-se pela ocorrência de crises de dor ou parestesias contralaterais ao foco de origem, alucinações gustatórias (quando se originam na região do opérculo parietal) e sintomas

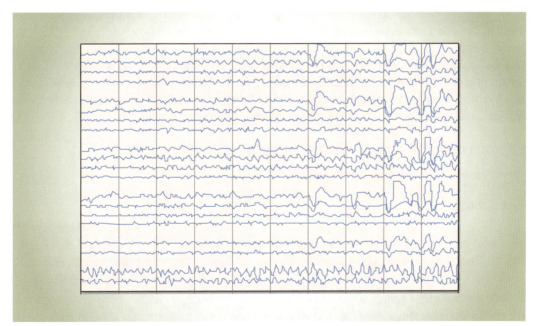

FIGURA 8.3. Crise focal temporal: atividade rítmica de ondas delta e teta em região temporal E.

não específicos (náuseas, vertigem, desorientação, sensação de sufocamento, alterações de linguagem). Quando se espalham para regiões cerebrais adjacentes, ocasionam posturas tônicas e automatismos semelhantes aos das crises de lobo temporal mesial.[18]

Convulsões febris

São episódios de convulsão desencadeados por febre (de qualquer etiologia, não implicando que a febre esteja relacionada com doença do SNC). A idade de ocorrência dessas convulsões é entre 6 meses e 5 anos de idade (pico de incidência: 9 meses a 2 anos); em geral, são crises únicas, com curta duração, que ocorrem enquanto a temperatura da criança sobe ou quando atinge seu pico. Os exames subsidiários são normais. A recuperação é total e o quadro é benigno, geralmente de caráter familiar. Deve-se salientar que febre com temperaturas muito altas (a partir de 40 graus Celsius) pode desencadear convulsão mesmo em crianças (ou adultos) que não tenham histórico de convulsão febril, e que acima dos 5 anos de idade, a ocorrência de febre acompanhada de convulsão passa a demandar a investigação de infecção de SNC como possível causa. O risco de crianças com histórico de convulsão febril desenvolverem epilepsia é apenas ligeiramente maior do que o da população em geral.

Algumas formas de epilepsia não constam mais na classificação atual, mas dada a sua relevância clínica, serão descritas a seguir.

Epilepsias mioclônicas progressivas

Neste grupo, encontram-se diversas epilepsias generalizadas, de caráter genético, que apresentam curso clínico e prognóstico desfavoráveis e entre as quais destacamos a doença de Lafora.[19]

Doença de Lafora

É uma doença com padrão de transmissão autossômico recessivo. É caracterizada pela existência de inclusões de poliglucosanas (PAS positivas) nos neurônios, coração, músculos esqueléticos, fígado, glândulas sudoríparas. Em 80% dos casos, a mutação genética ocorre no lócus EPM2A, no cromossomo 6q24, originando uma proteína (laforina) anômala. A idade de início situa-se entre 10-18 anos de idade, evoluindo de forma progressiva, com sobrevida média de 2 a 20 anos. As crises são do tipo mioclônica e tonicoclônica, acompanhadas de quadriparesia espástica e demência. O EEG mostra poliespículas-ondas e também ocorre fotossensibilidade. O diagnóstico definitivo é feito pela biopsia de pele para pesquisa de corpos de Lafora e análise de DNA.[20]

Epilepsias desencadeadas por eventos tóxicos ou metabólicos agudos

Por exemplo: álcool, drogas, eclâmpsia, hiperglicemia.

Eclâmpsia

Trata-se da ocorrência de hipertensão arterial e crises convulsivas generalizadas (quase sempre em salvas) durante o terceiro trimestre da gravidez, o que pode pôr em risco o aporte de oxigênio ao feto. O tratamento é realizado com a administração de sulfato de magnésio, podendo ser necessária a indução do parto.

Vale lembrar que a epilepsia em mulheres sofre influência das oscilações hormonais relacionadas com o ciclo menstrual (existindo a chamada *epilepsia catamenial,* em que as crises só ocorrem, ou pioram muito, no período pré-menstrual) e à gestação.

DIAGNÓSTICO

O diagnóstico de epilepsia é baseado na história de ocorrência de uma ou mais crises epilépticas, sem que tenham ocorrido insultos agudos ao SNC que possam justificá-las. É necessária uma anamnese detalhada para que se possa caracterizar com precisão o tipo de crise epiléptica, a fim de permitir uma correta classificação, como já exposto.

O diagnóstico clínico é complementado pela realização do EEG, que mostra o padrão de ondas que ocorrem durante a crise (denominado *ictal*), bem como, em muitas síndromes epilépticas, um padrão de atividade cerebral de fundo que pode ser característico, denominado padrão *interictal*.

Outro recurso diagnóstico bastante utilizado é o vídeo-EEG. Trata-se de um registro de EEG que é feito conjuntamente com o registro das crises por uma câmera de vídeo, a fim de permitir uma correlação entre a manifestação clínica (crise) e o correspondente padrão eletroencefalográfico. O vídeo EEG permite que se identifique com exatidão os tipos de crise do paciente, além de ser um exame bastante útil para se diferenciar crises verdadeiras de crises forjadas pelo paciente (pseudocrises).

Os exames de neuroimagem estrutural (tomografia computadorizada e ressonância magnética de crânio) permitem a identificação de lesões cerebrais no caso das epilepsias sintomáticas. Nos casos de esclerose temporal mesial, a RM de crânio mostra atrofia hipocampal (nas imagens adquiridas em T1) e aumento de sinal na região hipocampal (nas imagens em T2 e FLAIR) (Fig. 8.4). Os exames funcionais mostram hiperperfusão (SPECT) ou hipermetabolismo (PET) no foco epiléptico durante as crises (indicando o aumento de atividade cortical), e hipoperfusão/hipometabolismo nas áreas epileptogênicas no período interictal.

TRATAMENTO

O objetivo do tratamento da epilepsia é manter o indivíduo livre de crises, com o uso de drogas antiepilépticas na menor dose possível, a fim de evitar efeitos colaterais e toxicidade das drogas, permitindo, assim que o paciente tenha uma vida o mais próximo do normal quanto possível. Pacientes epilépticos com retardo de desenvolvimento, lesão estrutural de SNC ou exame neurológico anormal

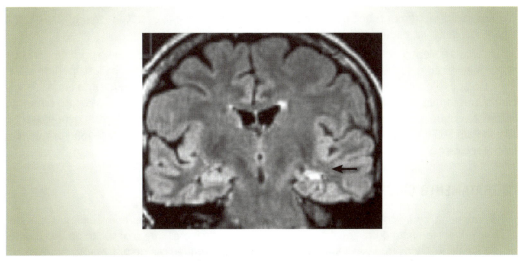

FIGURA 8.4. Imagem coronal de RM de crânio (FLAIR), mostrando esclerose hipocampal à E (seta).

TABELA 8.4. Drogas antiepilépticas e suas indicações

TIPO DE CRISE	PRIMEIRA LINHA	SEGUNDA LINHA
Focais	Carbamazepina/oxcarbazepina Fenitoína	Valproato de sódio Fenobarbital
Generalizadas		
Tonicoclônicas	Carbamazepina/oxcarbazepina Fenitoína	Lamotrigina Fenobarbital
Ausências	Valproato de sódio Etosuximida	Clonazepam
Mioclônicas	Valproato de sódio Etosuximida	Clonazepam

Adaptado de Ropper e Samuels, 2009.[6]

em geral não apresentam um controle tão efetivo das crises, apresentando "escapes", mesmo com uso correto da medicação. Pacientes com epilepsias genéticas generalizadas relacionadas com a idade têm mais chance de terem suas crises totalmente controladas com uso da medicação.

Em termos gerais, as drogas antiepilépticas atuam diminuindo a excitabilidade neuronal, atuando nos neurotransmissores (GABA, acetilcolina) ou nos canais iônicos (Na^+, K^+, Ca^+), que modulam o disparo de potenciais de ação neuronais e a transmissão sináptica.

A escolha da droga antiepiléptica depende do tipo de crise e/ou síndrome epiléptica (alguns exemplos são listados na Tabela 8.4). O ideal é que seja utilizada apenas uma droga (monoterapia), e na menor dose possível que permita controle adequado das crises. Quando isso não é possível, pode-se associar duas ou mais drogas (politerapia).

Além das drogas convencionais, atualmente existe uma nova geração de medicações antiepilépticas: lamotrigina, vigabatrina, gabapentina e topiramato. Essas drogas são utilizadas com mais frequência como adjuvantes em pacientes que não têm controle adequado, ou que apresentam efeitos colaterais intoleráveis com o uso das drogas convencionais.

Os efeitos colaterais mais comuns das drogas antiepilépticas são: sedação, ataxia, náuseas e vômitos, diplopia, tremor e hepatotoxicidade. No caso da fenitoína, destacam-se o hirsutismo e a hiperplasia gengival, particularmente incômodos para as mulheres.

Embora a epilepsia seja uma doença crônica, isso nem sempre significa que o paciente terá que tomar medicação pelo resto da vida. Como já exposto, algumas formas de epilepsia podem sofrer remissão após alguns anos (epilepsias benignas relacionadas com a idade), e mesmo em pacientes com outras formas de epilepsia, pode-se fazer uma tentativa de retirada das drogas, caso o mesmo apresente controle das crises por pelo menos três anos. Pacientes com epilepsias genéticas, que apresentam EEG e exames de neuroimagem normais, e epilepsia de curta duração são os que têm menor recorrência das crises.

TRATAMENTO CIRÚRGICO

O tratamento cirúrgico das epilepsias é indicado para aqueles pacientes com epilepsias consideradas *refratárias* (ou *intratáveis*, em alguns textos), ou seja, pacientes que, a despeito do uso de medicação antiepiléptica em doses terapêuticas (muitas vezes em regime de politerapia), apresentam prejuízo significativo da qualidade de vida, seja pela persistência das crises, seja pela presença de efeitos colaterais intoleráveis decorrentes do uso das drogas antiepilépticas. A indicação do tratamento cirúrgico requer uma avaliação detalhada que inclui a correta identificação do tipo e local da crise (através de EEG, vídeo-EEG e RM de crânio), exame neuropsicológico, e determinação da dominância hemisférica pelo teste de Wada (injeção intracerebral de amobarbital sódico).

O tratamento cirúrgico baseia-se na remoção do foco epiléptico, ou na tentativa de diminuir sua propagação. Os pacientes com epilepsia temporal, especialmente aqueles com esclerose mesial temporal, ou com lesões cerebrais localizadas são os melhores candidatos ao tratamento cirúrgico. Nesses casos, é realizada uma *corticectomia* (retirada da porção de córtex cerebral que contém a atividade anormal); no caso das epilepsias temporais, pode ser realizada lobectomia temporal ou amígdalo-hipocampectomia. Calosotomia (secção do corpo caloso) pode ser realizada, sobretudo nos casos de crises secundariamente generalizadas, a fim de prevenir a propagação da crise para o hemisfério contralateral. Outro procedimento realizado é a hemisferectomia (retirada do córtex de um hemisfério cerebral), indicado quando há doença grave e extensa desse hemisfério, com crises intratáveis e hemipegia contralateral, como no caso da síndrome de Rasmussen, síndrome de Sturge-Weber, entre outras entidades clínicas.

Estimulação do nervo vago: essa técnica ainda está em estudo, consistindo no implante de um marca-passo na parede anterior do tórax, que estimula eletrodos colocados sobre o nervo vago. Também é indicada apenas para os casos de epilepsia refratária ao tratamento convencional com medicação.

COMPLICAÇÕES

As principais complicações das diversas formas de epilepsia são:

- Alterações neuropsicológicas: declínio cognitivo é encontrado nos casos em que a epilepsia é decorrente de lesões cerebrais e em muitos casos de síndromes de causa desconhecida (encefalopatias epilépticas). Nas epilepsias focais, também podem ocorrer alterações neuropsicológicas: estas são particularmente evidentes nas epilepsias temporais, onde a atividade elétrica anômala ocasiona, a longo prazo, prejuízos principalmente do aprendizado e da memória episódica.

- Alterações psiquiátricas: dentre estas, podemos destacar os transtornos de ansiedade e a depressão, que ocorrem com frequência duas a três vezes maior do que na população geral. O índice de suicídio entre portadores de epilepsia de lobo temporal é cerca de 25 vezes maior do que o da população normal. Outro transtorno que acomete indivíduos epilépticos são as *pseudocrises*, ou seja, crises falsas, encenadas pelo indivíduo, e que muitas vezes guardam uma semelhança notável com as verdadeiras crises que o paciente apresenta. O reconhecimento da existência de pseudocrises é de suma importância, pois muitos dos pacientes que as manifestam são erroneamente classificados como tendo epilepsia refratária. O vídeo-EEG é um recurso valioso no diagnóstico diferencial desse quadro.

- Acidentes com traumatismos: pacientes epilépticos que apresentam crises com alteração do nível de consciência e crises generalizadas estão sujeitos à ocorrência de acidentes com risco de traumatismo craniano, fraturas, luxações de articulações, queimaduras e afogamentos. A despeito disso, estatísticas sobre o trânsito, mesmo no Brasil, demonstram que os epilépticos não causam mais acidentes quando dirigindo do que a população geral (e certamente muito menos do que os que dirigem alcoolizados, por exemplo), sobretudo quando são observadas as disposições de que o paciente só está liberado para dirigir se suas crises estiverem controladas por pelo menos seis meses.

- Estado de mal epiléptico: trata-se da ocorrência de uma crise com duração superior a 30 minutos, ou a ocorrência de vários episódios distintos sem que haja recuperação da consciência entre eles. Pode ser convulsivo ou não convulsivo, e, no último caso, manifesta-se como um estado confusional prolongado, às vezes com movimentos orofaciais. Estima-se que o estado de mal ocorra em cerca de 15% das pessoas com epilepsia (pelo menos uma vez na vida); é uma emergência neurológica, pelo potencial de dano cerebral irreversível se não tratado rapidamente. O índice de mortalidade situa-se em torno de 15 a 20%. O tratamento é feito com a injeção de medicação intravenosa, e o paciente deve ser cuidadosamente monitorizado, a fim de evitar complicações respiratórias e cardíacas. Deve-se lembrar que uma causa frequente de estado de mal epiléptico é a suspensão abrupta da medicação antiepiléptica.

- Morte súbita: a incidência de morte súbita não explicada é maior nos epilépticos do que na população geral (1 para 200 e 4,6/100.000, respectivamente), e em geral está relacionada com a ocorrência das crises. Os mecanismos implicados parecem ser depressão respiratória, arritmias cardíacas ou disfunções autonômicas.[5]

Referências bibliográficas

1. Cascino GD. Epilepsy update. In: American Academy of Neurology 59th Meeting Syllabi. Boston, 2007.
2. Fisher RS, van Emde Boas W, Blume W, et al. Epileptic seizures and Epilepsy: Definitions proposed by the International League Against Epilepsy (ILAE) and the International Bureau for Epilepsy (IBE) Epilepsia 2005; 46:470-2.
3. Liga Brasileira de Epilepsia. Sobre Epilepsia – Incidência. Disponível em: http://www.epilepsia.org.br/arquivos/site/index.php, 2014.
4. World Health Organization. Epilepsy: aetiology, epidemiology and prognosis. Disponível em: http://www.who.int/mediacentre/factsheets/fs999/en/, 2014.
5. Yacubian EMT. Epilepsias. In: Nitrini R, Bacheschi LA (eds). A Neurologia que Todo Médico Deve Saber. 2ª ed. São Paulo: Atheneu 2003; 235-56.
6. Ropper AH, Samuels MA. Epilepsy and other seizure disorders. In: Adams and Victor's Principles of Neurology. 9th ed. New York: McGraw-Hill 2009; 304-38.
7. Berg AT, Berkovic SF, Brodie MJ, et al. Revised terminology and concepts for organization of seizures and epilepsies: Report of the ILAE Commission on Classification and Terminology, 2005-2009. Epilepsia 2010; 51:676-85.
8. Engel J. Report of the ILAE Classification Core Group. Epilepsia 2006; 47:1558-68.
9. Devinsky O, Kelley K, Porter RJ, Theodore WH. Clinical and electroencephalographic features of simple partial seizures. Neurology 1988; 38:1347-52.
10. Theodore WH, Porter RJ, Kiffin Penry J. Complex partial seizures: Clinical characteristics and differential diagnosis. Neurology 1983; 33:1115.
11. Niaz FE, Abou-Khalil B, Fakhoury T. The generalized tonic-clonic seizure in partial versus generalized epilepsy: semiologic differences. Epilepsia 1999; 40:1664-6.
12. Holmes GL, McKeever M, Adamson M. Holmes, et al. Absence seizures in children: Clinical and electroencephalographic features. Annals of Neurology 1987; 21:268-73.
13. Durón RM, Medina MT, Martínez-Juárez IE, et al. Seizures of idiopathic generalized epilepsies. Epilepsia 2005; 46(Suppl 9):34-47.
14. Shulman MB. The frontal lobes, epilepsy, and behavior. Epilepsy and Behavior 2000; 1:384-95.
15. Gil-Nagel A, Risinger MW. Ictal semiology in hippocampal versus extrahippocampal temporal lobe epilepsy. Brain 1997; 120:183-92.
16. Maillard L, Vignal JP, Gavaret M, et al. Semiologic and electrophysiologic correlations in Temporal Lobe seizure subtypes. Epilepsia 2004; 45:1590-9.
17. Wieser HG for the International League Against Epilepsy Commission on Neurosurgery of Epilepsy. Mesial Temporal Lobe Epilepsy with Hippocampal Sclerosis. Epilepsia 2004; 45:695-714.
18. Kim DW, Lee SK, Yun CH, et al. Parietal Lobe Epilepsy: The Semiology, Yield of Diagnostic Workup, and Surgical Outcome. Epilepsia 2004; 45:641-9.
19. Shahwan A, Farrell M, Delanty N. Progressive myoclonic epilepsies: a review of genetic and therapeutic aspects. Lancet Neurology 2005; 4:239-48.
20. Uthman BM, Reich A. Progressive myoclonic epilepsies. Current Treatment Options in Neurology 2002; 4:3-17.

Transtornos do Movimento

9

Márcia Radanovic

As doenças neurológicas agrupadas sob a classificação de *transtornos do movimento* têm como característica comum o prejuízo no planejamento, controle ou execução do movimento. Dentro de seu espectro clínico, encontramos as ataxias, distonias, blefaroespasmo, alterações de marcha, doença de Huntington, doença de Parkinson, mioclonias, discinesias tardias, espasticidade, tremores, tiques e síndrome de Tourette.[1] Essas doenças compartilham como sítio neuroanatômico, em sua maior parte, o envolvimento primário dos *núcleos da base* e outras estruturas do tronco encefálico. Essas estruturas, das quais fazem parte o núcleo caudado, putâmen, núcleo *accumbens*, globo pálido, substância negra e núcleo subtalâmico são interconectadas, recebem aferências de várias regiões do córtex e projetam-se para as áreas dos lobos frontais e tronco encefálico relacionadas ao planejamento e execução do comportamento motor (Fig. 9.1). Além do aspecto motor, sabe-se que

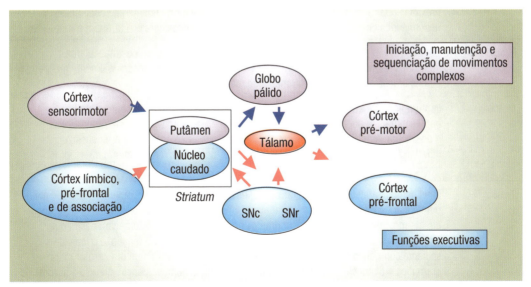

FIGURA 9.1. Circuitos frontoestriatais. Em amarelo: circuito motor; em verde: circuito cognitivo; SNc: substância negra *pars compacta*; SNr: substância negra *pars reticulata*.

os núcleos da base possuem um papel importante nas funções cognitivas, na modulação da motivação e no comportamento afetivo. A atividade dos núcleos da base, como grupo, é *inibitória* sobre as regiões para onde se projetam, e, portanto, o aumento de atividade nessas regiões produz um efeito de maior inibição sobre suas estruturas-alvo, e vice-versa.[2] Os principais neurotransmissores nesse grupo de células são o glutamato, acetilcolina, GABA, dopamina e serotonina.

Os sinais e sintomas das doenças dos núcleos da base incluem uma série de alterações dos movimentos, como o aparecimento de movimentos involuntários (tremor, coreia, distonia, atetose, balismos, mioclonias, tiques) (Tabela 9.1), prejuízo dos movimentos posturais, alterações do tônus muscular, dos movimentos automáticos (marcha, fala, deglutição, mastigação, respiração) e dos

TABELA 9.1. Movimentos involuntários e suas principais características clínicas

MOVIMENTO	CARACTERÍSTICAS CLÍNICAS
Tremor	Movimentos oscilatórios rítmicos produzidos pela alternância de contração de músculos agonistas e antagonistas. Podem ocorrer em repouso, durante a execução de um movimento voluntário ou manutenção de uma postura, e acometer membros, cabeça, tronco, língua e palato. A maior parte dos tremores patológicos tem uma frequência de 4 a 7 Hz
Coreia	Movimentos arrítmicos, rápidos e bruscos, que podem acometer vários segmentos do corpo; em geral, os pacientes tentam "camuflá-los" em movimentos voluntários (como cruzar as pernas, ou alisar o cabelo) para que sejam menos notados
Atetose	Movimentos lentos e sinuosos, muitas vezes de torção, que ocorrem quando o paciente tenta manter uma determinada posição. Mais frequentemente acometem dedos, mãos, face, língua e garganta, mas podem estar presentes em qualquer grupo muscular. Embora sejam mais lentos do que as coreias, muitas vezes é impossível distingui-los, empregando-se então o termo *coreoatetose*
Balismos	Movimentos abruptos e bruscos, como "de arremesso" que podem acometer a porção proximal, ou um membro inteiro. Em geral, ocorrem de forma unilateral, sendo então denominados hemibalismos. A associação com movimentos coreicos também é frequente
Mioclonias	Contrações rápidas, irregulares, assíncronas e assimétricas de grupos musculares. Indivíduos normais podem experimentar esse tipo de movimento ocasionalmente nas pernas ou nos braços quando estão adormecendo (como um "susto")
Distonia	Postura anormal que ocorre nos extremos (início e fim) de um movimento atetoide, onde acontece a co-contração dos músculos agonistas e antagonistas, o que provoca o posicionamento dos membros em torção e de forma não natural (hiperextensão ou hiperflexão de extremidades, flexão e retroflexão da cabeça, arqueamento e torção do tronco, dentre outros)
Tiques	Movimentos habituais, idiossincrásicos, estereotipados, repetitivos, rápidos, que podem se manifestar de diversas formas, como piscar, protruir o queixo, pigarrear, esticar o pescoço etc. Os movimentos podem ser suprimidos pelo indivíduo, mas recomeçam assim que o mesmo desvia sua atenção. Em geral, têm a função de aliviar a tensão, e o indivíduo se sente compelido a fazê-los. Em alguns casos, os tiques assumem um caráter mais dramático e disfuncional, podendo estar presente em algumas doenças como a síndrome de Gilles de la Tourette

Adaptado de Ropper e Samuels, 2009.[3,4]

movimentos voluntários. Essas estruturas podem ser acometidas por doenças degenerativas (como a doença de Parkinson), doenças vasculares (AVEs), traumatismos cranianos, infecções e intoxicações exógenas (como por monóxido de carbono).

PARKINSONISMO PRIMÁRIO E SECUNDÁRIO

Denomina-se *parkinsonismo* ou *síndrome parkinsoniana* ao conjunto de sinais e sintomas que decorrem de algumas lesões específicas dos núcleos da base, consistindo em bradicinesia, rigidez, tremor de repouso e instabilidade postural. Os sintomas de parkinsonismo decorrem da deficiência de dopamina no *neostriatum*, quer seja pela diminuição da síntese ou liberação de dopamina (pré-sináptica), bloqueio dos receptores de dopamina ou das células que contêm esses receptores (pós-sináptica). A Fig. 9.2 sumariza os principais eventos que levam aos sintomas parkinsonianos. O parkinsonismo pode ter várias causas, sendo então dividido em primário, secundário e parkinsonismo atípico (parkinsonismo-plus, síndrome parkinson-plus). O parkinsonismo primário ou idiopático corresponde à doença de Parkinson (DP). O parkinsonismo secundário é ocasionado por uma série de doenças que podem acometer os núcleos da base, levando a um quadro clínico semelhante ao da DP. Dentre os exemplos mais comuns, estão:

- Uso de drogas: neurolépticos (fenotiazinas, butirofenonas etc.), antivertiginosos da classe de bloqueadores de canais de cálcio (cinarizina, flunarizina), antieméticos (metoclopramida), dentre outros.
- Intoxicações exógenas: monóxido de carbono, MPTP (um subproduto da droga meperidina), metanol, pesticidas, herbicidas, manganês.
- AVE.
- TCE.

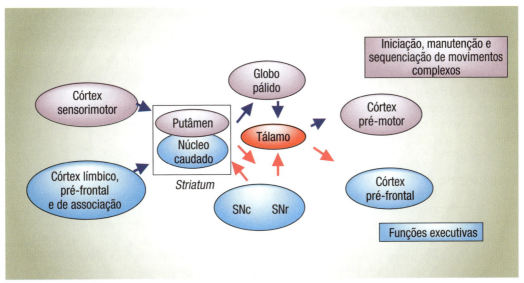

FIGURA 9.2. Aspectos neurobiológicos na DP: degeneração SNc medial – núcleo caudado leva a denervação dopaminérgica com consequente hiperatividade do GPi e SNr, ocasionando inibição do tálamo; a inibição talâmica leva a inibição cortical (acinesia) e tremor. A rigidez e alterações de marcha são secundárias à inibição da atividade do núcleo subtalâmico de Luys e suas projeções sobre núcleos do tronco encefálico (não mostrado na figura).

TABELA 9.2. Síndromes Parkinson-plus

Paralisia supranuclear progressiva
Atrofia de múltiplos sistemas: atrofia olivopontocerebelar, degeneração estriatonigral, síndrome de Shy-Drager
Degeneração corticobasal
Demência por corpos de Lewy

- Tumores de SNC.
- Hidrocefalia.
- Infecções de SNC: encefalites, AIDS, neurocisticercose.

Já o termo parkinsonismo-plus denota uma síndrome parkinsoniana em geral *rígido-acinética* (isto é, em que predominam a rigidez e a bradicinesia, sem tremor) acompanhada de alterações cerebelares, piramidais, autonômicas, de motricidade ocular extrínseca ou de neurônio motor inferior, que compõem, na sua forma completa, um amplo espectro de doenças neurológicas degenerativas (para mais detalhes, ver Capítulos 7 – *Demências* e 13 – *Doenças Degenerativas do Sistema Motor*) (Tabela 9.2).

DOENÇA DE PARKINSON

Definição e epidemiologia

A DP é uma das doenças neurológicas mais frequentes na população adulta, sendo a segunda doença neurodegenerativa mais prevalente, atrás apenas da doença de Alzheimer (DA). Sua prevalência é de 1 a 2% nos indivíduos acima de 60 anos; no Brasil, essa prevalência é estimada em 3,3%.[5] Os homens são mais afetados que as mulheres, numa proporção aproximada de 2:1.[6] A idade de início da doença na maior parte dos casos situa-se entre os 40 e 70 anos, com um pico de incidência na sexta década (em torno dos 55 anos), embora possa ocorrer antes disso nas formas familiares, e nas com componente genético. Do mesmo modo que ocorre para a DA, o aumento da expectativa da média de vida da população acarretará uma elevação substancial no número de indivíduos com DP nas próximas décadas.

Etiopatogenia

A DP é decorrente da degeneração de neurônios pigmentados dopaminérgicos na substância negra (em sua *pars compacta*) do mesencéfalo e em outras regiões do SNC. Esses neurônios projetam-se para o *neostriatum* (núcleo caudado e putâmen) e, portanto, sua perda acarreta deficiência da liberação de dopamina no *sistema nigroestriatal*. O sistema nigroestriatal está inserido na rede de controle do sistema motor (Fig. 9.2), e, desta forma, os principais sinais e sintomas da DP manifestam-se como transtornos do movimento. Na DP, ocorre degeneração em outras áreas do cérebro, como o *locus ceruleus* e núcleo dorsal do nervo vago. O exame neuropatológico na DP mostra a existência de inclusões citoplasmáticas eosinofílicas (avermelhadas na coloração por hematoxilina-eosina) denominadas corpos de Lewy, as quais são compostas por depósitos anormais das proteínas α-sinucleína e ubiquitina.

Fatores genéticos desempenham um papel no desenvolvimento da DP em aproximadamente 10% dos casos, predominando nas formas de início mais precoce. Nos últimos dez anos foram descritos vários genes e *loci* cromossômicos relacionados a diversas formas familiares de parkinsonismo, denominados PARK 1 a 13; cinco desses genes são autossômicos dominantes (PARK 1, 3, 5, 8 e 13), quatro são recessivos (PARK 2, 6, 7 e 9), um é ligado ao cromossomo X (PARK 12), e dois têm forma de transmissão desconhecida (PARK 10 e 11). Alterações em PARK 8 são as mais associadas à DP na sua forma clássica. Alterações em PARK 1 e PARK 2 (envolvendo, respectivamente, os genes das proteínas α-sinucleína, presente nos corpos de Lewy, e parkina, uma proteína cuja disfunção propicia a deposição de ubiquitina) são as mais frequentemente associadas com DP de início precoce (antes dos 50 anos de idade).[7]

Alguns fatores ambientais foram associados ao desenvolvimento da DP, como história familiar, trauma de crânio grave, ingestão de água de poço, exposição a MPTP (um subproduto da droga meperidina), pesticidas, herbicidas, monóxido de carbono, agentes industriais e metais pesados, atividades ocupacionais, como trabalho rural e em fábricas de celulose, e trauma físico ou emocional. Inversamente, a ingestão de cafeína, álcool (moderada), anti-inflamatórios não hormonais e uso de tabaco* parecem exercer um fator protetor contra a doença.[8]

Quadro clínico

O diagnóstico clínico da DP requer a presença de bradicinesia e um ou mais dos seguintes achados: rigidez muscular, tremor de repouso e instabilidade postural.

As alterações motoras da DP incluem:

- Rigidez ou hipertonia plástica: maior resistência ao movimento em todos os músculos, presente de forma uniforme e constante à tentativa de movimentação passiva dos membros. Ao exame, essa resistência é quebrada de forma periódica durante o deslocamento passivo do membro pelo examinador, gerando o "sinal da roda denteada" (impressão de estar "movendo uma engrenagem").
- Bradicinesia/acinesia/hipocinesia: a bradicinesia (ou oligocinesia) diz respeito à lentificação dos movimentos; acinesia e hipocinesia, à dificuldade de iniciar o movimento voluntário e diminuição do repertório de movimentos acessórios que costumam acompanhar os movimentos principais (por exemplo, cruzar as pernas, passar a mão nos cabelos, gesticular enquanto conversando). Pacientes com DP têm dificuldade em iniciar movimentos e lentidão na sua execução, dificuldade na mudança de um padrão de movimento para outro, hipomimia (diminuição da mímica de expressão facial), micrografia (diminuição do tamanho da letra ao escrever), diminuição dos movimentos de piscamento, diminuição do volume e melodia da voz (hipofonia).
- Tremor de repouso, em geral assimétrico (predominando em um dimídio), com frequência entre 4 e 6 Hz. Na sua forma mais típica (embora encontrado em apenas uma pequena proporção dos pacientes), configura o tremor de "contar dinheiro", em que ocorre a flexão e extensão do dedo indicador em contato com o polegar. Esse tremor melhora com a ação, piora quando o paciente está nervoso e desaparece durante o sono. Embora o tremor seja com frequência o primeiro sinal que leva o paciente a procurar o médico, rigidez e diminuição da movimentação já estão presentes quando este se inicia.
- Alterações posturais: postura fletida (flexão da coluna, e dos braços, graças ao padrão de rigidez muscular, que predomina nos músculos flexores); dificuldade de readaptação postural (instabilidade postural) decorrente da dificuldade de ajuste da postura pela anormalidade do controle da movimentação, que pode levar a quedas.

---
*Evidentemente este achado não significa que o tabagismo passe a ser recomendado, tendo em vista que os malefícios comprovadamente associados a este hábito superam em muito um questionável benefício na prevenção da DP.

Outras alterações frequentes na DP são:

- Episódios de "congelamento" (*freezing*): cessação abrupta dos movimentos, especialmente da marcha.
- Alterações da percepção visual: prejuízo no uso das informações visuais para guiar os movimentos, que se manifesta em dificuldade para ultrapassar bloqueios, tais como portas, padrões geométricos desenhados no chão, pessoas em pé próximas ao paciente etc. Todos esses estímulos podem interromper a movimentação do indivíduo.

Na DP, encontra-se a marcha de passos curtos ("marcha a pequenos passos"), com postura fletida, e pés arrastados, lentificada, redução da dissociação de cinturas (marcha em bloco), tendência a retropulsão com consequente anteriorização de tronco, não acompanhada do movimento natural de balanço dos braços. Muitas vezes, ocorre a festinação, ou seja, o paciente executa passos cada vez mais curtos e rápidos (o que gera perda de equilíbrio) e o *freezing* (descrito acima).

Alterações da deglutição (disfagia, muitas vezes com sialorreia), mastigação e disartria também são encontrados com frequência nos pacientes parkinsonianos.

Alterações cognitivas e comportamentais

Embora a descrição original de James Parkinson, de 1817, refira-se a uma doença em que "o intelecto encontra-se preservado", atualmente sabe-se que demência ocorre na DP numa proporção significativa dos casos. Apesar da grande variação nos dados da literatura a respeito da magnitude dessa frequência, estima-se que se situe em torno de 30 a 50%. São fatores que se correlacionam com a demência na DP a idade avançada, início tardio, gravidade dos sintomas motores, depressão, baixa tolerância ao tratamento com grande incidência de efeitos colaterais (especialmente sintomas psiquiátricos) e hipomimia como primeiro sinal. O desenvolvimento de quadro demencial na DP é um fator complicador da doença, implicando limitações no uso da medicação e aumento da taxa de mortalidade.

Pacientes com DP exibem comprometimento cognitivo, mesmo sem que se caracterize uma demência, em alta proporção (estimada em cerca de 93%). Apresentam dificuldades em testes de velocidade de processamento mental, atenção, funções executivas, abstração, habilidades visuoespaciais, memória de evocação e fluência verbal.

A demência na DP é do tipo subcortical (ver Capítulo 7 – *Demências*), e, portanto, caracterizada por disfunção executiva pronunciada, prejuízo precoce das habilidades visoespaciais, da atenção e alterações de memória.

Com relação à memória explícita, pacientes com DP têm prejuízo na evocação livre imediata e tardia, porém com *taxa de retenção normal após intervalo* (verbal e não verbal) (o que os diferencia dos pacientes com DA, por exemplo, em que a taxa de retenção, ou aprendizado, é baixa); a evocação com pistas e reconhecimento tardio são melhores do que a evocação livre, o que evidencia muito mais um prejuízo na estratégia da evocação em si (por exemplo: realizar agrupamento semântico para facilitar a rememoração de uma lista de palavras) do que na capacidade de armazenamento.

Pacientes com DP têm prejuízo da memória implícita (aprendizado de habilidades), uma função que depende da integridade do *striatum*. Esses pacientes apresentam melhor desempenho, por exemplo, realizando tarefas sob comando verbal do que por imitação. Seu desempenho é melhor em tarefas envolvendo pré-ativação (como provas de tempo de reação seriado, leitura em espelho etc.).

O déficit atencional engloba tanto a capacidade de direcionar quanto de manter a atenção. A disfunção executiva manifesta-se na forma de problemas no planejamento, seleção, iniciação e sequenciação de atos motores complexos, pouco aproveitamento da retroalimentação ambiental

TABELA 9.3. Diferenciação clínica entre DDP e DCL

CARACTERÍSTICA	DDP	DCL
Início da demência	No mínimo um ano após o aparecimento dos sinais motores	Menos de um ano após o aparecimento dos sinais motores
Acometimento motor	Assimétrico; tremor frequente	Simétrico; síndrome rígido-acinética mais frequente, com pouco tremor
Resposta a levodopa	Muito boa	Pobre

para modificar suas estratégias. A memória operacional visoespacial desses pacientes é prejudicada, e pacientes com DP apresentam déficits atencionais, sendo suscetíveis a distração, com pouco aproveitamento de monitorização de pistas ambientais para mudança de plano de ação.[9]

Com relação à linguagem, pacientes com DP apresentam redução da fluência verbal (semântica e fonêmica), que pode ser atribuída em sua maior parte à disfunção executiva, e prejuízo na compreensão sintática, que está relacionada ao prejuízo na memória operacional.

A demência na DP (DDP) deve ser diferenciada da demência com corpos de Lewy (DCL) (ver Capítulo 7 – *Demências*), o que pode ser difícil na prática, já que nas duas ocorre demência acompanhada de sinais parkinsonianos. Muitos autores acreditam que se trata na verdade de dois espectros da mesma doença: na DP inicialmente predominam as alterações degenerativas na região do tronco encefálico, para depois acometerem as regiões frontais, enquanto na DCL o processo patológico já seria mais disseminado desde o início da doença. Clinicamente a diferenciação se faz de acordo com alguns parâmetros (Tabela 9.3).

Depressão é frequente na DP, ocorrendo em cerca de 25 a 30% dos pacientes. Sintomas psicóticos, especialmente alucinações visuais (mas também auditivas e táteis) e ideias delirantes, acometem esses pacientes numa proporção ainda não bem determinada.

Alterações no sono REM também são encontradas comumente na DP, caracterizando-se por comportamentos (na forma de movimentos corporais) que prejudicam a continuidade do sono, muitas vezes adquirindo a forma de sonhos vívidos, em que o paciente se vê compelido a "atuar".[10] Tais comportamentos podem ser perigosos para o paciente ou seu companheiro, e requerem medidas de proteção, como colocar o colchão no chão, proteger a cama com almofadas, e retirar móveis do quarto. A dose de medicação antiparkinsoniana deve ser reduzida tanto quanto possível nestes casos.

Diagnóstico

O diagnóstico da DP é primariamente baseado no quadro clínico. O critério mais utilizado é o do Banco de Cérebro da Sociedade de Doença de Parkinson do Reino Unido (United Kingdom Parkinson's Disease Society Brain Bank Clinical Diagnostic Criteria).[11,12] Esses critérios diagnósticos têm como objetivo permitir a diferenciação entre a DP idiopática, outras formas de parkinsonismo secundário e síndromes parkinson-plus (Tabela 9.4).

Escalas de avaliação são utilizadas para quantificar a gravidade dos sintomas e acompanhar a evolução da doença. Uma das mais conhecidas é a escala de Hoehn & Yahr[13] (Tabela 9.5). No entanto, é uma escala simplificada, que quantifica apenas os aspectos motores da DP. A Escala Unificada para a Doença de Parkinson (Unified Parkinson's Disease Rating Scale – UPDRS),[14] por sua vez, é mais apropriada para o acompanhamento longitudinal dos pacientes, pois aborda os aspectos:

TABELA 9.4. Critérios para o diagnóstico de DP segundo o Banco de Cérebro da Sociedade de Doença de Parkinson do Reino Unido

Critérios de inclusão
- Bradicinesia (lentidão na iniciação do movimento voluntário com redução progressiva na velocidade e amplitude das ações repetitivas)
- E ao menos uma das seguintes características: rigidez muscular, tremor de repouso de 4-6 Hz, instabilidade postural não causada por disfunção visual, vestibular, cerebelar ou proprioceptiva

Critérios de exclusão
História de AVEs ou TCE de repetição, história de encefalite, crises oculógiras, uso de neurolépticos quando do início dos sintomas, mais de um familiar afetado, remissão prolongada, alterações unilaterais por mais de três anos, paralisia supranuclear, sinais cerebelares, disautonomia grave precoce, demência grave precoce, sinal de Babinski, presença de tumor cerebral ou hidrocefalia em exame de neuroimagem, resposta negativa a levodopa, exposição a MPTP

Critérios de suporte (três ou mais são necessários para o diagnósico de DP definida)
Início unilateral, presença de tremor de repouso, caráter progressivo, assimetria persistente (com predomínio no dimídio onde se iniciou a doença), resposta excelente a levodopa (70 a 100%), coreia induzida por levodopa grave, resposta a levodopa por cinco anos ou mais, curso clínico de 10 anos ou mais

TABELA 9.5. Escala de Hoehn & Yahr modificada

ESTÁGIO	DESCRIÇÃO
0	Sem sinais de doença
1	Envolvimento unilateral, sem prejuízo funcional
1,5	Envolvimento unilateral e axial
2	Envolvimento bilateral sem prejuízo do equilíbrio
2,5	Envolvimento bilateral, leve instabilidade postural, capaz de recuperação nos testes de reflexos posturais
3	Equilíbrio prejudicado; disfunção moderada
4	Alteração de marcha grave; ainda capaz de ficar em pé ou andar sem assistência
5	Incapaz de ficar em pé ou andar sem assistência

1) Estado Mental, Comportamento e Humor, 2) Atividades de vida diária e 3) Exame Motor. Em algumas seções, a avaliação é feita em membros superiores e inferiores, e nos dois dimídios (D e E) separadamente. A escala permite um total de 199 pontos, e quanto maior a pontuação, maior o grau de disfunção. Avalia também as complicações do uso da medicação.

Os exames de neuroimagem estrutural na DP são, em geral, normais pouco contribuindo para o diagnóstico clínico. Eventualmente, pode ocorrer atrofia cerebral difusa, ou do córtex frontal melhor vista na RM de crânio. Diminuição de volume da **pars** compacta da SN também pode ocorrer. A principal função dos exames de neuroimagem nesses casos é diagnosticar o parkinsonismo secundário ou síndrome parkinson-plus. A partir da década de 1990, passou a ser utilizada a técnica de neuroimagem molecular com radiotraçadores do transportador dopaminérgico (TDA), expressado seletivamente em neurônios dopaminérgicos, que podem ser utilizados em associação ao SPECT ou ao PET, gerando uma imagem de alta densidade de TDA onde os neurônios dopaminérgicos se encontram íntegros. Desta forma, pacientes com DP apresentarão baixa captação de TDA no *striatum*, que se correlaciona com a gravidade da doença.[15]

Tratamento

O tratamento clínico da DP tem como primeiro objetivo a reposição da dopamina que se encontra diminuída em virtude da depleção dos neurônios dopaminérgicos da substância negra. Esse objetivo pode ser atingido com o uso de drogas que aumentem a disponibilidade da dopamina que ainda é liberada pelos neurônios funcionantes: é o caso das drogas que bloqueiam a recaptação de dopamina liberada na fenda sináptica, como a amantadina, das drogas inibidoras da MAO**, como o selegiline, e das drogas inibidoras da COMT***, com o tolcapone. Outra forma de aumentar a ação da dopamina é pelo emprego de drogas que sejam agonistas dopaminérgicos, isto é, tenham a capacidade de se ligar aos receptores de dopamina "mimetizando" sua ação: é o caso da bromocriptina e pramipexol. E, por fim, a estratégia mais eficaz é a reposição direta de dopamina, pelo uso da levodopa, um precursor dopaminérgico que é metabolizado no organismo, transformando-se em dopamina. Embora a resposta dos pacientes à levodopa seja excelente, essa droga não deve ser usada indiscriminadamente logo no início da doença, ou em doses liberais, pois apresenta uma série de efeitos colaterais que acabam por se instalar após algum tempo de uso, como as discinesias tardias, que são movimentos coreicos induzidos pela droga, de tratamento extremamente difícil, e muitas vezes sem remissão.

Outra estratégia no tratamento da DP, particularmente útil para controle do tremor, é a redução da atividade da acetilcolina, é o uso de drogas anticolinérgicas, como o biperideno e o triexifenidil. O fundamento teórico para a utilização dessa classe de medicamentos na DP é o fato de que com a diminuição dos níveis de dopamina, ocorre um desequilíbrio da relação dopamina/acetilcolina, levando a uma relativa "hiperatividade colinérgica" no SNC, também implicada na disfunção motora. No entanto, drogas anticolinérgicas são utilizadas atualmente apenas em pacientes jovens, sendo, como regra, contraindicadas em idosos, pelo alto índice de efeitos colaterais (alucinações, delírios, confusão mental, alterações de ritmo cardíaco, retenção urinária, obstipação intestinal, e outros). Só devem ser utilizadas em casos especiais, com indicação precisa e sob rigorosa supervisão médica.

O tratamento cirúrgico da DP é reservado para os casos graves, em que o tratamento clínico não surte efeito, em virtude da própria gravidade da doença ou da intolerância do paciente aos efeitos colaterais da medicação. É realizado em cerca de 2% dos casos e consistem na técnica de estimulação cerebral profunda (um eletrodo é implantado no globo pálido, tálamo ou núcleo subtalâmico) e o próprio paciente aciona o mecanismo de estimulação que bloqueia o funcionamento das estruturas em que o eletrodo está localizado, aliviando os sintomas da doença. O implante de células de substância negra fetais está em estudo clínico há vários anos, com resultados promissores, mas embora haja o esperado aumento de produção de dopamina com melhora do quadro do paciente após o implante, os sintomas reaparecem após um período de tempo variável.

O tratamento dos sintomas comportamentais inclui o uso de antidepressivos, neurolépticos para os quadros psicóticos, e clonazepam para o transtorno comportamental do sono REM.

**MAO: monoamino oxidase.
***COMT: catecol-o-monoaminotransferase. Ambas são enzimas que degradam a dopamina, portanto sua inibição leva ao aumento da disponibilidade da dopamina nas sinapses.

A reabilitação na DP deve ser orientada para as alterações motoras e do equilíbrio, bem como para as alterações de voz e deglutição.

DOENÇA DE HUNTINGTON

A doença de Huntington (DH) é uma doença neurodegenerativa, hereditária, de herança autossômica dominante. Isso significa que a alteração não é ligada aos cromossomos sexuais X e Y (autossômica) e que basta o indivíduo ser portador de um gene (dominante) com a alteração para ter chance de desenvolver a doença. A probabilidade de um indivíduo com a doença transmiti-la para cada filho é de cerca de 50%, e, do mesmo modo, se um indivíduo tem um parente em primeiro grau (pai, mãe ou irmão) acometido, suas chances de ter o gene defeituoso também são de aproximadamente 50%. Foi descrita por George Huntington, um médico americano, em 1872.

A alteração genética localiza-se no braço curto do cromossomo 4,[16] e diz respeito ao aumento de uma cadeia de trinucleotídeos (segmento de três nucleotídeos de DNA), com a repetição das bases citosina-adenina-guanina (CAG), cujo resultado final é a produção de uma proteína, denominada *huntingtina* (cuja função ainda não é totalmente conhecida, embora se saiba que é necessária para um adequado desenvolvimento cerebral e para seu funcionamento normal) numa forma anômala. O número de repetições CAG no gene da huntingtina em um indivíduo normal é de até 27. Quando esse número de repetições alcança ou ultrapassa 40, a doença ocorre com 100% de chance; quando ocorrem entre 36 e 39 (ou 42, dependendo da fonte bibliográfica) repetições a chance do indivíduo desenvolver a doença torna-se menor, sobretudo se o indivíduo não tiver uma vida longa o suficiente para desenvolver a doença, mas essa mutação ainda pode ser transmitida para seus filhos. Quando ocorrem entre 27 e 35 repetições, o indivíduo não desenvolverá a doença (será apenas um portador), mas também poderá transmitir mutação mais longa à próxima geração.[17] Quanto maior o número de repetições CAG, mais precoce será o início da doença, e mais intenso o quadro demencial. Na DH, é bem conhecido o fenômeno da "antecipação", no qual cada geração acometida inicia o quadro em idades cada vez mais precoces, graças ao aumento do número de repetições CAG.[18,19]

A frequência geral de ocorrência da DH é estimada em 4 a 5 por milhão de habitantes, mas é bem maior em indivíduos caucasianos com ancestrais do noroeste da Europa, nesse caso chegando a 30 a 70 por milhão de habitantes,[19] e afeta igualmente ambos os gêneros.

A principal alteração neuropatológica que ocorre na DH é a degeneração de neurônios do núcleo caudado (sobretudo da cabeça) e putâmen bilateralmente (Fig. 9.3). Além disso, ocorre atrofia das regiões frontais e temporais. Também já foram descritas alterações degenerativas em outras estruturas subcorticais, como globo pálido, núcleo subtalâmico, cerebelo, substância negra (*pars reticulata*).

Não se sabe exatamente qual o mecanismo pelo qual a produção anômala de huntingtina leva aos sintomas da doença. Algumas hipóteses incluem um papel tóxico da huntingtina alterada para os neurônios, seja diretamente, seja pela indução do aumento da sensibilidade dos neurônios ao glutamato (um aminoácido potencialmente tóxico), ou pela indução de alterações na função das mitocôndrias das células.[20,21]

Quadro clínico

Em geral a DH inicia-se na quarta e quinta décadas de vida (30 a 50 anos). Em 5% dos casos, os sintomas podem aparecer antes dos 20 anos, configurando a *DH juvenil*. No entanto, pacientes que apresentem menos repetições CAG no gene mutante podem desenvolver a doença mais

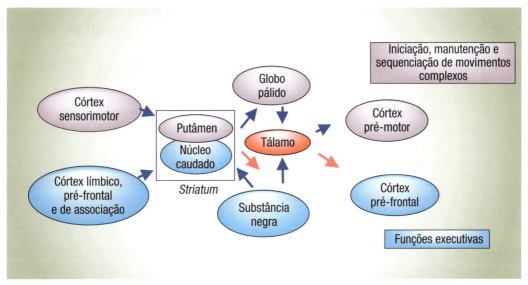

FIGURA 9.3. Alterações neurobiológicas na DH: degeneração da cabeça do núcleo caudado/putâmen – atrofia frontal/generalizada.

tardiamente (55-60 anos de idade), o que ocorre também em cerca de 5% dos casos. Suas principais características clínicas são o desenvolvimento de demência do tipo subcortical, alterações de comportamento (alterações de personalidade, psicose, depressão, transtornos de ansiedade), aparecimento de movimentos involuntários (coreia, atetose, distonia). Esse grupo de sintomas pode aparecer em qualquer ordem. Muitas vezes, pacientes com DH são acompanhados em serviços de Psiquiatria em decorrência das alterações psiquiátricas, até que apareçam as desordens de movimento que apontam para uma doença neurológica.

Dentre os movimentos involuntários, a coreia é o mais frequente, mas atetose e distonia também podem ocorrer como manifestação exclusiva, ou acompanhando a coreia. Geralmente, inicia-se como uma dificuldade em realizar movimentos finos de dedos e mãos, e uma incapacidade em manter os membros em repouso (como se o paciente estivesse "nervoso" ou "agitado"), que progressivamente evolui para movimentos coréicos bem definidos. Inicialmente, muitos pacientes tentam controlar ou "embutir" esses movimentos involuntários em movimentos com algum propósito, como cruzar as pernas, ajeitar objetos, alisar os cabelos etc., a fim de disfarçá-los. Os movimentos coréicos tornam-se cada vez mais pronunciados, e nos estágios mais avançados os pacientes não conseguem passar mais do que alguns segundos com um determinado membro em repouso. Disartria e "fala explosiva" são achados frequentes na DH, devido à incoordenação entre os músculos da língua e o diafragma. Nos pacientes que desenvolvem a doença em uma idade mais avançada, podem aparecer apenas movimentos discinéticos de boca e língua, que lembram a discinesia tardia induzida pelo uso de drogas, como neurolépticos. Disfagia também pode ocorrer.

Alterações de motricidade ocular também acontecem na DH: os movimentos de seguimento e sacádicos têm latência aumentada, e são mais lentos que o usual. Também é frequente que os pacientes não consigam realizar um movimento sacádico apenas com os olhos, sem movimentar a cabeça concomitantemente. Com o progredir da doença, surgem dificuldades para realização do olhar conjugado vertical para cima. Nesses pacientes, há aumento na frequência de piscamento (ao contrário do que ocorre na DP).

O padrão das alterações cognitivas, compondo uma demência subcortical, é muito semelhante ao da DP, ocorrendo disfunção executiva, padrão de acometimento de memória semelhante, e dificuldades visoespaciais precoces (ver antes – demência na DP). A memória visual é mais afetada do que a verbal. As dificuldades visoespaciais são precoces e independentes da função motora anormal, podendo afetar o desempenho em testes, como nomeação de figuras.

Com relação à linguagem, pacientes com DH apresentam anomia, diminuição da fluência verbal (semântica e fonêmica) e redução da complexidade sintática (na compreensão e produção). Esses déficits decorrem da disfunção executiva, da dificuldade em iniciar processos de recuperação da memória, e do prejuízo da memória operacional.[22]

O curso da doença é progressivo e, após cerca de 10 a 15 anos, os pacientes encontram-se com grande limitação motora pela intensificação dos movimentos involuntários, e apresentam demência grave. A evolução final é para estado vegetativo persistente, com as complicações clínicas associadas.

Diagnóstico

O diagnóstico da DH raramente provoca alguma dificuldade quando o paciente apresenta o quadro clínico completo. Dúvidas podem surgir quando o paciente não tem história familiar, ou quando se apresenta apenas um quadro de coreia, sem alterações de personalidade ou cognição, especialmente em pacientes mais idosos. Folstein e cols. (1986)[23] estabeleceram os seguintes critérios para o diagnóstico da DH:

- DH definida: presença de coreia ou alteração característica do movimento voluntário não presente ao nascimento, insidiosa e progressiva, com história familiar positiva (pelo menos um outro familiar acometido com sintomas típicos da DH). Demência e sintomas psiquiátricos, embora quase sempre presentes, não são suficientes isoladamente para o diagnóstico.
- DH provável: presença das mesmas características clínicas descritas acima, mas sem possibilidade de obtenção da história familiar, devido a adoção ou paternidade desconhecida.
- DH possível: quadro clínico típico, mas sem história familiar, a despeito de investigação genealógica adequada.

No entanto, o exame de DNA para pesquisa da mutação no gene da huntingtina, pelo teste de PCR (reação em cadeia de polimerase), que permite especificar o número de repetições CAG presentes, pode facilmente confirmar ou excluir o diagnóstico.

Os exames de neuroimagem, como TC ou RM de crânio, mostram a característica atrofia da cabeça dos núcleos caudados, fazendo com que as paredes dos cornos frontais dos ventrículos se tornem retas, ou mesmo côncavas.[24] Há também dilatação dos ventrículos e algum grau de atrofia cortical nas regiões frontais e temporais. Estudos de neuroimagem funcional, como PET, podem mostrar hipometabolismo na região do núcleo caudado, putâmen e globo pálido, mesmo antes de aparecerem as alterações estruturais já descritas.[25]

Forma de Westphal

É uma forma variante da DH, com início na infância, em que o quadro de deterioração mental é bastante grave, e o quadro motor quase sempre se apresenta sob a forma de ataxia cerebelar, bradicinesia, rigidez (lembrando a DP), distonia, problemas de comportamento e crises convulsivas.[26] Essa variante rígida pode ocasionalmente acometer indivíduos adultos, mas nesse caso ocorre uma mutação diferente da descrita antes, denominada HDL2 (*Huntington disease-like-2*), associada a uma expansão dos nucleotídeos CATCG no cromossomo 3.[27]

Escalas de avaliação

A escala mais conhecida e aplicada para avaliação e acompanhamento de pacientes com DH, tanto na prática clínica quanto em pesquisa, é a *Escala Unificada para Avaliação da Doença de Huntington* (*Unified Huntington Disease Rating Scale* – UHDRS), formada pelos seguintes componentes: avaliação da função motora, função cognitiva e alterações de comportamento, escala de independência e avaliação da capacidade funcional. Essa escala foi desenvolvida pelo Huntington Study Group (1996)[28] e validada para a população brasileira por Tumas e cols.[29] A Tabela 9.6 ilustra parte dessa escala.

Tratamento

Não existe tratamento que modifique a história natural da doença. O tratamento disponível atualmente visa apenas o alívio dos sintomas. A coreia é tratada com o uso de antagonistas dopaminérgicos (drogas que diminuem a ação da dopamina), como o haloperidol, a tetrabenazina e a reserpina. Para os quadros de depressão, são indicados preferencialmente os antidepressivos da classe dos inibidores seletivos da recaptação de serotonina, como a sertralina e a fluoxetina. As manifestações psicóticas são tratadas com drogas neurolépticas, como o próprio haloperidol ou clozapina. A forma juvenil, ou rígida, da doença é tratada com drogas antiparkinsonianas.

Estudos envolvendo o transplante de células fetais têm demonstrado resultados ainda modestos, pois as células transplantadas passam a sofrer o mesmo tipo de degeneração típico da doença após algum tempo, de modo que a melhora experimentada pelos pacientes é pequena e transitória.

Como na DP, os esforços de reabilitação devem ser orientados para as dificuldades motoras, de fala e deglutição.

Aconselhamento genético

Pacientes com DH, ou que tenham familiares acometidos devem ser informados sobre os riscos de transmissão da doença para seus descendentes. Por tratar-se de doença para a qual não existe nenhuma forma de prevenção ou tratamento, a realização do teste genético em indivíduos assintomáticos que possuam familiares acometidos é objeto de discussões éticas. A decisão, embora seja individual, deve idealmente ser precedida de sessões de aconselhamento em centros especializados na doença, para que o indivíduo possa compreender exatamente as implicações de conhecer seu estado genético, já que o teste não pode prever a idade de aparecimento da doença, ou seu padrão de evolução. Na maior parte dos centros, o teste só é realizado em indivíduos maiores de 21 anos.

DOENÇA DE WILSON

A doença de Wilson (DW), também denominada degeneração hepatolenticular, é uma doença genética rara, em que ocorre deposição de cobre primariamente no cérebro e fígado, além de outros órgãos, causando sintomas devido à toxicidade do acúmulo dessa substância nas células. Sua frequência é estimada em cerca de 30 por milhão de pessoas. Embora rara, a importância de seu reconhecimento deve-se ao fato de ser uma doença tratável quando adequadamente diagnosticada.

O modo de transmissão é a herança autossômica recessiva, ou seja, o indivíduo necessita ter um par de genes acometido para desenvolver a doença (homozigoto), isto é, precisa receber o gene anormal do pai e da mãe. Caso o indivíduo tenha apenas um gene acometido (heterozigoto), será apenas um portador, não desenvolvendo a doença, mas podendo transmiti-la ao ter filhos

TABELA 9.6. Escala Unificada para Avaliação da Doença de Huntington (UHDRS) Avaliação Motora e Cognitiva

AVALIAÇÃO MOTORA	
1. Seguimento ocular	0 completo (normal) 1 movimento com abalos 2 seguimento com interrupções/amplitude completa 3 amplitude incompleta 4 incapaz de perseguir
2. Início do movimento sacádico	0 normal 1 somente aumento na latência 2 piscamentos suprimíveis ou movimentos de cabeça ao iniciar o movimento 3 movimentos de cabeça não suprimíveis 4 não consegue iniciar os movimentos sacádicos
3. Velocidade do movimento sacádico	0 normal 1 leve lentificação 2 moderada lentificação 3 grave lentificação, amplitude normal 4 amplitude incompleta
4. Disartria	0 normal 1 fala pouco clara, mas não precisa repetir 2 precisa repetir para ser compreendido 3 a maior parte da fala é incompreensível 4 mudo
5. Protrusão da língua	0 pode protruir a língua completamente por 10 s 1 não pode protruir a língua completamente por 10 s 2 não pode protruir a língua completamente por 5 s 3 incapaz de protruir a língua completamente 4 não pode protruir a língua além dos lábios
6. Batida dos dedos MSD MSE	0 normal ($\geq$ 15/ 5 s) 1 leve lentificação ou redução na amplitude (11-14/5 s) 2 moderada lentificação, fadiga precoce nítida, pode ter interrupções ocasionais dos movimentos (7-10/5 s) 3 acentuada, lentificação, frequentes hesitações em iniciar os movimentos ou interrupções (3-6/5 s) 4 executa a tarefa com muita dificuldade (0-2/5 s)
7. Pronação e supinação das mãos MSD MSE	0 normal 1 leve lentificação ou movimentos irregulares 2 moderada lentificação e movimentos irregulares 3 acentuada lentificação e movimentos irregulares 4 não consegue executar a tarefa
8. Sequência de Luria	0 $\geq$ 4/10 segundos, sem pista 1 < 4/10 segundos, sem pista 2 $\geq$ 4/10 segundos, com pista 3 < 4/10 segundos, com pista 4 não consegue executar

TABELA 9.6. Escala Unificada para Avaliação da Doença de Huntington (UHDRS) Avaliação Motora e Cognitiva (cont.)

AVALIAÇÃO MOTORA (cont.)

9. Rigidez MSD MSE	0 ausente 1 leve ou presente apenas após ativação 2 leve a moderada 3 acentuada, consegue-se toda amplitude do movimento 4 grave, com limitação na amplitude completa do movimento
10. Bradicinesia corporal	0 normal 1 leve lentidão (normal?) 2 leve lentidão, mas claramente anormal 3 moderada lentidão, alguma hesitação 4 acentuada lentidão, evidentes atrasos na iniciação
11. Distonia TRONCO MSD MSE MID MIE	0 normal 1 leve/intermitente 2 leve/constante ou moderada/intermitente 3 moderada/comum 4 acentuada/prolongada
12. Coreia FACE BOCA TRONCO MSD MSE MID MIE	0 normal 1 leve/intermitente 2 leve/constante ou moderada/intermitente 3 moderada/comum 4 acentuada/prolongada
13. Marcha	0 marcha normal, base estreita 1 base alargada e/ou lenta 2 base alargada e anda com dificuldade 3 anda somente com auxílio 4 não consegue andar
14. Marcha pé-ante-pé	0 normal por 10 passos 1 1 a 3 desvios da linha 2 > 3 desvios 3 não consegue completar o percurso 4 não consegue iniciar
15. Estabilidade postural	0 normal 1 recupera-se espontaneamente 2 pode cair se não for amparado 3 tende a cair espontaneamente 4 não consegue ficar em pé

AVALIAÇÃO COGNITIVA

Teste de Fluência Verbal[30]
Teste de Modalidade de Dígitos[31]
Teste de Interferência de Stroop[32]

com outro portador. A mutação que causa a DW ocorre no braço longo do cromossomo 13, em um gene denominado ATP7B ou "gene da DW", que codifica a produção de uma proteína presente nas células hepáticas e que está relacionada ao transporte de cobre a ser excretado pela bile.[33,34] A proteína defeituosa gerada pelo gene mutante leva a uma diminuição da excreção de cobre através da bile, o que leva a sua deposição nas células hepáticas, com consequente lesão do fígado. Posteriormente, o excesso de cobre passa a ser liberado na corrente sanguínea, levando a sua deposição em vários órgãos, como cérebro, rins e córnea.

Quadro clínico

A DW pode se iniciar sob a forma neurológica (40% dos casos), hepática (40%) e psiquiátrica (20%). A idade mais típica para início dos sintomas é na segunda e terceira décadas de vida (em média, ao redor dos 15 anos de idade). A forma hepática é mais comum em crianças e adultos jovens, podendo ocorrer hepatite, cirrose e falência hepática.[35]

O quadro neurológico pode ocorrer em três síndromes distintas: a) síndrome parkinsoniana; b) distonia generalizada; c) tremor de ação com ataxia e disartria. Em geral, o quadro se inicia com tremor em um dos membros ou cabeça, acompanhado de bradicinesia; pode também ocorrer acometimento dos músculos orofaciais, faringe e laringe, levando a disartria, disfagia, sialorreia e disfonia. Com a evolução da doença, ocorre progressão do quadro de bradicinesia e rigidez, levando a postura em flexão dos membros e rigidez da musculatura facial, com a boca constantemente aberta. Outras manifestações presentes são alterações da motricidade ocular (lentificação dos movimentos sacádicos e do olhar conjugado vertical para cima), distonia, coreia, incoordenação e espasticidade. Com a evolução da doença, os pacientes tornam-se restritos ao leito, e, nas fases terminais, podem estar conscientes, porém incapazes de falar ou movimentar-se, pela extrema rigidez e exacerbação da distonia. Deterioração mental pode acontecer em graus variados.[18]

Os sintomas psiquiátricos podem ser o quadro dominante ou preceder os sintomas neurológicos. Suas manifestações incluem ansiedade, fobias, comportamento compulsivo, depressão e comportamento antisocial. Em crianças, pode haver dificuldades de aprendizado, alterações de comportamento e prejuízo da coordenação motora.

Nos pacientes que apresentam manifestações neurológicas, costuma estar presente o "anel de Kayser-Fleischer", que corresponde ao acúmulo de cobre na camada mais profunda das córneas (membrana de Descemet).

Diagnóstico

O diagnóstico da DW baseia-se na combinação dos achados clínicos e exames laboratoriais. Os últimos incluem níveis baixos de cobre e de ceruloplasmina**** no sangue, aumento da excreção urinária de cobre (já que este está livre no sangue), e aumento de cobre nas células hepáticas (detectado pela realização de biopsia de fígado).

A RM de crânio mostra aumento de sinal em T2 na região do núcleo caudado, putâmen, tálamo, mesencéfalo, substância cinzenta periaquedutal, tegmento da ponte e núcleo denteado do cerebelo.[36]

O teste genético para identificar mutações no gene ATP7B pode ser realizado para confirmar o diagnóstico dos indivíduos afetados, para rastrear os parentes de primeiro grau assintomáticos ou pré-sintomáticos, e para identificar os portadores do gene.

****Proteína plasmática que transporta o cobre na corrente sanguínea.

Tratamento

O tratamento da DW baseia-se na diminuição da ingestão e aumento da excreção do cobre. A redução da ingestão é feita evitando-se o consumo de alimentos ricos em cobre, como chocolate, nozes, frutos do mar, cogumelos. O aumento da excreção é realizado pela administração de drogas "quelantes" do cobre, como a D-penicilamina, trientene (que aumentam a excreção urinária do cobre), e acetato ou sulfato de zinco, que impede a absorção do cobre pelo trato gastrointestinal. Em geral, os compostos de zinco são usados como tratamento de manutenção, após a normalização dos parâmetros clínicos. O tratamento será mantido durante toda a vida do paciente. Nos casos em que ocorre falência hepática total, a realização do transplante de fígado corrige o defeito metabólico, e muitos pacientes apresentam melhora do quadro neurológico e psiquiátrico.[37]

O rastreamento da doença, pela realização dos exames sanguíneos específicos, deve ser feito em todos os parentes de primeiro grau do indivíduo afetado, a fim de que o tratamento possa ser instituído antes da manifestação dos sintomas.

DISTONIAS FOCAIS

Movimentos distônicos podem fazer parte do quadro clínico de várias doenças neurológicas, ou exposição a drogas neurolépticas e, neste caso, podem ser focais ou generalizadas. A fisiopatologia das distonias ainda não está totalmente esclarecida, estando anatomicamente relacionada a lesões no *striatum*. Algumas formas de distonia representam entidades clínicas isoladas; descreveremos a seguir três das formas mais frequentes de distonia focal: o torcicolo espasmódico, o blefaroespasmo e a câimbra do escrivão.

- *Torcicolo espasmódico:* trata-se de uma forma específica de distonia restrita, localizada nos músculos do pescoço. Essa forma de distonia costuma acometer indivíduos adultos, com pico de incidência na quinta década de vida, sendo um pouco mais frequente em mulheres. Os músculos mãos acometidos são o esternocleidomastoideo, elevador da escápula e trapézio. O quadro é variável, mas progressivo, muitas vezes manifestando-se como uma leve inclinação ou torção do pescoço, ou assumindo um caráter espasmódico, que pode levar a fixação da cabeça na mesma posição, com hipertrofia dos músculos afetados, dor, e artropatia cervical secundária. A distonia tende a piorar quando o paciente fica em pé ou anda, e melhora pelo estímulo tátil, como exercer uma leve pressão sobre o queixo, o pescoço, diretamente sobre a musculatura afetada ou contralateralmente. Na maior parte dos casos, o torcicolo espasmódico é idiopático, mas em alguns pacientes está associado a uma mutação no gene DYT1 (localizado no cromossomo 9) relacionada a uma proteína denominada torsina A, cuja função ainda não é bem conhecida;[7]
- *Blefaroespasmo:* manifesta-se como um espasmo tônico persistente das pálpebras, que impede o paciente de manter os olhos abertos. Os músculos acometidos são os orbiculares dos olhos. Em geral, a doença se manifesta em adultos, com predominância em mulheres. Pode aparecer isoladamente, ou em associação com espasmos oromandibulares e torcicolo espasmódico;
- *Câimbra do escrivão:* nessa forma de distonia, os pacientes apresentam espasmos e rigidez em todos os músculos do polegar e dedos da mão quando tenta escrever. Em alguns casos, os espasmos são dolorosos e podem se propagar para o antebraço, braço, e até mesmo ombro. Os espasmos cessam assim que o indivíduo para de escrever. A câimbra do escrivão incide igualmente em homens e mulheres, iniciando-se na idade adulta (em geral, entre os 20 e 50 anos). Quadros análogos podem ser observados em pacientes que apresentam outros tipos de habilidades motoras muito refinadas, como pianistas ("câimbra dos músicos", ou "ocupacional").[4]

Todas essas formas de distonia focais são tratadas com a aplicação periódica de toxina botulínica na musculatura afetada.

TREMOR ESSENCIAL

Um certo grau de tremor, denominado *fisiológico*, está presente em todo tipo de ato motor em indivíduos normais; esse tremor possui uma frequência de 8 a 13 Hz, e ocorre durante todo o período em que o indivíduo está acordado, e mesmo em certas fases do sono. Em geral, só pode ser percebido quando o indivíduo mantém os dedos firmemente esticados por um certo período de tempo. Esse tremor pode ser exacerbado por qualquer mecanismo que leve a aumento da atividade β-adrenérgica com aumento da liberação de catecolaminas, como medo, ansiedade e atividade física intensa, transtornos metabólicos (hipertireodismo, hipoglicemia), e efeito de algumas drogas, como ácido nicotínico, xantinas (café, chá, aminofilina), corticosteroides e lítio.

O tremor essencial (ou familiar), por sua vez, é o tipo mais frequente de tremor patológico, ocorrendo em indivíduos que não apresentam nenhuma outra anormalidade neurológica. Sua prevalência estimada é de 415/100.000 pessoas acima de 40 anos,[38] afetando os dois sexos igualmente. O modo de transmissão genética é do tipo autossômico dominante, com dois picos de incidência: o final da segunda década de vida, ou após os 35 anos de idade. É um tremor de frequência mais baixa (4 a 8 Hz) e acomete inicialmente membros superiores bilateralmente, podendo ficar restrito a estes. No entanto, muitas vezes passa a acometer a cabeça (provocando movimentos horizontais ou verticais), e a musculatura da mandíbula, lábios, língua e laringe. Os membros inferiores raramente são afetados. Esse tremor, embora benigno em sua natureza, pode ser bastante constrangedor para seus portadores, e muitas vezes provocar algum grau de disfuncionalidade. Fatores de piora são ansiedade, fadiga e exercício físico intenso, e em 75% dos casos, a ingestão de álcool leva à diminuição do tremor (o que também ocorre com o tremor fisiológico). O tratamento de escolha consiste no uso de drogas β-bloqueadoras (propranolol). Primidona e clonazepam também são usados nos casos não responsivos a β-bloqueadores, quando estes são contraindicados (como nos indivíduos asmáticos), ou nos que não toleram seus efeitos colaterais. Casos mais graves e que não respondem bem às drogas citadas podem ser tratados com aplicações de toxina botulínica na musculatura afetada.[4]

Referências bibliográficas

1. The Movement Disorders Society, 2008. Disponível em: http://www.movementdisorders.org, 2010.
2. Mink JW. Movement disorders/Basal ganglia. In: American Academy of Neurology 59th Meeting Syllabi. Boston, 2007.
3. Ropper AH, Samuels MA. Abnormalities of movement and posture due to disease of the basal ganglia. In: Adams and Victor's Principles of Neurology. 9th. ed. New York: McGraw-Hill 2009; 61-77.
4. Ropper AH, Samuels MA. Tremor, myoclonus, focal dystonias, and tics. In: Adams and Victor's Principles of Neurology. 9th ed. New York: McGraw-Hill 2009; 89-110.
5. Barbosa MT, Caramelli P, Maia DP, et al. Parkinsonism and Parkinson's disease in the elderly: a community-based survey in Brazil (the Bambuí study). Movement Disorders 2006; 21:800-8.
6. Van den Eeden SK, Tanner CM, Bernstein AL, et al. Incidence of Parkinson's disease: variation by age, gender, and race/ethnicity. American Journal of Epidemiology 2003; 157:1015-22.
7. Klein, C. Genetics in Neurology: Movement disorders. In: American Academy of Neurology 59th Meeting Syllabi. Boston, 2007.
8. Klein, C. Parkinson's and movement disorders update: etiology of Parkinson's disease. In: American Academy of Neurology 59th Meeting Syllabi. Boston, 2007.
9. Jacobs DM, Levy G, Marder K. Dementia in Parkinson's disease, Huntington's disease, and related disorders. In: Feinberg TE, Farah MJ (eds.) Behavioral Neurology & Neuropsychology. 2nd ed. New York: McGraw-Hill 2003; 593-607.

10. Miyasaki JM. Non-motor complications of Parkinson's disease. In: American Academy of Neurology 59th Meeting Syllabi. Boston, 2007.
11. Hughes AJ, Daniel SE, Kilford L, Lees AJ. Accuracy of clinical diagnosis of idiopathic Parkinson's disease: a clinico-pathological study of 100 cases. Journal of Neurology, Neurosurgery and Psychiatry 1992; 55:181-4.
12. Hughes AJ, Daniel SE, Ben-Shlomo Y, Lees AJ. The accuracy of diagnosis of parkinsonian syndromes in a specialist movement disorder service. Brain 2002; 125:861-70.
13. Hoehn MM, Yahr MD. Parkinsonism: onset, progression and mortality. Neurology 1967; 17:427-42.
14. Fahn S, Elton R, and Members of the UPDRS Development Committee. Unified Parkinson's Disease Rating Scale In: Fahn S, Marsden CD, Calne DB, Goldstein M (eds). Recent Developments in Parkinson's Disease, Vol 2. Florham Park, NJ, Macmillan Health Care Information 1987; 153-63.
15. Stoess AJ. Neuroimaging in Parkinson's disease. Neurotherapeutics 2011;8:72-81.
16. Gusella JF, Wender NS, Conneally PM, et al. A polymorphic DNA marker genetically linked to Huntinton's disease. Nature 1983; 306:234-8.
17. The American College of Medical Genetics/American Society of Human Genetics Huntington Disease Genetic Testing Working Group – ACMG/ASHG statement. Laboratory guidelines for Huntington's disease genetic testing. American Journal of Human Genetics 1998; 62:1243-47.
18. THDCRG – The Huntington's Disease Collaborative Research Group: A novel containing a trinucleotide repeat that is expanded and unstable on Huntington's disease chromosomes. Cell 1993; 72:971-83.
19. Ropper AH, Samuels, MA. Degenerative diseases of the nervous system. In: Adams and Victor`s Principles of Neurology. 9th ed. New York: McGraw-Hill 2009; 1027-31.
20. Bates G. Huntingtin aggreagation and toxicity in Huntington's disease. Lancet 2003; 361:1642-4.
21. Greenamyre JT. Huntington's disease-making connections. New England Journal of Medicine 2007; 356:518-20.
22. Azambuja MJ, Radanovic M, Haddad MS, et al. Language impairment in Huntington's disease. Arquivos de Neuropsiquiatria 2012;70:410-5.
23. Folstein SE, Leigh RJ, Parhad IM, Folstein MF. The diagnosis of Huntington's disease. Neurology 1986; 36:1279-83.
24. Lee HW, Nagae LM. Demências, Doenças Degenerativas e Envelhecimento Cerebral. In: Leite CC, Amaro Jr E, Lucato LT (eds). Neurorradiologia – Diagnóstico por imagem das alterações encefálicas. Rio de Janeiro, Guanabara-Koogan 2008; 452-92.
25. Hayden MR, Martin WRW, Stoessi AJ, et al. Positron emission tomography in the early diagnosis of Huntington's disease. Neurology 1986; 36:888-94.
26. Byers RK, Gilles PH, Fung C. Huntington's disease in children: Neuropathological study of four cases. Neurology 1973; 23:561-9.
27. Margolis RL, O'Hearn E, Rosenblatt A, et al. A disorder similar to Huntington's disease is associated with a novel CAG repeat expansion. Annals of Neurology 2001; 50:373-80.
28. Huntington Study Group (Kieburtz K, primary author). The Unified Huntington's Disease Rating Scale: Reliability and Consistency. Movement Disorders 1996; 11:136-42.
29. Tumas V, Camargos ST, Jalali PS, Galesso AP, Marques Jr W. Internal Consistency of a Brazilian Version of the Unified Huntington's Disease Rating Scale. Arquivos de Neuropsiquiatria 2004; 62:977-82.
30. Benton AL, Hamsher KS. Multilingual aphasia examination manual. Iowa City, University of Iowa, 1978.
31. Smith A. Symbol Digit Modalities Test (SDMT) revised. Los Angeles, Western Psychological Services, 1982.
32. Stroop JR. Studies of interference in serial verbal reactions. Journal of Experimental Psychology 1935; 18:643-62.
33. Bull PC, Thomas GR, Rommens JM, Forbes JR, Cox DW. The Wilson disease gene is a putative copper transporting P-type ATPase similar to the Menkes gene. Nature Genetics 1993; 5:327-37.
34. Yamaguchi Y, Heiny ME, Gitlin JD. Isolation and characterization of a human liver cDNA as a candidate gene for Wilson disease. Biochemical & Biophysical Research Communications 1993; 197:271-7.
35. Kumar N. Copper and neurological disease. In: American Academy of Neurology 59th Meeting Syllabi. Boston, 2007.
36. Saatci I, Topcu M, Baltaoglu FF, et al. Cranial MR findings in Wilson's disease. Acta Radiologica 1997; 38:250-8.
37. Stracciari A, Tempestini A, Borghi A, Guarino M. Effect of liver transplantation on neurological manifestations in Wilson disease. Archives of Neurology 2000; 57:384-6.
38. Haerer AH, Anderson DW, Scoenberg BS. Prevalence of essential tremor: Results from the Copiah County Study. Archives of Neurology 1982; 39:750-1.

Infecções do Sistema Nervoso Central

10

Márcia Radanovic

Definimos como infecção de sistema nervoso central (SNC) aquela que acomete o parênquima cerebral e/ou seus envoltórios (as meninges). Desse modo, denominamos *meningites* às infecções das meninges e do espaço subaracnoide, e *encefalites* às infecções do parênquima cerebral (encéfalo) (Fig. 10.1). No entanto, é muito comum ocorrer a infecção de ambos, o que se denomina *meningoencefalite*.

As infecções de SNC podem ter diversos agentes etiológicos, como vírus, bactérias, fungos e parasitas. Sua gravidade e o potencial de provocar sequelas são variáveis, e dependem, dentre outros fatores, da virulência do agente etiológico e do estado imunológico do hospedeiro. Assim, temos um espectro que pode variar de uma meningite viral benigna que se resolve espontaneamente em alguns dias, até encefalites graves com altas taxas de mortalidade e altos índices de sequelas incapacitantes, a despeito do diagnóstico preciso e tratamento adequado.

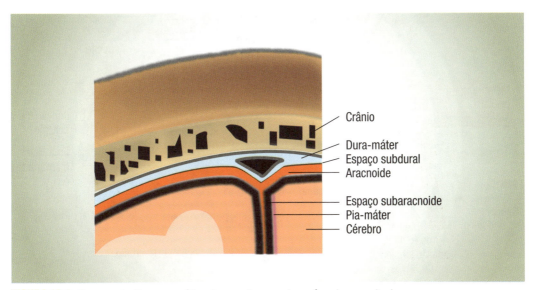

FIGURA 10.1. Representação esquemática das meninges e do parênquima cerebral.

Na fisiopatologia das infecções de SNC, os principais fatores que levam a lesão do tecido cerebral são:

- A liberação de toxinas pelo agente infeccioso, que prejudica o metabolismo neuronal, levando a apoptose (morte celular).
- A intensidade do processo inflamatório desencadeado pelo agente infeccioso, que provoca edema difuso.
- Acometimento de vasos (veias ou artérias), provocando *vasculite*. A *arterite* pode levar a infarto cerebral, e a infecção das veias ou seios venosos cereberais pode levar a *trombose*.
- Hidrocefalia, provocada pela obstrução do fluxo do líquido cefalorraquidiano (LCR). Esse fenômeno ocorre devido ao acúmulo de secreção purulenta, especialmente na base do cérebro.
- A formação de lesões com efeito de massa, como abscessos e granulomas, ocasionando lesão do parênquima cerebral por compressão das estruturas adjacentes.

Todos esses fatores levam, como evento final, ao aumento da pressão intracraniana, o que contribui grandemente para a morbimortalidade das infecções de SNC.

Embora as infecções de SNC sejam potencialmente graves e incapacitantes, o SNC é muito bem aparelhado em suas defesas contra agentes externos. As meninges, o liquor e o compartimento sanguíneo cerebral funcionam como um mecanismo poderoso para barrar a entrada de agentes infecciosos, as assim denominadas *barreira hematoencefálica* e *barreira hematoliquórica* (Fig. 10.2).

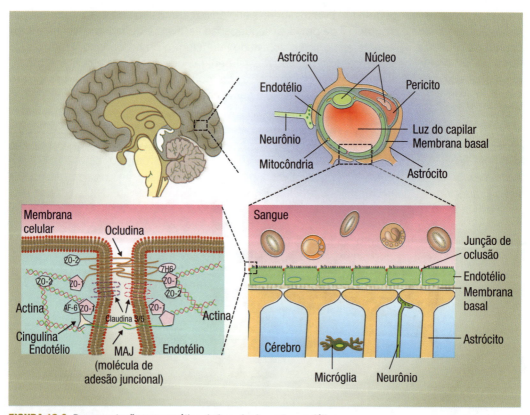

FIGURA 10.2. Representação esquemática da barreira hematoencefálica.

Assim em geral, as infecções de SNC ocorrem em situações em que há algum grau de deficiência imunológica do indivíduo, ou a existência de alguma solução de continuidade (porta de entrada) que favoreça a entrada do patógeno no sistema nervoso. Exemplos dessas portas de entrada são focos infecciosos (muitas vezes crônicos) em estruturas cranianas, como ouvidos (otites crônicas), seios paranasais (sinusites), infecções do osso mastoide (parte do osso temporal que se situa atrás do canal auditivo interno), osteomielite craniana, infecções dentárias e endocardites. Outras causas de penetração de agentes infecciosos no SNC são os traumatismos cranianos, onde há fraturas expostas, com contaminação das meninges e do tecido cerebral, e os procedimentos neurocirúrgicos, ainda que realizados de acordo com todos os procedimentos de esterilização adequados, sobretudo quando há a introdução de cateteres, como as válvulas ventriculoperitoneais, ou cateteres para medir a pressão intracraniana.

Em outras palavras, em situações habituais, um indivíduo saudável tem probabilidade baixa de contrair uma infecção de SNC, o que pode ser empiricamente comprovado pelo fato de não haver uma incidência expressiva maior do que a da população geral entre profissionais de saúde que atuam em pronto-socorros, UTIs, serviços de neurologia, moléstias infecciosas, ou pediatria, locais onde se concentram a maior parte dos casos de meningites ou encefalites. A principal exceção ao aqui exposto é a ocorrência das epidemias de meningite bacteriana (meningite meningocócica), situação em que há um aumento da incidência na população geral devido à alta taxa de transmissibilidade por via aérea e grande virulência do meningococo.

Foge ao escopo deste capítulo abordar todas as infecções de SNC, com seus respectivos quadros clínicos e tratamento, pela existência de inúmeros agentes etiológicos, cada um podendo produzir uma grande variedade de quadros clínicos e formas de evolução.

Assim apresentaremos inicialmente uma visão geral do quadro clínico comum às infecções de SNC, mencionando em seguida os patógenos mais importantes em virtude da sua frequência de ocorrência na prática clínica.

QUADRO CLÍNICO

Meningites

As meningites, em geral, iniciam-se por um quadro que lembra uma infecção de vias aéreas superiores, evoluindo para a tríade clássica de *síndrome toxêmica* (febre alta, mal-estar, agitação), *síndrome de hipertensão intracraniana (HIC)* (cefaleia intensa, náuseas e vômitos, confusão mental) e *síndrome de irritação meníngea*, cujo principal sinal é a *rigidez de nuca*, que é pesquisada tentando-se fletir a cabeça do paciente segurando-a pela parte posterior, com o paciente deitado, o que provoca estiramento das meninges, com dor e consequente postura antálgica do paciente para evitar o movimento, o que leva ao enrijecimento da musculatura cervical, muitas vezes forte o suficiente para impedir que o movimento de flexão do pescoço seja executado*. Nas meningites mais graves (em geral bacterianas), pode ocorrer alteração do nível de consciência (que pode variar desde leve confusão mental a coma) e convulsões. Sinais focais (hemiparesia, afasia etc.), podem ocorrer se houver quadro de vasculite associado, levando a infartos ou hemorragias cerebrais. Paralisia de nervos cranianos também pode ocorrer.

Meningites bacterianas

Estima-se que a incidência de meningites bacterianas em países menos desenvolvidos seja de 50/100.000 adultos por ano.[2] Embora seja uma doença de notificação compulsória, no Brasil

---
*Outros sinais de irritação meníngea são o sinal de Kernig, em que o paciente deitado resiste à extensão passiva da perna inicialmente fletida a 90°, e o sinal de Brudzinski, em que o paciente deitado flete os joelhos quando é realizada a flexão anterior de sua cabeça.

há poucos dados epidemiológicos sobre essa incidência, e existem diferenças importantes entre as várias regiões do país. Em São Paulo, de acordo com dados da Agência Paulista de Controle de Doenças, a incidência de meningites causadas por pneumococos e meningococos situa-se em torno de 5 a 6/100.000 adultos por ano, mas provavelmente trata-se de uma subestimativa (BEP, 2004).[3]

Meningites bacterianas apresentam quadro clínico mais grave do que as meningites virais, nas quais a toxemia é mais pronunciada, com febre alta, cefaleia intensa, náuseas, vômitos e confusão mental (devido a HIC) e rigidez de nuca pronunciada. Cuidado especial deve ser tomado em relação às crianças pequenas, em que o quadro pode não ser tão típico, constando de sinais inespecíficos, como febre, vômitos, prostração, irritabilidade, convulsões e, em alguns casos, abaulamento das fontanelas (se ainda presentes).

A Tabela 10.1 mostra os principais agentes etiológicos responsáveis pelas meningites bacterianas, de acordo com a faixa etária e os fatores predisponentes. Os principais agentes causadores de meningite em adultos (pneumococos e meningococos) penetram no organismo através das vias respiratórias, colonizando inicialmente a nasofaringe, alcançando a corrente sanguínea através de sua mucosa, de onde atingem o sistema liquórico. Nesse caso, há uma quebra da barreira protetora e as bactérias proliferam-se no LCR, infectando as meninges.

Após a introdução da antibioticoterapia, pacientes com meningite bacteriana costumam apresentar melhora em poucas horas, com melhora da febre e confusão mental em cerca de 12-24 horas. No entanto, pode haver complicações do quadro, como a formação de abscessos cerebrais, empiema subdural (coleção purulenta sob a dura-máter) e ventriculites (infecção no interior dos ventrículos cerebrais) (Fig. 10.3). Nesses casos, a melhora é mais lenta, e o prognóstico pode ser menos favorável.

O padrão liquórico encontrado nas meningites bacterianas é mostrado na Tabela 10.2. Nos exames de neuroimagem, pode-se observar a presença de realce meníngeo após administração de

TABELA 10.1. Principais agentes etiológicos das meningites bacterianas

FAIXA ETÁRIA/GRUPO DE RISCO	AGENTE ETIOLÓGICO
Neonatos (< 3 meses)	Estreptococos do grupo B, *Escherichia coli*, *Listeria monocytogenes*, *Streptococcus pneumoniae* (pneumococos)
Crianças e adultos	Pneumococos, *Neisseria meningitidis* (meningococos), *Haemophilus influenzae*
Otites, mastoidites, sinusites	Estreptococos spp, anaeróbios gram-negativos, enterobactérias (*Proteus sp.*, *E. coli.*, *Klebsiella sp.*), estafilococos, *Haemophilus influenzae*
Adultos acima de 50 anos/ indivíduos com doenças crônicas	Pneumococos, bacilos Gram-negativos, *Listeria monocytogenes*, meningococos, *Haemophilus influenzae*
Endocardite	*Streptococcus viridans*, *Staphylococcus aureus*, enterococos
Imunodeprimidos	Pneumococos, *Listeria monocytogenes*, *Haemophilus influenzae*
Após neurocirurgia	Estafilococos, bacilos gram-negativos (*Pseudomonas aeruginosa*)
Cateter intraventricular	Estafilococos, bacilos gram-negativos (*P. aeruginosa*), anaeróbios

Adaptado de Roos, 2009.[4]

contraste, tanto na tomografia computadorizada (TC) como na ressonância magnética (RM) de crânio, bem como a existência de abscessos, empiemas subdurais, sinais de ventriculite e hidrocefalia.

A taxa de mortalidade é de cerca de 15 a 30% para a meningite pneumocócica, e 5 a 15% para meningite meningocócica e por *H. influenzae*.[1] O risco de sequelas neurológicas é de cerca de 10% para *H. influenzae* e 30% para meningite pneumocócica.

Nos casos confirmados de meningite por *N. meningitidis* (meningococos) ou *H. influenzae*, todos os indivíduos que tiveram contato próximo com o doente nos últimos 7 a 10 dias (familiares, colegas de escola/trabalho) devem receber tratamento profilático com a droga rifampicina. Os profissionais de saúde que atenderam o paciente só necessitam do tratamento profilático caso não tenham usado proteção respiratória (máscara) durante o atendimento. É importante também lembrar que existem vacinas disponíveis contra *H. influenzae*, pneumococos e meningococos tipo C, cuja aplicação em todas as crianças deve ser encorajada pelos profissionais de saúde.

Meningites virais

As meningites virais apresentam um quadro clínico mais brando do que as meningites bacterianas, em geral composto pela tríade febre, cefaleia intensa e rigidez de nuca. Os vírus que mais causam meningite são o Enterovírus, herpes simples, varicela-zoster (vírus da catapora), e Epstein-Barr, responsáveis por mais de 95% dos casos.[1] Outros vírus causadores de meningite são o Adenovírus, Flavivírus e Paramixovírus (vírus do sarampo e da caxumba). O padrão encontrado no LCR é mostrado na Tabela 10.2. Normalmente, os exames de neuroimagem não mostram alterações, ou apenas leve acometimento das meninges na RM após injeção de contraste (gadolínio). O quadro infeccioso em geral melhora em poucos dias, e complicações são raras.

Meningites fúngicas

Meningites fúngicas ocorrem, em geral, em pacientes que apresentam algum grau de imunodeficiência, como diabetes, câncer, AIDS, doenças do colágeno (por ex.: lúpus eritematoso sistêmico), alcoolismo, ou uso de drogas imunossupressoras em casos de transplante de órgãos.

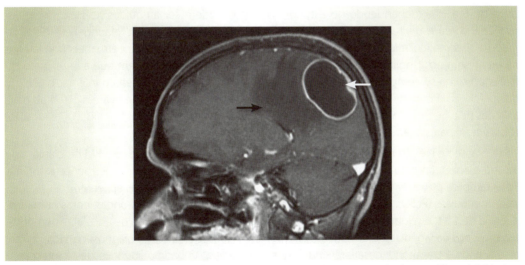

FIGURA 10.3. Imagem sagital de RM de crânio em FLAIR mostrando abscesso cerebral em região parietal (seta branca), com edema circunjacente (seta preta).

A meningite fúngica mais comum é causada pelo *Cryptococcus neoformans* (meningite criptocócica), cujo quadro clínico se assemelha ao de uma meningite ou meningoencefalite mais arrastada, em forma subaguda ou crônica, com os sintomas mais proeminentes estando relacionados com a síndrome de HIC. O criptococo está amplamente disseminado no ambiente, no solo, e em fezes de pombos, sendo, portanto, facilmente aspirável através do ar. O perfil liquórico dessa meningite é mostrado na Tabela 10.2, assemelhando-se ao da neurotuberculose. No entanto, o diagnóstico da neurocriptococose pode ser facilmente realizado pela observação direta do fungo no LCR (exame micológico direto) após coloração com tinta-da-china.

Outros fungos que podem causar infecção de SNC são a *Candida albicans*, *Aspergillus* sp, e *Histoplasma capsulatum*.

Meningoencefalites/encefalites

No caso das encefalites, como há acometimento direto do tecido cerebral, o quadro em geral é mais grave e com maior probabilidade de levar a morte ou a sequelas graves. O componente meningítico levará a sinais e sintomas semelhantes aos já descritos para as meningites, mas as convulsões (focais ou generalizadas), alteração do nível de consciência e presença de sinais focais são muito mais frequentes e graves.

Meningoencefalites virais

As meningoencefalites virais podem ser causadas por uma série de vírus, alguns dos quais já foram apresentados no tópico "Meningites virais". Dentre eles, podemos citar os vírus Herpes *simplex* tipo 1 e 2, Varicela Zoster, Epstein Barr, Citomegalovírus (CMV), Enterovírus, Arbovírus, Paramixovírus (sarampo e caxumba), Influenza, vírus da rubéola e da raiva. Discutiremos a seguir a meningoencefalite herpética, por ser a mais diagnosticada.

Meningoencefalite herpética

Esta meningoencefalite é causada na maioria dos casos pelo vírus Herpes *simplex* tipo 1. Apenas cerca de 6 a 15% (dependendo do estudo) dos casos podem ser atribuídos ao Herpes *simplex* tipo 2.[1] É comum o vírus penetrar no organismo através da mucosa da orofaringe, em geral de modo assintomático, migrando através dos ramos do V nervo (trigêmeo) e permanecendo latente no organismo no gânglio desse nervo (gânglio de Gasser). Em situações em que a imunidade do indivíduo torna-se comprometida, ocorre reativação do vírus, que pode então infectar o SNC. O quadro clínico das meningoencefalites já foi descrito, cabendo assinalar que as áreas cerebrais mais afetadas pelo herpes são os lobos temporais e a ínsula, seguidas pelos lobos frontais. Por essa razão, afasia e hemiparesia são achados muito comuns nesses pacientes.

O exame de eleição para o diagnóstico da meningoencefalite herpética é a RM de crânio, que mostra o acometimento dos lobos temporais em sua porção inferomedial. O eletroencefalograma (EEG) também pode ser bastante útil, por mostrar um padrão de descargas epileptiformes lateralizadas periódicas (PLEDs, em inglês), formadas por complexos de espículas-ondas lentas numa frequência de 1-2 s. em lobos temporais. Embora não sejam patognomônicas de encefalite herpética, sua presença na vigência de um quadro clínico sugestivo pode auxiliar o diagnóstico. No entanto, esse achado é transitório, desaparecendo após alguns dias.[5] O padrão liquórico dessa infecção é mostrado na Tabela 10.2, devendo ser salientado que podem ser encontradas hemácias no LCR, por tratar-se de uma encefalite hemorrágica (Fig. 10.4).

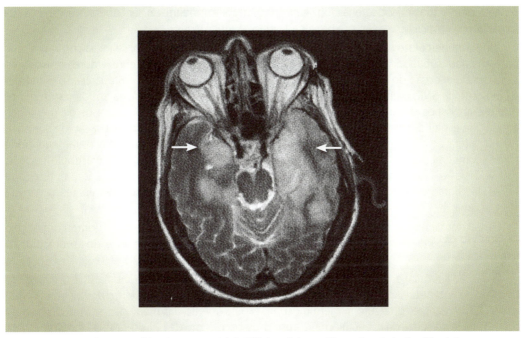

FIGURA 10.4. Encefalite herpética: imagem axial de RM de crânio em T2 mostrando lesões hiperintensas acometendo a região temporal bilateralmente (setas).

Meningoencefalite pelo HIV

O vírus da imunodeficiência humana (HIV) penetra o SNC logo que o indivíduo se torna infectado. Após algum tempo da contaminação (em média seis semanas), pode ocorrer uma meningoencefalite pelo vírus, autolimitada. Nessa fase, podem ocorrer alternativamente outras manifestações neurológicas, como paralisia facial periférica, neuropatia periférica ou radiculopatias.

Após essa fase, ocorre um período assintomático, mas a progressão da imunossupressão do paciente faz com que outras manifestações neurológicas venham a ocorrer, tanto em decorrência da ação direta do HIV sobre o SNC quanto por doenças associadas à imunodepressão. Neste capítulo, destacaremos as infecções oportunísticas, como a neurocriptococose (ver seção Meningites Fúngicas), encefalite pelo CMV e a neurotoxoplasmose (ver seção Meningoencefalites Provocadas por Parasitas). Outra manifestação neurológica importante da infecção pelo HIV é o complexo AIDS-demência (ver Capítulo 7 – *Demências*).

Meningoencefalites bacterianas

Neurotuberculose

Apesar dos avanços na terapia específica contra a tuberculose, a prevalência dessa doença ainda é um problema grave de saúde pública no mundo todo. Nos países menos desenvolvidos, a má nutrição e alcoolismo são os principais responsáveis pelas altas taxas de prevalência da tuberculose, enquanto nos países desenvolvidos, o advento da AIDS fez recrudescer uma infecção que se encontrava em patamares baixos.

A tuberculose é causada por uma bactéria, *Mycobacterium tuberculosis* ou *bacilo de Koch*, cujo principal mecanismo de transmissão é por inalação de gotículas de pessoas infectadas. Na maioria dos casos, o foco primário da tuberculose são os pulmões, mas outros órgãos, como os rins, podem ser afetados. Outras micobactérias (*bovis, africans*) também podem causar tuberculose, mas a sua forma neurológica é quase sempre provocada pelo *M. tuberculosis*.

A neurotuberculose é um quadro de meningoencefalite, que em geral se inicia como um quadro arrastado (subagudo), com sintomas de mal-estar, fadiga, anorexia, febre e dores musculares, seguidas de infecção do trato respiratório. Algumas semanas depois podem aparecer os sintomas da infecção de SNC, muitas vezes sob a forma de uma meningite bacteriana aguda (assim temos que o diagnóstico de neurotuberculose deve sempre ser uma suspeita em casos de meningite aguda que evolui de forma não habitual). O quadro então se agrava, com a instalação de confusão mental, alteração de nervos cranianos, sobretudo do VI nervo, ou abducente; mais raramente pode haver acometimento do III (oculomotor) e IV nervos (troclear), do VII (facial) e VIII (vestíbulo-coclear). Isso se deve ao acometimento frequente das meninges da base do crânio. Posteriormente, ocorre maior deterioração neurológica, com aparecimento de sinais localizatórios (hemiparesia), convulsões e coma.

Outras formas de apresentação da neurotuberculose são os *tuberculomas* (granulomas) que podem ser encontrados em várias regiões do cérebro, e *abscessos*, derivados dos tuberculomas (Fig. 10.5).

O padrão liquórico encontrado na neurotuberculose está mostrado na Tabela 10.2. Um elemento complementar que auxilia no diagnóstico da neurotuberculose é o aumento dos níveis do lactato no LCR. Os exames de neuroimagem mostram espessamento das meninges, sobretudo na base do crânio, e a presença de tuberculomas e abscessos, bem como de hidrocefalia, quando presentes.

A neurotuberculose é uma doença grave, com um índice de mortalidade em torno de 25%, e sequelas neurológicas em cerca de 30% dos casos.

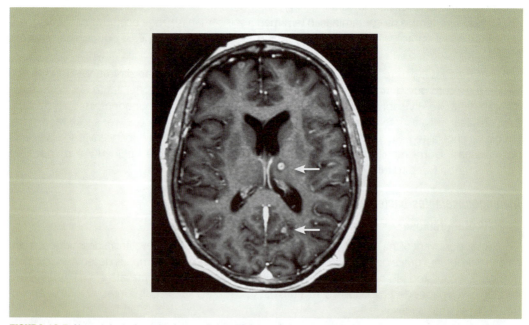

FIGURA 10.5. Neurotuberculose: imagem axial de RM de crânio com contraste mostrando lesões hiperintensas acometendo a região occipital e tálamo à D, com edema perilesional (hipointenso), configurando tuberculomas (setas).

Neurolues (neurossífilis)

A sífilis é uma doença venérea causada por uma bactéria denominada *Treponema pallidum*. Como a lesão primária (genital) cura-se com ou sem tratamento específico, e pode ser pouco sintomática, muitos pacientes permanecem com o *Treponema* em forma latente no organismo. Estima-se que 70% dos pacientes que não recebem tratamento para a infecção primária permanecerão com a bactéria em forma latente, mas não apresentarão nenhuma manifestação clínica.[6] Uma proporção menor, no entanto, pode desenvolver uma forma tardia de sífilis (terciária), conhecida como neurossífilis. Embora a sífilis terciária seja normalmente considerada a única forma de manifestação da doença em SNC, existe uma forma meningítica que ocorre num período médio de 12 a 18 meses após a infecção primária, e que tanto pode ser totalmente assintomática, como cursar com os sinais e sintomas de uma meningite viral de curso autolimitado.

Outra manifestação da sífilis no SNC é a forma *meningovascular*, que ocorre em um período que pode variar entre seis meses a dez anos da infecção primária, e caracteriza-se por uma meningite acompanhada de vasculite (mais propriamente arterite), que leva a infartos cerebrais.

Por fim, temos a neurossífilis tardia, cujas manifestações podem ocorrer entre 10 e 20 anos da infecção primária, apresentando-se em duas formas:

- Paralisia geral progressiva (PGP): nesse caso, há uma progressiva atrofia do parênquima cerebral (especialmente em regiões frontotemporais) que leva a um quadro de demência e alterações psiquiátricas, liberação de reflexos piramidais (hiper-reflexia profunda e sinal de Babinski), disartria, mioclonias, e tremor de ação. Na PGP, ocorre o chamado fenômeno pupilar de Argyll-Robertson, que consiste na presença de pupilas pequenas bilateralmente, de formato irregular e desigual, que não se tornam mióticas à estimulação luminosa (como seria esperado), mas sim durante a acomodação ("*dissociação luz-perto*"). Essas pupilas também não se tornam dilatadas após o uso de agentes medriáticos, e pode haver atrofia da íris. A pupila de Argyll-Robertson deve-se provavelmente a lesão do teto do mesencéfalo.[7] Com a progressão do quadro da PGP, o paciente torna-se cada vez mais debilitado do ponto de vista motor, com dificuldades de locomoção, equilíbrio, e hipotonia muscular, que terminam por deixá-lo restrito ao leito.
- *Tabes dorsalis*: seu quadro clínico caracteriza-se pela presença de ataxia sensitiva (déficit de propriocepção), com sinal de Romberg positivo, alteração da sensibilidade dolorosa (crises de dores intensas, de início abrupto), e, ocasionalmente, incontinência urinária. A lesão anatômica, nesse caso, encontra-se nos gânglios sensitivos posteriores que chegam à medula (ver Capítulo 1 – *Princípios de Neuroanatomia e Neurofisiologia*), causando a perda da sensibilidade proprioceptiva, de tato discriminativo, e alterações no mecanismo de modulação da dor.

Atrofia do nervo óptico também pode ocorrer na neurossífilis, levando a perda de visão, associadamente à PGP ou a *tabes dorsalis*.

O padrão liquórico da doença, fundamental para o diagnóstico, pode ser visto na Tabela 10.2. Os exames de neuroimagem podem mostrar, no caso da sífilis meningovascular, alterações compatíveis com inflamação meníngea (realce das meninges ao contraste), associada a infartos cerebrais secundários à vasculite. Um achado pouco frequente é a *goma sifilítica*, uma forma de granuloma que pode ocorrer em qualquer fase da doença, mas quase sempre após vários anos da infecção primária. Na PGP, o achado característico é a atrofia cortical, sobretudo nas regiões frontotemporais, e com lesões hiperintensas na aquisição em T2 à RM, similar à de outras encefalites, como a herpética.[8]

O tratamento da neurossífilis (Tabela 10.3) pode levar a melhora significativa nas formas meningíticas e na meningovascular (embora as sequelas decorrentes dos infartos cerebrais permaneçam). No caso das formas tardias, o tratamento interrompe a progressão da doença, mas raramente leva a melhora do quadro já instalado.

TABELA 10.2. Diagnóstico diferencial dos quadros de meningite/meningoencefalite através do LCR

PARÂMETRO ANALISADO	LEUCÓCITOS	PROTEÍNA	GLICOSE	REAÇÕES IMUNOLÓGICAS
Meningites				
Virais	< 500/mm^3, com predomínio de linfócitos (plasmócitos e monócitos) e macrófagos	Normal	Normal	PCR positivo para o vírus causador da doença
Bacterianas	> 1.000/mm^3, com predomínio de neutrófilos	Aumentada > 100 mg/dL	Muito baixa (< 10 mg/dL), devido ao seu consumo pelas bactérias	Anticorpos presentes contra a bactéria causadora da doença
Neurocriptococose	Entre 50 e 500/mm^3, com presença de neutrófilos e linfócitos	Aumentada entre 50 e 200 mg/dL	Baixa entre 20 e 40 mg/dL	Anticorpos presentes contra o fungo causador da doença
Meningoencefalites				
Herpes vírus	Entre 5 e 1.000/mm^3, com predomínio de linfócitos	Levemente aumentada	Normal ou levemente baixa	PCR positivo para o vírus causador da doença
Neurotuberculose	Entre 50 e 500/mm^3, com presença de neutrófilos e linfócitos	Aumentada entre 50 e 200 mg/dL	Baixa entre 20 e 40 mg/dL	PCR positivo para *M. tuberculosis*
Neurossífilis	Até 100/mm^3, com predomínio de linfócitos	Aumentada entre 40 e 200 mg/dL Aumento de gama-globulinas	Normal	Inespecíficas (não treponêmicas): Wasserman e VDRL positivos Específicas (treponêmicas): FTA-ABS, hemaglutinação passiva ou TPI positivos
Neurocisticercose	Até 50/mm^3 com predomínio de linfócitos e presença de eosinófilos	Aumentada	Normal	Weinberg positivo ELISA e *immunoblotting* positivos para o parasita
Neurotoxoplasmose	Até 200/mm^3, com predomínio de linfócitos e presença de neutrófilos	Aumentada Aumento de gama-globulinas	Normal	Anticorpos presentes contra o *T. gondii* PCR positivo para o parasita

Meningoencefalites provocadas por parasitas

Neurocisticercose

É a infecção do SNC pelos cisticercos, larvas do parasita *Taenia solium*. Normalmente, o homem é o hospedeiro final no ciclo desse parasita, que provoca a *teníase*, ou infecção intestinal pelo verme adulto. O hospedeiro intermediário do parasita é o porco, onde se desenvolvem suas larvas, que podem ser ingeridas pelo homem ao comer sua carne mal cozida, com cisticercos ainda vivos, que se transformam no verme adulto, assim desenvolvendo a teníase. No entanto, pode ocorrer que o homem desempenhe o papel de hospedeiro intermediário, ao ingerir ovos do parasita através de água ou vegetais contaminados, ou, se já está infectado pelo verme adulto, por maus hábitos de higiene (autoinfestação). Nesse caso, os ovos darão origem aos embriões que podem se fixar no tecido subcutâneo, músculos, globo ocular ou SNC. Portanto, a neurocisticercose não é causada pela ingestão de "carne mal passada", como habitualmente se diz – essa é a causa da teníase – mas, sim, pela ingestão da água e alimentos contaminados com os ovos do parasita.

Ao penetrar no SNC, o embrião pode se fixar no parênquima cerebral ou nos compartimentos liquóricos (ventrículos laterais e cisternas da base do crânio), formando uma vesícula preenchida por um líquido transparente e contendo o escólex (a cabeça do verme) – o que constitui o cisticerco. O cisticerco pode sobreviver no SNC por um período variável de tempo, em média quatro a seis anos, mas a atividade imunológica do indivíduo infectado termina por provocar a degeneração e morte dos mesmos, que se tornam, então, calcificados. Quando os cisticercos começam a "morrer", tem início um processo inflamatório reativo no SNC, que pode causar sintomas no paciente. Assim como um indivíduo pode conter cisticercos de várias "idades" (por infestações repetidas), é possível que ocorram diversas "crises" de atividade inflamatória, cada uma correspondendo à degeneração de um cisticerco.

Didaticamente, o quadro clínico da neurocisticercose pode ser dividido em duas formas principais:

- Forma epiléptica: em que os sintomas predominantes são crises de epilepsia focais ou generalizadas, ocorrendo em cerca de 44% dos pacientes. A neurocisticercose é uma das principais causas de epilepsia adquirida nos países em desenvolvimento.[9]
- Forma hipertensiva: em que predominam os sintomas de HIC, correspondendo a 36% dos casos.

Podem ocorrer ainda formas mistas, em 15% dos casos (associação das formas já descritas) e a forma demencial, em 4% dos pacientes.

O diagnóstico da neurocisticercose baseia-se, além do quadro clínico, no padrão liquórico (Tabela 10.2) e nos exames de neuroimagem. A TC ou RM de crânio mostram a presença dos cisticercos, seu tamanho, seu número e sua localização localização, e sinais referentes à fase em que se encontra o cisticerco: vivo e íntegro, em fase de degeneração com reação inflamatória perilesional, ou já calcificado (Fig. 10.6). Além disso, pode aparecer dilatação ventricular, quando a localização dos cisticercos provoca obstrução do fluxo liquórico.

Além do tratamento medicamentoso, em alguns casos pode ser necessária a remoção cirúrgica do cisticerco, o que costuma ocorrer quando sua localização bloqueia a circulação liquórica, causando hidrocefalia aguda, e provocando perigo iminente de morte ou sequelas devido a HIC.

Outros parasitas que podem causar manifestações em SNC incluem o *Trypanosoma cruzi*, agente causador da doença de Chagas, o *Schistosoma mansoni*, causador da esquistossomose, e o *Plasmodium falciparum*, causador da malária (parasitas).

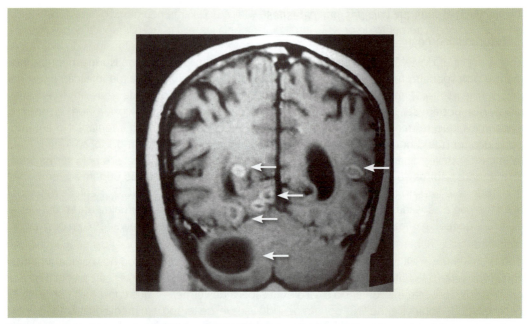

FIGURA 10.6. Imagem coronal de RM de crânio em T1 mostrando vários cisticercos nos hemisférios cerebrais e cerebelo (setas).

Neurotoxoplasmose

O *Toxoplasma gondii* é um parasita que apresenta grande disseminação ambiental. Pode ser contraído através da ingestão de carne mal cozida contaminada, contato com fezes de gato e outros felinos e transfusões de sangue. Antes do advento da AIDS e outras formas de imunossupressão (tratamento de cânceres, transplante de órgãos), a principal forma de toxoplasmose era a infecção congênita (quando a mãe portadora do parasita a transmitia ao feto), que causa lesões graves de SNC nos recém-nascidos, pois a manifestação em adultos imunocompetentes é muito rara (mesmo após o contato, o parasita é mantido inativo no organismo, em forma latente).

O aumento do número de indivíduos imunodeprimidos, especialmente devido à AIDS, provocou um enorme aumento na incidência da toxoplasmose, na forma de uma meningoencefalite que cursa com os sinais já descritos de irritação meníngea, sinais focais, convulsões e alteração do nível de consciência.

O padrão liquórico da neurotoxoplasmose é mostrado na Tabela 10.2. Exames de neuroimagem mostram a presença de uma lesão granulomatosa (nódulos), ocasionalmente com edema perilesional em várias regiões do parênquima (córtico-subcortical) e núcleos da base.

DIAGNÓSTICO

O diagnóstico das infecções de SNC inicia-se pela identificação da presença de uma síndrome infecciosa (febre, prostração, cefaleia) associada à existência de rigidez de nuca. Então, deve-se rapidamente proceder a um exame de neuroimagem, a fim de identificar sinais de comprometimento meníngeo ou do parênquima cerebral, seguida de punção liquórica. Hoje, preconiza-se que o exame de neuroimagem seja realizado antes da punção, pois pode haver situações em que o paciente apresente encefalite, edema intenso e difuso ou uma lesão com efeito de massa (abscesso ou granuloma) sem que haja seu correspondente clínico ao exame neurológico (sinal focal); nessa situação, como há aumento de pressão intracraniana pela lesão, a punção liquórica pode desencadear uma herniação das estruturas cerebrais. No caso do paciente apresentar sinais de localização (hemiparesia, afasia, lesão de nervos cranianos), edema de papila, convulsões, ou se estiver comatoso, a realização do exame de neuroimagem precedendo a punção torna-se mandatória.

A coleta do liquor fornece informações extremamente importantes para orientar o tratamento, mesmo antes de se conhecer o agente etiológico. O padrão do LCR permite inferir pelo menos a que grupo pertence o agente infeccioso (vírus, bactéria, fungo etc.). Os parâmetros de interesse avaliados no LCR para diagnóstico da infecção são sua celularidade e seu tipo (presença de leucócitos, hemácias), quantidade de proteína, níveis de glicose, pesquisa da presença de bactérias (bacterioscópico), reações imunológicas e cultura do agente infeccioso.

Deve-se ressaltar, no entanto, que as culturas requerem um tempo longo (cerca de 24-48 horas para bactérias, cerca de 30 dias para o criptococos, e até 90 dias para o *M. tuberculosis*), e apresentam, em média, 80% de positividade para bactérias e 50% para o *M. tuberculosis*. Por isso, a análise detalhada do LCR, bem como a realização de reações imunológicas, é crucial para a identificação precoce do agente infeccioso. Mesmo assim, o procedimento padrão em serviços de emergência é a instituição de tratamento empírico, com base na história, quadro clínico, exame neurológico e padrão liquórico, seguido da adoção do tratamento específico após a obtenção da confirmação do patógeno, seja pelo exame bacterioscópico/micológico, reação imunológica e cultura. A possibilidade da introdução do tratamento precoce, ainda que empiricamente, é um fator decisivo para elevar a chance de sobrevida e diminuir a ocorrência de sequelas nas infecções de SNC.

A Tabela 10.2 mostra as principais alterações liquóricas para cada grupo de agente infeccioso.

TRATAMENTO

O tratamento das infecções de SNC, como o de qualquer outra infecção, baseia-se primariamente na erradicação do agente causal, com o uso de antibióticos, agentes antivirais, antifúngicos etc., destacando-se desse modo a importância de conhecer o agente etiológico com a maior rapidez e certeza possível (Tabela 10.3).

Além disso, é fundamental o controle do quadro clínico geral (hidratação, ventilação, parâmetros metabólicos) e dos sintomas associados, como dor e febre, náuseas e vômitos (pela administração de analgésicos, anti-inflamatórios e antieméticos), convulsões (pelo uso dos agentes anticonvulsivantes) e HIC (ver Capítulo 4 – *Coma e Hipertensão Intracraniana*). Os dois últimos, em particular, devem ser tratados agressivamente, pela possibilidade de acrescentarem maior lesão ao tecido cerebral.

Nas meningites bacterianas, além do antibiótico específico, o uso de corticosteroides (dexametasona) é benéfico no controle do processo inflamatório e da HIC.

Apesar dos avanços na terapêutica das infecções de SNC, mesmo os tratamentos mais bem sucedidos podem não ser suficientemente eficazes para evitar as sequelas neurológicas. Assim, as principais complicações das infecções de SNC são: surdez, epilepsia tardia, sequelas motoras, cognitivas e de comportamento, e hidrocefalia persistente.

Doenças priônicas

Embora não sejam causadas por microrganismos, as doenças priônicas merecem ser mencionadas, por seu caráter de transmissibilidade. Doenças priônicas são desencadeadas por *proteínas príon*, que não possuem DNA (o que caracteriza a condição de não serem organismos vivos). A

TABELA 10.3. Tratamento das infecções de SNC

Meningites virais	
Virais benignas	Sintomático: anti-inflamatórios não hormonais para alívio dos sintomas do processo inflamatório e dor Em casos de HIC: corticosteroides (dexametasona)
Virais graves (VHS-2, V-Z)	Aciclovir
Meningites bacterianas	
Estreptococos do grupo B	Penicilina G ou ampicilina/vancomicina/cefotaxime/ceftriaxona
Streptococcus pneumoniae	Penicilina G ou ampicilina/cefotaxime/ceftriaxona/cloranfenicol/vancomicina/meropenem
Neisseria meningitidis	Penicilina G ou ampicilina/cefotaxime/ceftriaxona/cloranfenicol/meropenem
Haemophilus influenzae	Ampicilina/cefotaxime/ceftriaxona/cefepime
Enterobactérias	Cefotaxime/ceftriaxona/meropenem/trimetoprim + sulfametoxazol/cefepime
Listeria monocytogenes	Penicilina G ou ampicilina/trimetoprim + sulfametoxazol/meropenem
Staphylococcus aureus/ epidermidis	Oxacilina + cefotaxime ou ceftriaxona/vancomicina
Meningites fúngicas	
Neurocriptococose	Anfotericina B
Meningoencefalites virais	
Herpes *simplex*	Aciclovir
Meningoencefalites bacterianas	
Neurotuberculose	Isoniazida + rifampicina + pirazinamida/etambutol
Neurossífilis	Penicilina G/eritromocina/tetraciclina/cloranfenicol
Meningoencefalites causadas por parasitas	
Neurocisticercose	Anti-inflamatórios: corticosteroides (dexametasona) e anti-histamínicos (dexclorfeniramina) Parasiticida: albendazol
Neurotoxoplasmose	Sulfadiazina + pirimetamina

Adaptado de van de Beek, 2006 e Ropper e Samels, 2009.[2,7]

proteína priônica é encontrada normalmente em células gliais e neurônios, mas pode se transformar em uma forma patogênica, por alteração de sua conformação. Essa proteína alterada é então capaz de se replicar no hospedeiro, provocando doenças. No ser humano, a mais importante delas, nos dias atuais, é a doença de Creutzfeldt-Jacob (DCJ), uma forma de demência rapidamente progressiva (ver Capítulo 7 – *Demências*). Outras doenças priônicas são o kuru, insônia familiar fatal

(IFF), e doença de Gerstmann-Sträussler-Scheinker (GSS).[10] Embora essas doenças possam ocorrer de forma esporádica (como é a maioria dos casos de DCJ), ter origem genética (como a maioria dos casos de GSS e IFF), existem também as formas infecciosas, como o kuru (associado nos anos 1950-60 à prática do canibalismo ritual em tribos da Nova Guiné), e a nova variante da DCJ, associada ao consumo de carne bovina contaminada, hormônio de crescimento contaminado, e procedimentos neurocirúrgicos.[11] Não há tratamento específico para nenhuma dessas doenças, apenas controle dos sintomas clínicos e comportamentais.

Referências bibliográficas

1. Machado LR, Gomes HR. Processos infecciosos do Sistema Nervoso. In: Nitrini R, Bacheschi LA (eds). A Neurologia que Todo Médico Deve Saber. 2ª ed. São Paulo: Atheneu 2003; 205-34.
2. van de Beek D, de Gans J, Tunkel AR, Wijdicks EF. Community-acquired bacterial meningitis in adults. New England Journal of Medicine 2006; 354:44-53.
3. Agência Paulista de Controle de Doenças. Boletim epidemiológico Paulista (2004). Disponível em: http://www.cve.saude.sp.gov.br/htm/cve_meni.html, 2014.
4. Roos KL. Meningitis. In: American Academy of Neurology 61st Meeting Syllabi. Seattle, 2009.
5. Brenner RP. EEG in encephalopathy and coma. In: American Academy of Neurology 59st Meeting Syllabi. Boston, 2007.
6. Marra C. Neurosyphilis. In: American Academy of Neurology 61st Meeting Syllabi. Seattle, 2009.
7. Ropper HA, Samuels MA. Disorders of Ocular Movement and Pupillary Function. In: Adams and Victor's Principles of Neurology. 9th ed. New York: McGraw-Hill, 2009; 248-75.
8. Lucato LT, Barbosa Jr. A, Andrade CS, Filho ACSA. Doenças Infecciosas e Inflamatórias do Sistema Nervoso Central. In: Leite CC, Amaro Jr. E, Lucato LT (eds). Neurorradiologia – Diagnóstico por imagem das lesões encefálicas. Rio de Janeiro: Guanabara-Koogan 2008; 216-87.
9. Garcia HH, Del Brutto OH. Neurocysticercosis: updated concepts about an old disease. Lancet Neurology 2005; 4:653-61.
10. Prusiner SB. Prions. Proceedings of the National Academy of Sciences USA 1998; 95:13363-8.
11. Collins SJ, Lawson VA, Masters CL. Transmissible spongiform encephalopathies. Lancet 2004 ; 363:51-61.

Doenças Desmielinizantes

11

Márcia Radanovic

O termo *doenças desmielinizantes* refere-se a um grupo de doenças em que ocorre destruição da bainha de mielina que recobre os axônios do sistema nervoso central (SNC). Como já discutido no Capítulo 1 (*Princípios de Neuroanatomia e Neurofisiologia*), a bainha de mielina permite que os impulsos nervosos sejam transmitidos com maior velocidade, e funciona como elemento protetor dos axônios. Embora a perda da bainha de mielina faça parte da fisiopatologia de uma série de doenças do sistema nervoso periférico (SNP) (como em várias polineuropatias), do SNC (como na encefalopatia pós-anóxica) estas não são enquadradas na categoria de doenças desmielinizantes, assim como também não o são as doenças em que há deficiência na formação da mielina, como as leucodistrofias (sendo estas últimas classificadas como doenças metabólicas do SNC, tendo caráter genético).

Além da destruição da bainha de mielina, nas doenças desmielinizantes ocorre um processo inflamatório nos focos de desmielinização, sobretudo ao redor dos vasos (perivascular). Normalmente, o fenômeno de degeneração walleriana (ver Capítulo 14 – *Doenças do Sistema Nervoso Periférico*) ocorre de modo mais brando que em outras formas de lesão axonal, havendo relativa preservação dos corpos celulares dos neurônios.

A perda da bainha de mielina causa sintomas por provocar prejuízo na transmissão dos impulsos neurais, que se tornam extremamente lentos e deficitários. O processo de desmielinização pode ser transitório ou definitivo, dependendo da doença e de sua gravidade. Nos casos em que a desmielinização é transitória, e os fenômenos de regeneração do organismo entram em atividade, estimulando a remielinização do axônio, pode não haver lesão definitiva deste, e a função neurológica perdida pode apresentar recuperação total. No entanto, dependendo do grau e da extensão da área desmielinizada, e da intensidade do processo inflamatório associado, pode haver dificuldade para que a remielinização se produza de forma completa ou rápida o suficiente para que não haja lesão dos axônios afetados, e nesses casos, graus variados de sequela da função neurológica podem permanecer.

As principais formas de doenças desmielinizantes estão descritas na Tabela 11.1.

ESCLEROSE MÚLTIPLA

A esclerose múltipla (EM) foi descrita como uma entidade clínica isolada pelo neurologista francês Jean-Martin Charcot, em 1868.[2] É uma doença em que tipicamente ocorrem crises recorrentes

TABELA 11.1. Principais doenças desmielinizantes do SNC

Esclerose múltipla
- Forma crônica recorrente
- EM aguda
- Forma progressiva primária e secundária
- Esclerose cerebral difusa (doença de Schilder e esclerose concêntrica de Balo)

Neuromielite óptica (doença de Devic)

Encefalopatia disseminada aguda
- Pós-infecciosa: vírus (sarampo, rubéola, varicela, varíola, caxumba, influenza) e bactérias (*Rickettsia, Mycoplasma*)
- Pós-vacinal: varíola, raiva e outras vacinas (raramente)

Adaptado de Rooper e Samuels, 2009.[1]

de desmielinização e processo inflamatório da substância branca do encéfalo e medula. Essa forma é a mais conhecida, embora outras apresentações clínicas possam ocorrer (Tabela 11.1).

A etiologia da (EM) não é conhecida. Sabe-se que é uma doença cuja prevalência aumenta proporcionalmente à latitude da região considerada, o que já foi evidenciado por vários estudos. Assim, nas regiões mais próximas à linha do Equador, a frequência de ocorrência da doença é menor, aumentando à medida que as latitudes aumentam ou diminuem (isto é, à medida que a região estudada se afasta da linha do Equador). Em regiões equatoriais, a prevalência da doença é de 1 para 100.000 habitantes, enquanto no Canadá e norte da Europa é de 30 a 80 para 100.000 habitantes. No hemisfério sul também ocorre esse gradiente, mas de modo menos acentuado. Sabe-se também que grupos de imigrantes que se mudam de uma região onde há alta incidência de EM para outra de baixa incidência apresentam uma frequência de ocorrência semelhante à de seu local de origem, se a imigração ocorre após os 15 anos de idade; já nos indivíduos que imigram com idade inferior a 15 anos, a taxa de ocorrência da doença passa a ser semelhante à da nova região (e semelhante à da população nativa). Tais observações sugerem fortemente a existência de fatores ambientais importantes na etiologia da doença.

No entanto, não se pode subestimar o fator susceptibilidade genética, já que cerca de 15% dos pacientes com EM têm um familiar acometido (mais frequentemente irmãos). Ainda assim, deve-se considerar que indivíduos da mesma família em geral habitam na mesma localidade, pelo menos durante alguma parte da vida, levando a uma sobreposição entre aspectos genéticos e ambientais. O que se pode afirmar até o momento é que não ocorre um padrão de transmissão genética nos moldes mendelianos clássicos, mas sim um padrão de "agregação familiar".

O fator que pode explicar em parte essa agregação é a associação da ocorrência de EM com certos padrões de antígenos de histocompatibilidade (HLA).* Essas associações ocorrem com o lócus DR no cromossomo 6, e também com o HLA-DR2, HLA-DR3, dentre outros menos frequentes. Esses antígenos de histocompatibilidade podem estar relacionados com a resposta imunológica, daí sua relação com a EM.[1]

---

*Antígenos de histocompatibilidade são glicoproteínas presentes na superfície das células do organismo, especialmente dos leucócitos (daí a sigla HLA), e que representam marcadores teciduais específicos daquele indivíduo. Assim, indivíduos diferentes terão antígenos HLA diferentes, porém alguns serão compartilhados se forem da mesma família. A existência desses antígenos é o fator responsável pela rejeição de órgãos transplantados, quando a "compatibilidade" entre os tecidos do doador e receptor é pequena.

Assim, uma tentativa de harmonizar os dados observados até agora em uma teoria para explicar a patogênese da EM seria a existência de um "gatilho" ambiental (possivelmente um vírus ou bactéria) a que o indivíduo suscetível é exposto desencadearia uma reação autoimune anormal cruzada contra a proteína básica da mielina, ou contra a glicoproteína dos oligodendrócitos (células produtoras de mielina do SNC) (ver Capítulo 1 – *Princípios de Neuroanatomia e Neurofisiologia*). Essa reação anormal parece ser mediada especialmente por linfócitos T (imunidade celular), mas também envolve a produção de autoanticorpos pelos linfócitos B. Essa resposta imunológica anormal leva a liberação de substâncias inflamatórias, como interleucinas, fator de necrose tumoral, interferon-gama, ocasionando quebra da barreira hematoencefálica e destruição dos oligodendrócitos e axônios.

O pico de incidência da EM se dá entre os 20 e 40 anos de idade (dois terços dos casos), seguido pela faixa de início antes dos 20 anos, e uma minoria dos casos pode começar ao redor dos 60 anos. No Brasil, a idade de início mais comum situa-se ao redor dos 32 anos.[3] A doença ocorre mais em mulheres, numa proporção de 2-3:1.

Alguns fatores precipitantes para os surtos de desmielinização são descritos, como infecções e trauma, porém as evidências ainda são controversas.

Quadro clínico

Em cerca de metade dos casos, a doença se manifesta inicialmente por episódios de "adormecimento" ou fraqueza em algum dos membros, bem como "formigamento" de extremidades ou sensação de aperto ao redor do peito. Tais sintomas podem durar apenas algumas horas e remitir, e é frequente que sejam negligenciados pelo paciente, ou que, mesmo que este procure atendimento médico, nada de anormal seja constatado no momento do exame neurológico. Alguns pacientes podem ter episódios de vertigem recorrente que, inicialmente, são de curta duração, e na ausência de alterações ao exame físico não permitem que se suspeite de uma doença neurológica em atividade.

Com o passar do tempo e aumento do número de focos de desmielinização, a tendência é de que as crises se agravem, os sintomas se tornem mais duradouros, e alterações objetivas apareçam ao exame neurológico, levantando a suspeita da doença.

Como na maior parte das doenças neurológicas, a forma clínica da EM está relacionada ao local onde ocorre a lesão. No entanto, alguns locais são particularmente suscetíveis a serem acometidos por conterem tratos altamente mielinizados. Assim, podem ocorrer:

- Parestesias e hipoestesia em membros: decorrentes do acometimento de fibras sensitivas.
- Hemiparesia: por acometimento de tratos motores piramidais.
- Ataxia cerebelar: por lesão dos tratos motores cerebelares.
- Neurite óptica (25% dos casos): caracterizada por borramento e diminuição da acuidade visual, decorrente da lesão dos nervos ópticos, levando a perda da visão parcial ou total em um dos olhos por um período de dias. Em alguns pacientes, ambos os olhos podem ser acometidos, tanto simultaneamente, quanto após um intervalo de dias ou semanas.
- Mielite transversa: lesão dos tratos motores e sensitivos medulares, levando a paraparesia (ou paraplegia) crural e perda da sensibilidade abaixo do nível da lesão, com disfunção urinária (incontinência ou retenção, esta última quando o envolvimento ocorre nas porções mais sacrais da medula).
- Vertigem e nistagmo, por lesão do VIII nervo (porção vestibular).

- Diplopia e oftalmoplegia internuclear (OIN):[4] por acometimento dos nervos motores oculares e do fascículo longitudinal medial (FLM).** Na EM, a OIN é usualmente bilateral.
- Dor ou parestesias em face: por lesão do V nervo (trigêmeo).
- Disartria ou paralisia de músculos faciais: por lesão do VII nervo (facial).
- Zumbido, surdez: por acometimento do VIII nervo (porção coclear).
- Convulsões.

Ao exame neurológico, além dos déficits descritos, os pacientes apresentam sinais de envolvimento dos tratos corticospinais (piramidais), caracterizados por reflexos tendinosos exaltados e sinal de Babinski. Um sinal propedêutico muito encontrado na EM é o *sinal de Lhermitte*, que se caracteriza por uma sensação de formigamento nos ombros e nas costas ao se realizar a flexão do pescoço do paciente, indicativo da lesão desmielinizante nos tratos sensitivos medulares.

As funções cognitivas também são afetadas na EM, em cerca de 50% dos pacientes. O prejuízo cognitivo é progressivo, afetando a atenção, velocidade de processamento, memória e funções executivas, provocando um quadro que se assemelha ao das demências subcorticais (ver Capítulo 7 – *Demências*). Depressão ocorre em 25 a 40% dos casos. Fadiga crônica, dores difusas e irritabilidade também são encontradas numa proporção dos pacientes com EM.

Por tratar-se de uma doença que apresenta uma grande heterogeneidade de sinais e sintomas, além do curso recorrente, e pelo fato de que muitas vezes há uma desproporção entre os sintomas relatados pelo paciente e os sinais objetivos observados ao exame físico, alguns critérios foram estabelecidos para o diagnóstico clínico da EM (Tabela 11.2).

Curso clínico

A Sociedade Nacional de Esclerose Múltipla dos Estados Unidos classificou o curso clínico da EM em quatro subtipos, descritos a seguir. Os pacientes são classificados após algum tempo de observação do comportamento da doença, numa tentativa de realizar um prognóstico sobre qual será o padrão futuro, o que tem implicações para o planejamento terapêutico.[6]

**O FLM conecta os núcleos dos nervos motores oculares de ambos os lados, permitindo a realização dos movimentos conjugados dos olhos (por exemplo: ao olharmos para a esquerda, o olho E deve realizar *abdução* – ativação do n. abducente – e o olho D deve realizar *adução* – ativação do n. oculomotor). A OIN é uma anormalidade do olhar conjugado horizontal que se caracteriza por prejuízo da adução no lado acometido e abdução preservada (porém com nistagmo) no lado contralateral, por lesão do FLM no nível da ponte ou mesencéfalo.

TABELA 11.2. Critérios clínicos para diagnóstico de EM

1. Lesões distribuídas no tempo e espaço, afetando predominantemente a substância branca.
2. Alterações objetivas ao exame físico, demonstráveis preferencialmente (embora não necessariamente) no momento do diagnóstico.
3. Curso temporal: recorrências durando um mínimo de 24 horas e separadas por um ou mais meses, ou piora progressiva contínua por pelo menos seis meses
4. Nenhum diagnóstico alternativo que possa explicar os sintomas (como AVE)
5. O diagnóstico é considerado definitivo apenas após exame neuropatológico

Adaptado de Weinshenker, 2007.[5]

- Forma recorrente-remitente (R-R): Nessa forma, ocorrem crises de forma imprevisível, que podem ou não deixar sequelas, seguidas por períodos de meses ou até anos de remissão. No entanto, com o passar do tempo, ocorre um acúmulo de incapacidades.[7] É a forma inicial em cerca de 85 a 90% dos casos de EM (Fig. 11.1).
- Forma secundariamente progressiva: ocorre em 65% dos pacientes cuja forma inicial foi R-R, e que passam a ter piora neurológica progressiva entre os surtos agudos, sem períodos definidos de remissão (períodos mínimos e ocasionais de remissão e recorrência podem eventualmente ocorrer).[7] Essa conversão se dá em média após cerca de 20 anos do início da doença (Fig. 11.2).[8]
- Forma progressiva primária: nessa forma, ocorre deterioração progressiva desde o início da doença, com períodos mínimos ocasionais de remissão ou melhora. Ocorre em aproximadamente 10 a 15% dos casos.[9] Em geral, a idade de início da doença é mais tardia nessa forma (ao redor dos 40 anos) (Fig. 11.3).

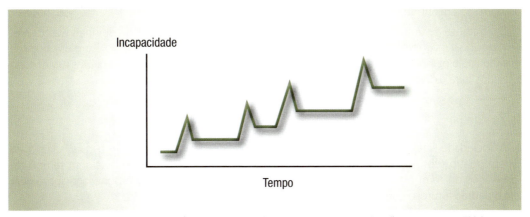

FIGURA 11.1. Representação esquemática da progressão da incapacidade em função do tempo na EM forma recorrente-remitente.

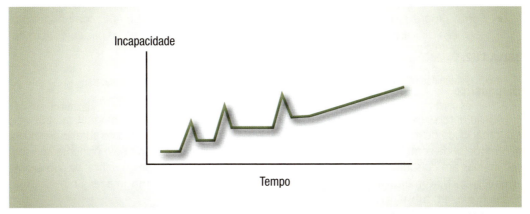

FIGURA 11.2. Representação esquemática da progressão da incapacidade em função do tempo na EM forma secundariamente progressiva.

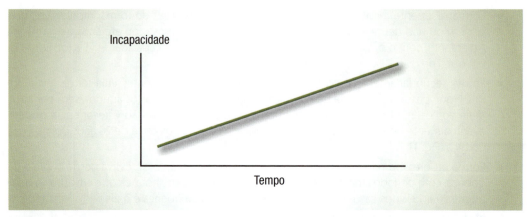

FIGURA 11.3. Representação esquemática da progressão da incapacidade em função do tempo na EM forma progressiva primária.

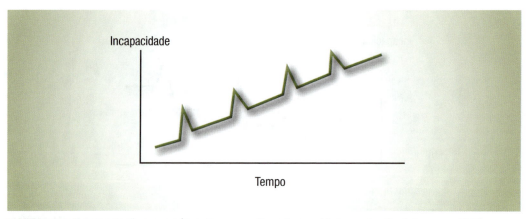

FIGURA 11.4. Representação esquemática da progressão da incapacidade em função do tempo na EM forma progressiva-recorrente.

- Forma progressiva com surtos ou progressiva-recorrente: é a forma menos comum de apresentação clínica, ocorrendo em menos de 5% dos casos.[6] Nessa forma, os pacientes apresentam um declínio neurológico progressivo, somado a surtos agudos (Fig. 11.4).

Diagnóstico

Atualmente, o exame mais útil para o diagnóstico da EM é a ressonância magnética (RM), pela sua capacidade de revelar lesões assintomáticas cerebrais, na medula, tronco cerebral e nervo óptico, o que pode contribuir muito para definir o diagnóstico nos casos em que o paciente apresentou apenas um episódio já em remissão, e que não apresenta alterações significativas ao exame neurológico. Tipicamente, as placas de desmielinização aparecem como imagens hiperintensas disseminadas em substância branca nas sequências em T2 (Fig. 11.5).

O exame de liquor (LCR) também pode fornecer informações adicionais para o diagnóstico, especialmente nos surtos agudos da doença, mostrando aumento do número de leucócitos (até

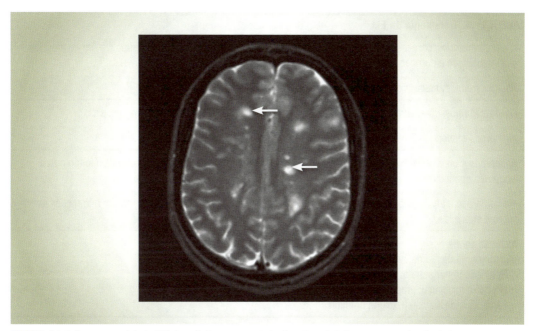

FIGURA 11.5. Imagem axial de RM de crânio mostrando lesões desmielinizantes em substância branca com hipersinal em T2 (setas).

50/mm^3), com aumento de proteínas, sobretudo da fração gama-globulina (bandas oligoclonais). Outro exame subsidiário que pode auxiliar a realização do diagnóstico, especialmente na doença de início recente, quando ainda não há evidências do padrão de recorrência no tempo e espaço, é o teste de potenciais evocados. Os testes de potenciais evocados (sensitivo, auditivo e visual) medem a velocidade de resposta entre a aplicação de um estímulo e sua resposta cortical. Nos casos de EM, haverá uma latência nessas respostas, já que a desmielinização provocará diminuição na velocidade de condução dos impulsos através das fibras nervosas. Assim, caso o paciente tenha apresentado um surto único de neurite óptica, a realização de um teste de potencial evocado sensitivo ou auditivo mostrando alteração na condução nervosa permite identificar um segundo local de lesão, e contribuir para o diagnóstico.

Prognóstico

É possível inferir, a partir da variedade de cursos clínicos que a EM apresenta, que o prognóstico também pode ser muito variável, tanto em termos de incapacidade, quanto de sobrevida. Esse prognóstico está diretamente relacionado à intensidade e duração dos surtos de desmielinização, bem como ao seu sítio anatômico de ocorrência e o tipo de sequela que ocasionam.

A duração da doença varia enormemente; alguns pacientes sobrevivem apenas alguns meses ou poucos anos após o diagnóstico. Estudos epidemiológicos revelam uma média geral de sobrevida de 30 anos após o início dos sintomas, e estimam que pacientes com EM vivam, em média, 5 a 10 menos do que pessoas sem a doença. Cerca de 20% dos pacientes apresentam a chamada forma "EM benigna", não apresentando sequelas debilitantes, mesmo após muitos anos de doença.[10] Fatores associados a melhor prognóstico parecem ser sexo feminino, idade de início mais precoce, poucos surtos nos primeiros anos da doença, forma clínica R-R, e neurite óptica ou sintomas

TABELA 11.3. Tratamento da EM

Anti-inflamatórios: corticosteroides (metilprednisolona): especialmente nos surtos agudos, a fim de diminuir sua intensidade e duração

Agentes imunomoduladores: interferon-β e copolímero I (glatirâmer)

Agentes imunossupressores: ciclofosfamida, mitoxantrone: sobretudo nas formas progressivas

Anticorpos monoclonais bloqueadores de linfócitos e monócitos: natalizumab

Anticorpos monoclonais bloqueadores de linfócitos T e B: alemtuzumab e rituximab: efeitos a longo prazo ainda não conhecidos

Plasmaferese e imunoglobulinas: em casos graves e com deterioração muito rápida, porém não há consenso sobre a efetividade

Medidas gerais
Tratamanto da fadiga: amantadina, modafinil, pemoline
Retenção urinária: betanecol
Urgência miccional: propanteline, oxibutinina
Espasticidade: baclofen, toxina botulínica

---

sensitivos como primeiros sintomas.[11] Com relação à incapacidade, estudos demonstram 90% dos pacientes conseguem deambular de forma independente após 10 anos do início dos sintomas, 75% após 15 anos,[12,13] e um estudo de Percy e cols. (1971)[14] mostrou que após 25 anos do início dos sintomas, um terço dos doentes ainda trabalhava, e dois terços ainda conseguiam deambular. No entanto, cerca de dois terços das causas de óbitos em pacientes com EM estão relacionados à doença, especialmente infecções, complicações clínicas relacionadas à progressiva falta de mobilidade e efeitos colaterais do tratamento.[7]

Tratamento medicamentoso

O tratamento farmacológico da EM tem como objetivo principal promover a modulação da resposta imune anormal apresentada pelo paciente. A Tabela 11.3 sumariza as principais medicações utilizadas para essa finalidade.

NEUROMIELITE ÓPTICA (DOENÇA DE DEVIC)

A neuromielite óptica (NMO) tem sido considerada atualmente uma doença distinta da EM, sendo caracterizada pelo acometimento simultâneo, ou sucessivo, dos nervos ópticos e medula espinhal, de forma grave.

Embora tanto a neurite óptica como mielite transversa possam fazer parte do quadro clínico da EM, como já descrita, a NMO possui algumas particularidades que a diferenciam da EM clássica, como ausência de lesões desmielinizantes em outras regiões do SNC, ausência de lesões cerebrais à RM de crânio que preencham os critérios definidos para EM, baixa frequência de bandas oligoclonais no LCR, e caráter necrotisante das lesões de medula.[15] Além disso, pacientes com NMO apresentam um anticorpo IgG antineural específico, denominado *anticorpo NMO*, dirigido contra a proteína aquaporina-4 de astrócitos.*** O tratamento da NMO baseia-se nos mesmos princípios já expostos para a EM clássica, porém a resposta é pobre, e o prognóstico da doença, menos favorável.

ESCLEROSE CEREBRAL DIFUSA

Nesta categoria encontram-se a doença de Schilder e a esclerose concêntrica de Balo, que se caracterizam pela desmielinização maciça da substância branca cerebral, em focos múltiplos ou único. A doença de Schilder é mais frequente em crianças e adolescentes, e seu quadro clínico inclui, além dos déficits neurológicos focais, demência, convulsões e aumento da pressão intracraniana.[16]

ENCEFALOMIELITE DISSEMINADA AGUDA

A encefalomielite disseminada aguda (*acute disseminated encephalomyelitis* – ADEM) é um quadro de desmielinização que acomete o encéfalo (forma encefalítica), a medula espinhal (forma mielítica), ou ambos (forma encefalomielítica), desencadeado por uma doença infecciosa, em geral, virais. Os vírus mais frequentemente associados à ADEM são: varicela-zoster, Epstein-Barr, herpes *simplex*, citomegalovírus, varíola, caxumba, sarampo, rubéola, influenza, arbovírus, retrovírus e dengue. Atualmente, a vacinação em massa contra a maior parte dessas infecções reduziu muito a incidência da doença em sua forma pós-infecciosa. Bactérias (*Mycoplasma*, *Rickettsia*, estreptococos), bem como parasitas (como o *Plasmodium*, causador da malária) também estão entre os agentes que podem desencadear o quadro.[17] Sua patogenia envolve um mecanismo autoimune, semelhante ao descrito para a EM.

A doença pode se manifestar logo após a resolução do quadro infeccioso, ou pode haver uma latência de dias ou mesmo semanas. O quadro clínico é semelhante ao já discutido para as encefalites e mielites, e, diferentemente da EM clássica, é monofásico, ou seja, não há surtos recorrentes. O exame de LCR mostra aumento de células (linfócitos) e proteínas, mas este não é um achado constante. A RM de crânio ou medula mostra os característicos focos de desmielinização de substância branca.

O tratamento da ADEM também se baseia no uso de corticosteroides, imunossupressores, imunoglobulinas e plasmaferese para os casos mais graves (Tabela 11.3). A recuperação dos pacientes se dá em um período de tempo variável, que pode chegar a meses. Sequelas são mais comuns em crianças do que em adultos, e incluem déficits motores, retardo mental, afasia, epilepsia, alterações visuais (quando há neurite óptica), mas a taxa de recuperação sem sequelas é de 50 a 75%, elevando-se para 70 a 90% se for considerada apenas a permanência de déficits leves.[18]

A ADEM pós-vacinal ocorre muito raramente, e só foi relacionada de forma consistente com a vacina antirrábica, embora a ocorrência de encefalite pós-vacinal seja o principal argumento utilizado por uma parcela dos médicos e da população leiga contra as políticas de saúde governamentais que enfatizam a importância da vacinação em massa para todas as crianças contra as diversas doenças virais e bacterianas típicas da infância. Recentemente, uma suspeita de que a vacina contra o sarampo (e outros vírus) estaria relacionada ao desencadeamento de novos casos de ADEM reacendeu a polêmica em torno do tema, mas as evidências não são tão conclusivas quanto no caso da vacina antirrábica. De todo modo, mesmo que comprovada a associação, a incidência de ADEM após a vacinação contra sarampo ocorreria numa frequência de 1 a 2 por milhão de indivíduos,[19] contra 1 a cada 1.000 nos casos de infecção por sarampo, o que torna mais do que justificável a manutenção das atuais políticas de vacinação.

***Aquaporina-4 é uma proteína presente na membrana celular, relacionada à condução de água através desta.

Referências bibliográficas

1. Ropper HA, Samuels MA. Multiple Sclerosis and Allied Demyelinating Diseases. In: Adams and Victor's Principles of Neurology. 9th ed. New York: McGraw-Hill 2009; 874-903.
2. Compston A. The 150th anniversary of the first depiction of the lesions of multiple sclerosis. Journal of Neurology, Neurosurgery and Psychiatry 1988; 51:1249-52.
3. Callegaro D. Esclerose Múltipla. In: Nitrini R, Bacheschi LA (eds). A Neurologia que Todo Médico Deve Saber. 2ª ed. São Paulo: Atheneu 2003; 335-40.
4. Frohman EM, Zhang H, Kramer PD, et al. MRI characteristics of the MLF in MS patients with chronic internuclear ophtalmoparesis. Neurology 2001; 57:762-8.
5. Weinshenker BG. Diagnostic criteria for MS: application and pitfalls. In: American Academy of Neurology 59th Meeting Syllabi. Boston, 2007.
6. Lublin FD, Reingold SC. Defining the clinical course of multiple sclerosis: results of an international survey. National Multiple Sclerosis Society (USA) Advisory Committee on Clinical Trials of New Agents in Multiple Sclerosis. Neurology 1996; 46:907-11.
7. Compston A, Coles A. Multiple sclerosis. Lancet 2008; 372:1502-17.
8. Rovaris M, Confavreux C, Furlan R, Kappos L, Comi G, Filippi M. Secondary progressive multiple sclerosis: current knowledge and future challenges. Lancet Neurology 2006; 5:343-54.
9. Miller DH, Leary SM. Primary-progressive multiple sclerosis. Lancet Neurology 2007; 6:903-12.
10. Pitttock SJ, Mayr WT, McClelland RL, et al. Disability profile of MS did not change over 10 years in a population – based prevalence cohort. Neurology 2004; 62:601-6.
11. Weinshenker BG Natural history of multiple sclerosis. Annals of Neurology 1994; 36(Suppl):S6-11.
12. Phadke JG. Survival pattern and cause of death in patients with multiple sclerosis: results from an epidemiological survey in north east Scotland. Journal of Neurology, Neurosurgery and Psychiatry 1987; 50:523-31.
13. Myhr KM, Riise T, Vedeler C, et al. Disability and prognosis in multiple sclerosis: demographic and clinical variables important for the ability to walk and awarding of disability pension. Multiple Sclerosis 2001; 7:59-65.
14. Percy AK, Nobrega FT, Okanaki H. Multiple sclerosis in Rochester, Minnesota. A 60-year appraisal. Archives of Neurology 1971; 25:105-11.
15. Weinshenker BG. Neuromyelitis optica (Devic's syndrome) and other Neuromyelitis optica spectrum disorders. In: American Academy of Neurology 59th Meeting Syllabi. Boston, 2007.
16. Rolak LA. Differential diagnosis of MS. In: American Academy of Neurology 59th Meeting Syllabi. Boston, 2007.
17. Rust RS. Acute Disseminated Encephalomyelitis and childhood MS. In: American Academy of Neurology 59th Meeting Syllabi. Boston, 2007.
18. Menge T, Kieseier BC, Nessler S, Hemmer B, Hartung HP, Stuve O. Acute disseminated encephalomyelitis: an acute hit against the brain. Current Opinion in Neurology 2007; 20:247-54.
19. Murthy JM. Acute disseminated encephalomyelitis. Neurology India 2002; 50:238-43.

Tumores do Sistema Nervoso 12

Márcia Radanovic ■ Marcos de Queiroz Teles Gomes

De modo geral, a maior parte das pessoas apresenta uma reação extremamente negativa quando recebe a notícia de que um conhecido, familiar ou paciente, apresenta o diagnóstico de um "tumor cerebral". Esse diagnóstico carrega consigo a sombra de ser uma doença muito grave, incapacitante, e invariavelmente fatal, em que nada pode ser feito.

Essa visão vem de uma época em que os métodos de diagnósticos eram precários e os procedimentos neurocirúrgicos não tinham o grau de sofisticação dos dias de hoje. Atualmente, com os modernos métodos de neuroimagem, o diagnóstico pode ser feito cada vez mais precocemente. A técnica neurocirúrgica apresentou um grande avanço nos últimos 50 anos, e a incorporação de novas tecnologias, como o uso do microscópio e da neuronavegação durante os procedimentos neurocirúrgicos, contribuiu para o aumento da precisão na manipulação das estruturas do SN, consequentemente diminuindo o risco de sequelas. Somando-se a isso os avanços na Neuroanestesia (que se tornou uma subespecialidade anestésica), na Radioterapia, na Quimioterapia, além do advento da Radiocirurgia Estereotáxica (que permite que as doses de radiação sejam dirigidas diretamente ao tumor, poupando os tecidos circundantes), o panorama geral do prognóstico de tumores de SN modificou-se de modo notável nas últimas décadas, e vem melhorando a cada dia.

Outro ponto a ser considerado é que o termo "tumor cerebral" engloba um número expressivo de tumores diferentes, cada qual apresentando um comportamento biológico próprio, com relação a localização, taxa de crescimento, invasividade, possibilidade de ressecção cirúrgica, resposta a radioterapia e quiomioterapia, e tendência a produzir metástases. Há mais de 120 tipos de tumores de SNC listados na atual Classificação da Organização Mundial de Saúde (WHO, 2000).[1] Todos esses fatores, em conjunto, fazem com que o prognóstico tenha um espectro que engloba desde a cura completa, controle (por vários anos), e, por fim, casos graves, em que a sobrevida é limitada.

Neste capítulo, discutiremos aspectos gerais relacionados com os tumores e, a seguir, apresentaremos as principais formas de tumores de SN que acometem indivíduos adultos, destacando suas peculiaridades.

TUMORES DE SISTEMA NERVOSO CENTRAL

Os tumores de SNC podem ser *primários* ou *secundários*. Os tumores primários originam-se das células componentes do SN (neurônios, células gliais etc.), enquanto os tumores secundários originam-se de células pertencentes a outros órgãos (metástases cerebrais). Os tumores primários são mais frequentes em crianças, e as metástases, em adultos.

Estima-se que a incidência geral de tumores intracranianos seja de 46/100.000 habitantes/ano, e os tumores primários de SNC apresentam uma incidência de 8 a 15/100.000 habitantes/ano.[2,3] É muito difícil obter-se estatísticas confiáveis sobre a proporção entre tumores primários e secundários de SNC. Os números variam muito em relação ao serviço em que os dados são coletados, mas, como já assinalado, tumores metastáticos superam em muito os tumores primários de SNC em adultos, sobretudo em decorrência do aumento da sobrevida dos pacientes com câncer em geral.

As manifestações clínicas mais comuns que levam à suspeita de uma neoplasia intracraniana são crises convulsivas com início na idade adulta (sem antecedentes de crises durante a infância), síndrome de hipertensão intracraniana (HIC) (cefaleia, náuseas e vômitos e borramento visual devido ao edema da papila óptica), desenvolvimento de déficits neurológicos focais de forma progressiva (em contraposição aos quadros ictais provocados pelos AVEs), alterações cognitivas e comportamentais, e sintomas neurológicos relacionados com os efeitos dos autoanticorpos produzidos pelos tumores localizados fora do SNC, o que se denomina *síndrome paraneoplásica*. Os sinais e sintomas vão variar de acordo com a região cerebral em que se localiza o tumor e sua velocidade de crescimento.

Os mecanismos pelos quais ocorrem os sinais e sintomas podem ser devidos a:[4]

- Infiltração das células tumorais entre as células nervosas, em geral levando a crises convulsivas. É usual em tumores primários de crescimento mais lento.
- Crescimento do tumor, causando efeito de massa e compressão das estruturas adjacentes, o que costuma ocorrer nas metástases. Nesse caso, a retirada do tumor leva a regressão dos sintomas, pois não há destruição do tecido nervoso.
- Combinação dos dois mecanismos, ocorrendo em tumores primários de crescimento mais rápido. Nesse caso, a retirada do tumor pode não promover melhora completa dos sintomas, pois há destruição do tecido nervoso adjacente.
- Edema circundando a lesão, devido ao processo inflamatório desencadeado pelo tumor.
- Hidrocefalia obstrutiva, que ocorre quando o tumor situa-se em localização que provoca obstrução do fluxo liquórico, com consequente dilatação dos ventrículos. Esse fenômeno é mais comum em tumores localizados na região da base do crânio, cerebelo e tronco cerebral.

A cefaleia produzida pelos tumores cerebrais deve-se ao mecanismo de tração das meninges, à medida que o tumor cresce, e ocorre em cerca de 50% dos pacientes, sendo em geral caracterizada como uma dor profunda, em pressão, intermitente, e agravada por manobras de Valsalva (como ao tossir, espirrar, ou realizar qualquer esforço físico). Esse sintoma surge mais precocemente nos tumores quando há HIC associada.

As crises convulsivas produzidas por tumores podem ser generalizadas ou focais, estas últimas variando em função da localização do tumor. O mesmo raciocínio é válido para os sinais neurológicos focais, que podem se manifestar, como hemiparesia, afasia, hemianopsia, sintomas cerebelares, paralisia de nervos cranianos etc. Embora usualmente os déficits neurológicos se instalem de forma progressiva, pode haver uma piora abrupta, simulando um AVE, no caso de haver sangramento do tumor.

O comportamento biológico de um tumor é um dos principais fatores que limita a sobrevida do paciente, pois reflete a tendência de suas células de sofrerem *anaplasia*, ou seja, de se tornarem células indiferenciadas, perdendo suas características próprias. Células indiferenciadas multiplicam-se de forma desordenada (ou seja, apresentam muitas mitoses), invadem os tecidos vizinhos, e, ao cair na corrente sanguínea, geram novos focos de tumores a distância (metástases). Assim, quando se realiza a análise histológica de um fragmento de tumor (após uma biopsia, por exemplo), quanto mais anaplásico este for, mais maligno será o comportamento do tumor, e menores as taxas de sobrevida do paciente.

TUMORES PRIMÁRIOS DE SISTEMA NERVOSO CENTRAL

Os tumores primários originam-se dos diversos tipos de células que compõem o SNC: neurônios, células gliais, células ependimárias, células das meninges etc.

Gliomas: os gliomas são tumores derivados dos vários tipos de células gliais presentes no cérebro: astrócitos (relacionados com a manutenção trófica e sustentação dos neurônios), oligodendrócitos (produtores da mielina do SNC) e células ependimárias (células de revestimento do sistema ventricular e canal central da medula). Os gliomas representam cerca de 40 a 50% dos tumores primários de SNC.

Os tumores derivados dos astrócitos são denominados *astrocitomas*, e variam em seu aspecto histológico, comportamento biológico e potencial de malignização (Tabela 12.1).

TABELA 12.1. Classificação dos astrocitomas*

TIPO	PRINCIPAIS CARACTERÍSTICAS
Astrocitoma pilocítico (WHO grau I)	Mais frequente em crianças e adultos jovens, é circunscrito e tem crescimento lento. Em geral, localiza-se no cerebelo, tronco encefálico, nervos ópticos e região do III ventrículo. Tem pouca tendência a anaplasia
Astrocitoma difuso (WHO grau II)	Mais frequente em adultos jovens, localizando-se nos hemisférios cerebrais, já tendo caráter infiltrativo. Embora inicialmente pouco anaplásico, tem a tendência de recidivar após a ressecção cirúrgica, tornar-se difuso, e sofrer aumento da anaplasia, ficando, assim, mais agressivo
Astrocitoma anaplásico (WHO grau III)	A idade média de aparecimento é em torno dos 40 anos; suas células têm alto grau de anaplasia, é um tumor que infiltra o cérebro difusamente. Podem surgir a partir de um astrocitoma grau II. Em geral, progride para a forma de GBM em um período médio de dois anos
Glioblastoma multiforme (GBM) (WHO grau IV)	É o mais comum e mais maligno glioma que ocorre em adultos. Localiza-se nos hemisférios cerebrais, podendo ser unilateral, mas em alguns casos origina-se ou invade o corpo caloso, espalhando-se bilateralmente ("tumor em borboleta"). Suas células têm alto grau de anaplasia e necrose tecidual. Divide-se em GBM primário, que ocorre em pacientes a partir da sexta década de vida, e GBM secundário, derivado de um astrocitoma grau II ou III preexistente, ocorrendo em pacientes mais jovens (ao redor dos 45 anos) (Fig. 12.1)
Gliomatosis cerebri (WHO grau III)	Tumor maligno que infiltra de forma difusa os hemisférios cerebrais, tronco encefálico e até mesmo a medula espinhal, sem que haja uma massa tumoral identificável

*Entre parênteses encontra-se a classificação de acordo com a Organização Mundial de Saúde (WHO), em que o termo "grau" denota o potencial de malignidade do tumor.

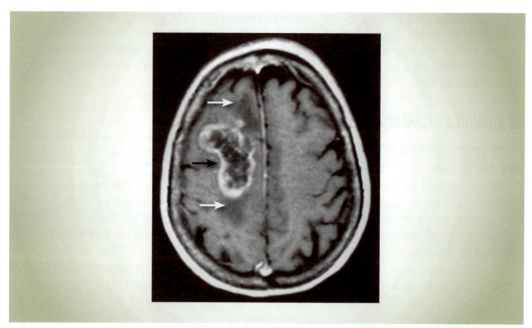

FIGURA 12.1. Imagem axial de RM de crânio em T1 mostrando GBM em região frontoparietal D (seta preta). Notar o aspecto necrótico e infiltrativo, com edema circundante (setas brancas).

Os astrocitomas de baixo grau de malignidade (graus I e II) correspondem a cerca de 25 a 30% dos gliomas. Os astrocitomas de alto grau de malignidade (graus III e IV) podem corresponder a até 80% dos gliomas, e ocorrem mais em homens, em uma proporção de 1,6:1.[3]

Os tumores derivados dos oligodendrócitos são denominados *oligodendrogliomas*, e perfazem ao redor de 7% dos gliomas. Embora possam ocorrer em qualquer faixa etária, têm dois picos de incidência: 6 a 12 anos e, posteriormente, na terceira e na quarta década de vida. Tipicamente, é um tumor de crescimento lento, e sua localização mais comum são os lobos frontais e temporais. Nesse tipo de tumor, a ocorrência de alteração genética nos cromossomos 1p e 19q, que tem implicações prognosticas, levando a uma melhor resposta à quimioterapia e maior sobrevida. Por outro lado, alterações nos cromossomos 9 e 10 levam a uma progressão mais rápida do tumor.[5]

Os tumores derivados das células ependimárias denominam-se *ependimomas*, correspondendo a 6% dos gliomas,[6] aproximadamente. Quando se localizam na região infratentorial (ou seja, abaixo da tenda do cerebelo), a maior parte ocorre durante o primeiro ano de vida. Quando sua localização é supratentorial (acima da tenda do cerebelo), a distribuição por idade é mais uniforme, mas esse tipo de tumor costuma ocorrer em indivíduos mais jovens do que nas outras formas de glioma. Por serem originários das células de revestimento do sistema ventricular, esses tumores costumam levar a obstrução do fluxo liquórico, ocasionando hidrocefalia obstrutiva e sinais de HIC.[7]

Meningiomas

Os meningiomas são tumores derivados das células da meninge aracnoide (camada meníngea intermediária). São tumores benignos, de crescimento lento, representando ao redor de 15% dos tumores primários de SNC. São mais comuns em mulheres, em uma proporção de 2:1, e têm seu pico de incidência entre a sexta e a sétima década de vida.[3] Pelo fato de derivarem de células da meninge aracnoide, não infiltram o parênquima cerebral como os gliomas, e suas localizações usuais são a fissura silviana, a superfície parassagital dos lobos frontal e parietal, a goteira olfatória, a asa do osso esfenoide, o tubérculo da sela túrcica, a superfície superior do cerebelo, o ângulo cerebelopontino (entre o cerebelo e a ponte) e o canal espinhal (Fig. 12.2). Várias alterações genéticas estão associadas aos meningiomas. A primeira é encontrada nos meningiomas associados à neurofibromatose tipo 2 (NF2), no cromossomo 22q. Outras alterações, presentes tanto em pacientes com NF2 quanto em casos esporádicos, encontram-se nos cromossomos 1p, 6q, 9p, 10q, 14q e 18q.[8]

Alguns meningiomas apresentam receptores para os hormônios estrógeno e progesterona, o que pode explicar sua maior frequência em mulheres, o fato de aumentarem durante a gestação e a sua associação ao câncer de mama (Fig. 12.3).

Linfomas primários de SNC

Os linfomas primários de SNC aparecem caracteristicamente em indivíduos imunodeprimidos, o que explica o grande aumento de sua incidência após o surgimento da AIDS, o incremento no uso de imunossupressores no tratamento de câncer e transplante de órgãos. Sua incidência também tem aumentado em indivíduos idosos, ainda que sem comprometimento imunológico. Assim, possuem dois picos de incidência: na terceira e na quarta década de vida (sobretudo em indivíduos com AIDS) e na quinta e na sétima década, em indivíduos sem comprometimento imunológico. Histologicamente, são derivados dos linfócitos do tipo B na maioria dos casos, sendo raramente

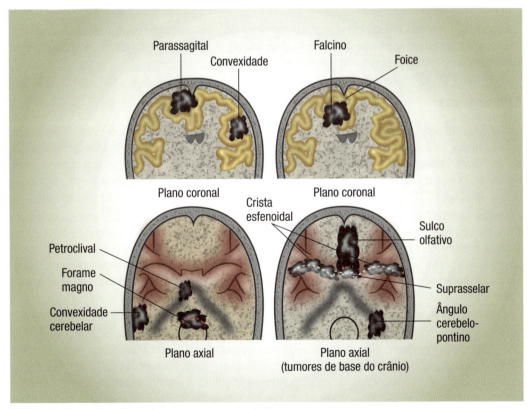

FIGURA 12.2. Localizações mais frequentes dos meningiomas.

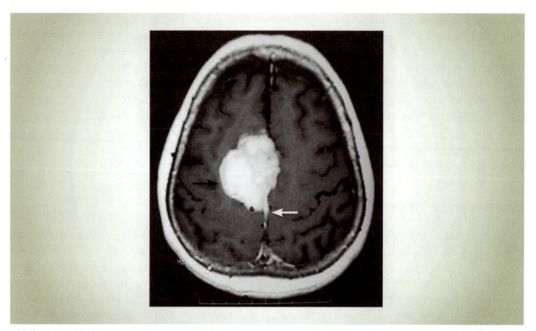

FIGURA 12.3. Imagem axial de RM de crânio em T1 com contraste mostrando meningioma parassagital à D (seta preta). Notar sua origem na meninge (seta branca), o aspecto homogêneo e a ausência de edema circundante.

derivados de linfócitos T. Sessenta por cento dos casos ocorrem nos hemisférios cerebrais, como lesões únicas ou múltiplas, muitas vezes de localização periventricular. Outros locais de aparecimento são o tronco encefálico e cerebelo.[3]

Schwannomas

Os *schwannomas* ou neurinomas são tumores que têm sua origem nas células de Schwann, as células que envolvem os axônios dos nervos e produzem sua mielina, formando a bainha dos nervos. O mais comum é o neurinoma de VIII nervo (acústico), mas pode ocorrer em outros nervos cranianos, como o V (trigêmeo) e VII (facial). Os neurinomas de acústico ocorrem em associação com a neurofibromatose tipo 1 e 2 (nesse caso, bilateralmente), mas também de forma esporádica.

Neurinomas de acústico correspondem a 9% dos tumores intracranianos, benignos, ocorrendo em uma frequência de 1/100.000 habitantes/ano. O pico de incidência se dá entre 35-40 anos de idade, e incide duas vezes mais em mulheres do que em homens. O tumor cresce a partir do tronco do nervo vestibular, no canal auditivo interno, e, ao crescer, passa a ocupar o ângulo cerebelopontino, podendo, então comprimir o nervo trigêmeo (V par) (Fig. 12.4). Ao crescer mais, pode comprimir a ponte e o bulbo, levando a alterações dos nervos cranianos bulbares (IX a XII pares).[3]

Os sintomas iniciais desse tumor são perda auditiva lentamente progressiva no lado acometido em 70% dos pacientes, zumbido, tonturas e alteração do equilíbrio. Caso ocorra compressão do nervo trigêmeo, o paciente pode apresentar dor ou alteração sensitiva ipsilateral ao tumor. Tumores muito grandes podem causar compressão do cerebelo, levando a sintomas cerebelares, e obstrução do fluxo liquórico (hidrocefalia). Ao exame neurológico, 98% dos pacientes apresentam hipoacusia, 30%, nistagmo, e 30%, alterações de nervo trigêmeo.[3] Atualmente, é dada ênfase ao diagnóstico precoce, com realização de audiometria e exame de neuroimagem de forma mais

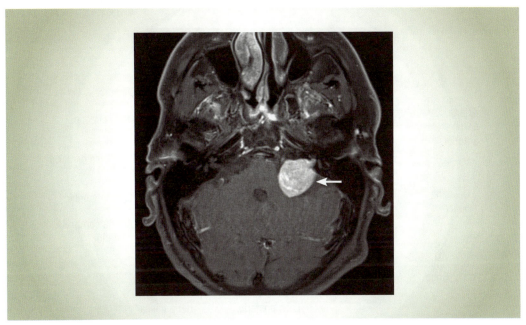

FIGURA 12.4. Imagem axial de RM em T1 com contraste mostrando *schwannoma* de acústico à E (seta).

liberal em pacientes com queixa de diminuição de acuidade auditiva em que não se encontre uma causa local (obstrução do canal auditivo externo, otites etc.) que justifique o quadro.

Adenoma de hipófise

Adenomas de hipófise são tumores benignos, originados do crescimento de células da glândula hipófise, correspondendo a 15% tumores intracranianos primários; são mais comuns em mulheres.[5]

A hipófise localiza-se na *sela túrcica*, uma região do osso esfenoide. Acima da hipófise está o *quiasma óptico*, que é a região onde se dá o cruzamento das fibras mediais dos dois nervos ópticos; por isso, o crescimento de um tumor da hipófise causa compressão do quiasma óptico, levando a várias formas de perdas do campo visual (Fig. 12.5).

A forma mais característica dessa perda visual é a *hemianopsia bitemporal*, ou perda das duas metades externas do campo visual (por compressão das fibras correspondentes às metades laterais de cada retina), que se instala progressivamente (ver Capítulo 3 – *Método Clínico em Neurologia*). No entanto, outras formas de perda visual podem acontecer, como cegueira quase total em um olho e hemianopsia temporal contralateral, escotomas centrais, e o crescimento do tumor pode levar até mesmo a cegueira completa, com atrofia do nervo óptico. Se houver expansão do tumor em direção ao seio cavernoso, pode haver paralisia de nervos oculomotores associada (o que pode ocorrer em até 10% dos casos). Tumores maiores podem chegar a invadir o terceiro ventrículo, lobos temporais e fossa posterior, causando hidrocefalia.[9] Cefaleia é uma queixa também presente em pacientes portadores desses tumores (Fig. 12.6).

Os tumores de hipófise originam-se na porção anterior da glândula, e sua incidência aumenta com o envelhecimento. Embora em alguns casos os sintomas neurológicos possam preceder as

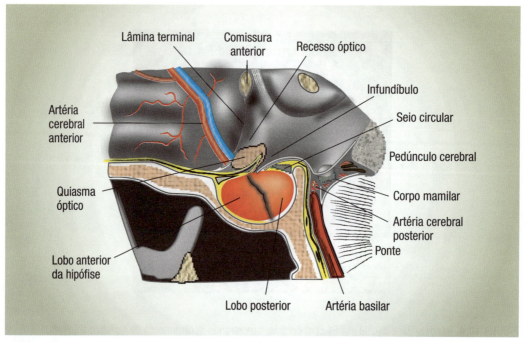

FIGURA 12.5. Localização da sela túrcica com a glândula hipófise em seu interior, e estruturas adjacentes.

manifestações endócrinas, os tumores de hipófise, em sua maioria, são microadenomas, e seus sintomas decorrem da hiperprodução hormonal secundária ao desenvolvimento do tumor. As principais síndromes associadas aos tumores de hipófise são:[3]

- Doença de Cushing: excesso de produção do hormônio ACTH (adrenocorticotrófico), que leva a hiperplasia das glândulas adrenais e hiperprodução do hormônio cortisol. A síndrome resultante do aumento dos níveis de cortisol inclui amenorreia, hipertensão, fraqueza muscular proximal, hirsutismo, hiperglicemia, osteoporose, obesidade truncal, estrias abdominais e alterações mentais.
- Acromegalia: excesso de produção de GH (hormônio do crescimento), que leva a crescimento das extremidades (mãos e pés), prognatismo (crescimento do maxilar inferior), visceromegalia (aumento de órgãos internos, como o coração), aumento do metabolismo, diabetes *mellitus*.
- Síndrome da amenorreia-galactorreia: excesso da produção de prolactina, hormônio responsável pelo estímulo para a produção de leite pelas mamas. Em mulheres, ocorre a síndrome clássica de amenorreia (cessação da menstruação) e galactorreia (produção de leite sem que a mulher esteja em fase de amamentação). Nos homens, a galactorreia é rara, e os tumores atingem tamanhos maiores provocando cefaleia, alterações visuais (ver acima) e impotência. Adenomas de hipófise que produzem prolactina são denominados *prolactinomas*.

O diagnóstico dessas desordens hormonais é feito pela dosagem sérica dos hormônios produzidos pela hipófise, o chamado "perfil hipofisário", que permite identificar quais hormônios encontram-se alterados.

Outra neoplasia que também ocorre na região da sela túrcica é o *craniofaringioma*, formada a partir de células epiteliais derivadas de restos embriogêncios que, embora seja benigna, leva a

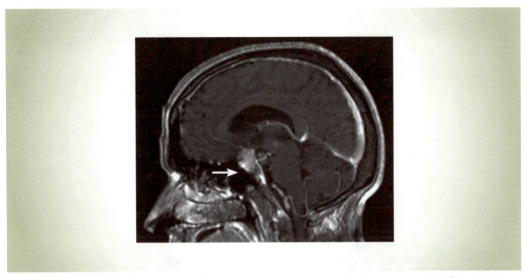

FIGURA 12.6. Imagem sagital de RM de crânio em T1 com contraste mostrando adenoma de hipófise (seta).

complicações devido a sua localização (de difícil acesso cirúrgico), tendência a infiltrar e aderir a estruturas adjacentes, e recidivas, sobretudo quando não é possível extirpar todo o tumor. É mais frequente em crianças e adultos jovens.

Gangliocitoma e ganglioglioma

Estes tumores originam-se de células bem diferenciadas, que se assemelham a neurônios (gangliocitoma), e de sua combinação com células gliais (ganglioglioma), que podem ocorrer em qualquer localização no SNC. No entanto, a maioria ocorre nos lobos temporais, seguido pelos lobos frontais e occipitais. O ganglioglioma é responsável por 40% dos casos de epilepsia temporal de etiologia tumoral.[5]

METÁSTASES CEREBRAIS

Muitos tumores sistêmicos podem se disseminar por via hematogênica e provocar metástases em SNC. Metástases cerebrais são mais frequentes em adultos, e, como já citado, mais comuns do que os tumores primários de SNC nessa faixa etária. Seu pico de ocorrência se dá entre a quinta e a sétima década de vida.[10] As neoplasias que mais dão origem a metástases cerebrais são as de pulmão, mama, e pele, nessa ordem. Em seguida, temos as neoplasias de cólon e reto, e de rim. Destas, a neoplasia que tem o maior grau de invasividade para SNC é o melanoma maligno, cujas estimativas de provocar metástases cerebrais variam entre 12 e 40%, dependendo do estudo. Em seguida, situam-se os tumores de pulmão, com tendência entre 18 a 65%, em geral os tumores de pequenas células, ou adenocarcinomas. Dos tumores de mamas, cerca de 20 a 30% provocarão metástases cerebrais.[11]

O quadro clínico das metástases cerebrais é semelhante ao já descrito para a maior parte dos tumores primários: cefaleia, convulsões, alterações mentais e déficits focais que dependerão da sua localização. Oitenta por cento das metástases localizam-se nos hemisférios cerebrais, e o restante, na fossa posterior (Fig. 12.7). Podem também ocorrer nas meninges e nos ossos do crânio.

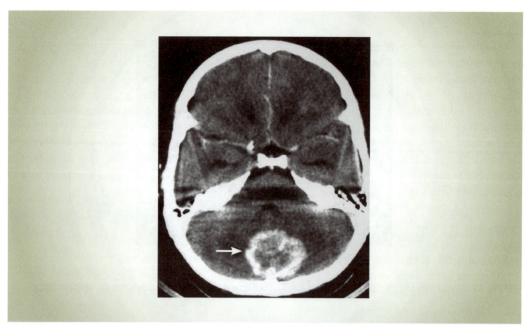

FIGURA 12.7. Imagem axial de TC de crânio com contraste mostrando metástase em cerebelo.

Hoje, graças à relativa segurança dos procedimentos neurocirúrgicos, a existência de metástases cerebrais não é mais um fator limitante da sobrevida do paciente, como há décadas. Se o paciente estiver em adequadas condições clínicas, e o tumor primário estiver sendo tratado com sucesso, a cirurgia para remoção da metástase pode ser realizada com segurança, melhorando a qualidade de vida do paciente, cuja sobrevida voltará então a depender do comportamento do tumor original. Tumores metastáticos não infiltram o tecido cerebral, e raras vezes estão localizados em pontos de difícil acesso cirúrgico, o que facilita sua ressecção.

Carcinomatose meníngea

Denomina-se *carcinomatose meníngea* à disseminação de células tumorais nas meninges e nos ventrículos cerebrais, o que também é uma manifestação metastática. Ocorre em cerca de 5% dos adenocarcinomas de mama, pulmão, trato gastrointestinal, melanoma, leucemia (em crianças) e linfomas.

Seus sinais e sintomas são, na maior parte dos casos, radiculopatias (especialmente acometendo a cauda equina), paralisia de nervos cranianos, e síndrome confusional. Cefaleia, dor lombar (às vezes mimetizando lombociatalgia), e um quadro semelhante a uma meningite também podem ser formas de manifestação da carcinomatose meníngea. A evolução é inicialmente subaguda (semanas), porém em algum momento da progressão da doença a piora passa a ser mais rápida. Os sintomas neurológicos podem surgir antes da detecção do tumor primário, embora esta não seja a regra.[3]

O diagnóstico dessa forma de metástase é feita pela identificação das células tumorais no exame de LCR, que apresenta, além disso, um aumento das células brancas (linfócitos) e proteínas, além de baixos níveis de glicose. Quando o LCR é normal, a pesquisa de marcadores tumorais pode auxiliar o diagnóstico.

Síndromes paraneoplásicas

Síndrome paraneoplásica é o nome dado ao conjunto de sinais e sintomas neurológicos que ocorre em pacientes com uma neoplasia sistêmica, mas que não decorre da invasão direta do sistema nervoso, ou de efeito compressivo do tumor. O mecanismo exato que desencadeia o quadro neurológico não é completamente compreendido, e a teoria mais aceita é a de um mecanismo autoimune, em que anticorpos produzidos contra a neoplasia compartilhariam alguns antígenos com estruturas do sistema nervoso, gerando a resposta imune dirigida a este. De particular importância é o fato de que em muitos casos a síndrome paraneoplásica desenvolve-se antes da identificação do tumor primário, podendo haver uma latência de meses, ou até um ano, antes que o diagnóstico da neoplasia original seja feito. A Tabela 12.2 mostra as principais síndromes paraneoplásicas e os seus tumores associados.

TUMORES MEDULARES

Tumores de SN também podem ocorrer na medula espinhal. Nesse caso, podem ser divididos em tumores intramedulares propriamente ditos, ou seja, aqueles em que a lesão ocorre no próprio tecido medular, invadindo e destruindo a substância cinzenta da medula e os tratos de substância

TABELA 12.2. Principais síndromes paraneoplásicas

SÍNDROME PARANEOPLÁSICA	QUADRO CLÍNICO	TUMOR RELACIONADO	AUTOANTICORPO
Encefalomielite	Confusão mental, sinais de acometimento de tronco cerebral, mielite, psicose, crises convulsivas	Pulmão (pequenas células), próstata, mama, testículo, linfoma de Hodgkin, ovário	Anti-Hu Anti-NMDA
Síndrome miastênica de Lambert-Eaton	Fraqueza muscular proximal, sintomas autonômicos	Pulmão (pequenas células), linfomas	Anticanais de cálcio
Degeneração cerebelar	Ataxia cerebelar	Ovário, pulmões, linfoma de Hodgkin	Anti-Yo
Degeneração retiniana	Escotomas, cegueira, edema de papila	Pulmão (pequenas células), rim, melanoma, timoma	Anti-CAR
Síndrome opsoclonus-mioclônus-ataxia	Alterações da motricidade ocular, ataxia	Mama, pulmão (pequenas células)	Anti-Ri
Síndrome do homem rígido (Stiff-man)	Rigidez e espasmos musculares	Mama	Antianfifisina
Neuropatia óptica	Cegueira	Pulmão	Anti-CRMP-5
Neuropatia sensitiva subaguda	Déficit sensitivo distal (pés e mãos) ou proximal	Pulmão (pequenas células), linfomas	Anti-Hu
Coreia	Coreoatetose bilateral	Pulmão, linfoma de Hodgkin	Anti-Hu, Anti-CRMP-5

Adaptado de Ropper e Samuels, 2009.[3]

branca, e tumores extramedulares, que se originam na coluna vertebral, ou meninges, levando a compressão da medula pelo seu crescimento, ou ocasionando fraturas de corpos vertebrais que provocam a lesão medular.

O quadro clínico dos tumores medulares, dependendo de sua localização, pode se apresentar como uma síndrome de secção medular (déficit motor e sensitivo abaixo do local da lesão), síndrome radicular (em que predomina o quadro de dor em distribuição radicular) ou síndrome siringomiélica, em que ocorre lesão da substância cinzenta central, levando a uma dissociação característica do déficit sensorial, em que a sensibilidade dolorosa e térmica são abolidas, com preservação da sensibilidade tátil nos segmentos medulares envolvidos.

Os tumores intramedulares primários têm a mesma origem histológica que os tumores cerebrais já apresentados, embora sua frequência de ocorrência seja diferente. Assim, os tumores intramedulares mais comuns são os ependimomas (60% dos casos), seguidos pelos astrocitomas (25%), e oligodendrogliomas são mais raros. Os restantes 15% dividem-se entre neurinomas, lipomas, hemangiomas e metástases de carcinomas.

No entanto, os tumores metastáticos extramedulares são os mais comuns, originando-se tanto por disseminação hematogênica, quanto por contiguidade a partir das vértebras. As neoplasias que mais frequentemente ocorrem nessa situação são as metástases de carcinomas de mama e próstata, linfomas e mieloma múltiplo.[12]

DIAGNÓSTICO

O diagnóstico dos tumores de SNC baseia-se amplamente na história clínica e nos exames de neuroimagem, que mostram o tumor, sua localização e complicações associadas, como sangramentos e hidrocefalia. Atualmente, os exames de RM têm recursos que permitem até mesmo classificar o tumor, de acordo com o perfil de suas características radiológicas. Quando isso não é possível, pode ser necessária a realização de uma biopsia cerebral, a fim de identificar o tipo histológico do tumor e permitir o planejamento terapêutico.

TRATAMENTO

Atualmente, preconiza-se que o tratamento dos tumores de SNC seja acompanhado por uma equipe de especialistas que envolva, pelo menos, neurocirurgiões, neurologistas, oncologistas e radioterapeutas, pois as condutas devem ser orientadas não apenas visando a maior sobrevida, mas também a qualidade de vida do paciente. O tratamento pode ser realizado pela ressecção cirúrgica do tumor, quimioterapia e radioterapia, qualquer uma delas isoladamente ou em diversas combinações, em função do estado clínico do paciente, do tipo de tumor (e sua potencial resposta a cada uma das modalidades terapêuticas), da sua localização e da existência de outros focos de neoplasia (sobretudo em casos de metástases). A Tabela 12.3 sumariza as principais formas de tratamento para os tumores discutidos neste capítulo. Ao analisar essa tabela, é importante notar que a sobrevida média, como sugere o termo, refere-se à média de tempo de sobrevida de um grupo de pacientes estudados, havendo sempre uma considerável variação quando se analisa a sobrevida individual. Como exemplo, podemos citar uma série de pacientes com ganglioglioma, em que a sobrevida média foi de 90 meses, havendo, no entanto, uma variação individual de 14 meses a 13 anos.[13]

TABELA 12.3. Tratamento e prognóstico dos tumores de SNC

TIPO DE TUMOR	TRATAMENTO	SOBREVIDA MÉDIA
Astrocitoma pillocítico	Ressecção cirúrgica	5 a 10 anos
Astrocitoma difuso	Ressecção cirúrgica/não há consenso sobre benefício da radioterapia	5 a 10 anos
Astrocitoma anaplásico	Ressecção cirúrgica/radioterapia/quimioterapia	2 a 4 anos
Glioblastoma multiforme	Ressecção cirúrgica/radioterapia/quimioterapia	12-18 meses
Gliomatosis cerebri	Radioterapia/quimioterapia, ambos com resultado pobre	Alguns meses
Oligodendroglioma	Ressecção cirúrgica/radioterapia	7 anos
Ependimoma	Ressecção cirúrgica/radioterapia	5 anos
Meningioma	Ressecção cirúrgica	Cura completa, salvo nos casos de impossibilidade de retirada total (pela localização)
Linfoma primário	Radioterapia/corticosteroides. Em imunocompetentes: adição de quimioterapia intratecal*	10 a 18 meses (imunodeprimidos) Acima de 3 anos (imunocompetentes)
Schwannoma	Ressecção cirúrgica	Cura completa (recidivas são raras)
Adenoma de hipófise	Prolactinomas: bromocriptina (agonista dopaminérgico) Ressecção cirúrgica/radioterapia em recidivas	Cura completa, mas reposição hormonal será necessária por toda a vida do paciente
Craniofaringioma	Ressecção cirúrgica	Variável: taxa de sobrevida após 10 anos de 40 a 90%, dependendo do estudo
Gangliocitoma/ganglioneuroma	Ressecção cirúrgica	7 anos
Metástases	Resseccção cirúrgica (metástase única) Radioterapia/quimioterapia	Depende em grande parte do estadiamento do tumor primário
Carcinomatose meníngea	Radioterapia/quimioterapia intraventricular	6 meses

*Administração da medicação diretamente no canal raquidiano.

Bibliografia

Winn HR (ed.) Youmans Neurological Surgery. Volume 1, Section II – Oncology, 5th ed. Philadelphia: Saunders 2004; 659-1457.

Referências bibliográficas

1. World Health Organization. International Classification of Diseases for Oncology, 3rd ed. (ICD-O-3), 2000.
2. Doran SE, Thorell WE. Brain tumors: Population-based epidemiology, environmental risk factors, and genetic and hereditary syndromes. In: Winn HR (ed.) Youmans Neurological Surgery. Volume 1. 5th ed. Philadelphia: Saunders, 2004; 807-15.
3. Ropper HA, Samuels MA. Intracranial neoplasms and paraneoplastic disorders. In: Adams and Victor's Principles of Neurology. 9th ed. New York: McGraw-Hill, 2009; 612-66.
4. Shapiro WR. Clinical features: Neurology of brain tumors and paraneoplastic disorders. In: Winn HR (ed). Youmans Neurological Surgery. Volume 1. 5th ed. Philadelphia: Saunders 2004; 825-34.
5. Ribalta T, Fuller GN. Brain Tumors: An overview of histopathologic classification. In: Winn HR (ed). Youmans Neurological Surgery. Volume 1. 5th ed. Philadelphia: Saunders 2004; 661-72.
6. Central Brain Tumor Registry of the United States. Disponível em www.cbtrus.org, 2010.
7. Carson, Sr BS, Guarnieri M. Ependymoma. In: Winn HR (ed) Youmans Neurological Surgery. Volume 1. 5th ed. Philadelphia: Saunders 2004; 1043-51.
8. Haddad GF, Al-Mefty O, Abdulrauf SI. Meningiomas. In: Winn HR (ed.) Youmans Neurological Surgery. Volume 1. 5th ed. Philadelphia: Saunders, 2004; 1099-131.
9. Thapar K, Laws ER. Pituitary tumors: Functioning and nonfunctioning. In: Winn HR (ed.) Youmans Neurological Surgery. Volume 1. 5th ed. Philadelphia: Saunders 2004; 1169-206.
10. Takakura K, Sano K, Sojo S, et al. Metastatic tumors of the Central Nervous System. New York: Igaku-Shoin, 1982.
11. Lang FF, Chang EL, Abi-Said D, Wildrick DM, Sawaya R. Metastatic brain tumors. In: Winn HR (ed.) Youmans Neurological Surgery. Volume 1. 5th ed. Philadelphia, Saunders 2004; 1077-97.
12. Ropper HA, Samuels MA. Diseases of the spinal cord. In: Adams and Victor's Principles of Neurology. 9th ed. New York: McGraw-Hill 2009; 1181-230.
13. Hakim R, LoefflerJS, Anthony DC, Black PM. Gangliogliomas in adults. Cancer 1997; 79:127-31.

Doenças Degenerativas do Sistema Motor

13

Márcia Radanovic

Neste capítulo, serão abordadas algumas doenças degenerativas que afetam o sistema motor, e que por apresentarem envolvimento de múltiplos sistemas não se enquadram de modo adequado em outras classificações gerais de doenças neurológicas. A primeira delas é a esclerose lateral amiotrófica; a seguir, descreveremos algumas síndromes degenerativas em que predomina o acometimento cerebelar.

ESCLEROSE LATERAL AMIOTRÓFICA

A esclerose lateral amiotrófica (ELA) é uma doença degenerativa cuja incidência é estimada em 1 a 2/100.000 indivíduos/ano, predominando em homens, numa proporção de 2:1. Em geral, a doença se inicia na quinta década de vida, e sua incidência aumenta com o avançar da idade. Cerca de 10% dos casos têm caráter hereditário, com padrão de herança autossômico dominante, onde a idade de início é mais precoce e a sobrevida menor. O restante dos casos ocorre de modo esporádico na população.

A patogenia da ELA está relacionada à degeneração dos motoneurônios do corno anterior da medula e núcleos motores do tronco cerebral combinada à degeneração do trato corticospinal, produzindo, assim, uma síndrome que mescla sintomas decorrentes da lesão de neurônios motores inferiores (atrofia muscular, fasciculações) e superiores (hiper-reflexia e espasticidade).

Quadro clínico

Em sua apresentação mais típica, a ELA se inicia por um quadro de fraqueza em musculatura distal; o paciente pode notar dificuldade em realizar movimentos finos e delicados com os dedos de uma mão (como abotoar uma camisa) ou queixar-se de "tropeçar" demais, devido a fraqueza distal em membro inferior ("pé caído"). O início em membros superiores é bem mais frequente do que em membros inferiores, portanto aqui descreveremos esse padrão de evolução. Rigidez dos dedos, fraqueza e perda de massa muscular na mão também podem ser notadas. Câimbras e fasciculações aparecem, passando a acometer antebraços, braços e músculos proximais da cintura escapular. Em algumas semanas, o membro contralateral é afetado; após poucos meses, a doença já pode ser clinicamente reconhecida pela tríade de amiotrofia em mãos e braços, fasciculações e espasticidade em braços e pernas. Classicamente ocorre atrofia muscular intensa dos músculos abdutores, adutores e extensores dos dedos, "esvaziando" os espaços interósseos dorsais, o que gera o aspecto característico de "mão cadavérica". Em geral, a atrofia muscular se espalha para a musculatura adjacente antes de acometer outro membro, o que explica o fato de que muitos pacientes apresentam envolvimento intenso dos braços, enquanto as pernas ainda estão bastante preservadas. Os reflexos tendinosos profundos, como já referido, são exaltados, e sinal de Babinski pode estar presente. A sensibilidade não é acometida na ELA.

A progressão da doença leva, então, ao acometimento dos músculos do pescoço, língua, laringe e faringe, e, finalmente, membros inferiores (pernas e coxas). As causas de óbito estão relacionadas mais frequentemente a complicações infecciosas, especialmente pulmonares (devido ao risco de aspiração pela disfagia e pela função ventilatória comprometida) ou insuficiência respiratória secundária a falência do diafragma e músculos acessórios da respiração. A taxa de mortalidade é de 50% em três anos e de 90% após seis anos do início dos sintomas.

Variações dessa forma de apresentação clássica podem ser encontradas na ELA, dentre elas:

- Início em MMII.
- Envolvimento precoce das musculaturas torácica, abdominal e do pescoço.
- Envolvimento precoce bibraquial proximal.
- Envolvimento precoce diafragmático, levando a falência respiratória.

Além disso, outras síndromes clínicas mais definidas podem ser a manifestação inicial da ELA, ou "variantes da ELA" como mostra a Tabela 13.1. Cerca de 5% dos casos de ELA estão associados a demência frontotemporal (DFT-ELA) (ver Capítulo 7 – *Demências*).

A fisiopatologia da ELA ainda é desconhecida. Nos 10% dos casos em que a doença é decorrente da genética foram constatadas mutações no gene que codifica a enzima superóxido dismutase (SOD1), abundante no citoplasma das células. A forma mutante da SOD1 formaria agregados tóxicos que poderiam desencadear processos citotóxicos mediados pelo neurotransmissor excitatório glutamato e disfunção mitocondrial, levando a excesso de estresse oxidativo com lesão axonal. No entanto, essa mutação da SOD1 não ocorre nas formas esporádicas de ELA (que correspondem a 90% dos casos) e suas variantes.

Diagnóstico

O diagnóstico da ELA baseia-se na peculiar combinação clínica de sinais de acometimento de neurônio motor inferior e superior, e é corroborado pela EMG, que mostra sinais difusos de fibrilações (evidência da ocorrência de denervação), fasciculações, e aumento das unidades motoras (que denotam padrão de reinervação) (ver Capítulo 3 – *Método Clínico em Neurologia*). Essas alterações têm de estar presentes em pelo menos três membros (critério El Escorial);[3] sinais de denervação da musculatura paravertebral, do genioglosso, ou dos músculos faciais também dão robustez ao diagnóstico (no entanto, o estudo dos últimos demanda grande experiência do examinador e é desconfortável para o paciente). Os potenciais de ação sensitivos e a velocidade de condução nervosa são normais.

Em casos excepcionais, em que alguma dúvida quanto ao diagnóstico persista, a investigação pode ser ampliada, em geral com o intuito de excluir outros diagnósticos. Os exames mais solicitados nessa situação são o liquor (LCR) e a ressonância magnética (RM) de crânio: o primeiro pode mostrar apenas discreta elevação dos níveis de proteína, mas costuma ser normal; o segundo pode revelar discreta atrofia dos córtices e degeneração wallleriana dos tratos motores, visualizada como imagem de hiperssinal em T2 e FLAIR na porção posterior da cápsula interna e tratos motores descendentes no tronco encefálico e na medula espinhal.[4]

TABELA 13.1. Formas variantes de ELA

SÍNDROME	QUADRO CLÍNICO
Paralisia bulbar progressiva (PBP)	Sintomas predominantes em musculatura bulbar. Em geral, tem início com disartria e fasciculações na língua; ocorre atrofia e espasticidade dos músculos da língua, laringe e faringe, levando a disfagia, hipofonia, perda do reflexo faríngeo e paralisia do palato e das cordas vocais. Os músculos da mastigação e da porção inferior da face também são acometidos. Os reflexos profundos mandibulares e faciais são exaltados. Paralisia pseudobulbar (ver Capítulo 6 – *Acidente Vascular Encefálico*) pode ocorrer. A sobrevida média é de dois a três anos após o início dos sintomas, sendo as causas de óbito mais frequentes a inanição e infecção pulmonar
Esclerose lateral primária (ELP)	Início na quinta ou sexta década de vida com envolvimento de uma perna, com progressão para o lado contralateral, desenvolvendo-se ao longo dos anos uma paraparesia espástica progressiva. Ocorre envolvimento posterior dos MMSS, com déficit motor e espasticidade nos braços, e disartria. Existe controvérsia na literatura sobre o fato dessa entidade clínica ser uma variante da ELA: na maioria dos pacientes, aparecem sinais de acometimento de neurônio motor inferior no período de um ano;[1] no entanto, em 20% dos casos a doença é restrita ao neurônio motor superior por período superior a três anos, sendo então sugerido que apenas esses casos sejam denominados ELP e considerados como uma doença distinta da ELA[2]
Atrofia muscular progressiva (AMP)	Atrofia simétrica da musculatura das mãos, com progressão para braços; pode iniciar-se em MMII. Câimbras e fasciculações estão presentes. Curso clínico mais insidioso, com sobrevida mais longa que a ELA (podendo chegar a 15 anos ou mais). Os reflexos tendinosos são hipoativos, porém sinais de comprometimento de trato corticospinal podem ser encontrados em autopsia e, nesses casos, a AMP é considerada como uma variante da ELA[1]

Tratamento

O único tratamento medicamentoso disponível para a doença é a droga riluzole, um inibidor da excitotoxicidade induzida pelo glutamato pela inibição da liberação de ácido glutâmico, bloqueio de receptores NMDA e ação direta sobre os canais sódio-dependentes.[5] Estudos randomizados demonstraram um aumento na sobrevida de pacientes que usam a droga.[6,7] A ocorrência de dores devido a falta de sustentação muscular e imobilidade deve ser tratada com analgésicos, de acordo com a sua intensidade e frequencia de ocorrência.

Assim, a reabilitação tem importância fundamental nessa doença. As medidas preconizadas a fim de desacelerar a perda muscular, otimizar a funcionalidade do paciente e prevenir as complicações infecciosas incluem exercício físico, fisioterapia motora, uso de órteses nos segmentos mais enfraquecidos, reabilitação fonoaudiológica para disfagia, disfonia e disartria, e fisioterapia respiratória (sendo indicada a monitoração periódica da função respiratória).[8]

ATAXIAS CEREBELARES

As ataxias cerebelares degenerativas constituem um grupo heterogêneo de doenças, agrupadas em função da presença de sintomas cerebelares progressivos. A fim de facilitar sua classificação, as ataxias cerebelares progressivas são divididas em três grupos principais:

- Ataxias espinocerebelares: em que há acometimento concomitante da medula espinhal, evidenciado pela presença do sinal de Romberg, déficit sensitivo, hiporreflexia profunda e sinal de Babinski.
- Ataxias cerebelares puras.
- Ataxias cerebelares complicadas com acometimentos neurológicos múltiplos, como sinais piramidais, extrapiramidais, oculomotores, de nervo óptico, retinia, neuropatias periféricas, e córtex cerebral.

Neste capítulo, serão discutidas duas das formas mais conhecidas de ataxia cerebelar: a ataxia de Friedreich (espinocerebelar) e atrofia olivopontocerebelar (com acometimentos neurológicos múltiplos).

Ataxia de Friedreich

Esta doença é o protótipo das ataxias cerebelares, totalizando 50% dos casos de ataxias de caráter hereditário. Sua incidência entre europeus e norte-americanos é de 1,5 casos/100.000 indivíduos/ano. O padrão de transmissão genética é do tipo recessivo, e a mutação correspondente à doença foi identificada no cromossomo 9q. Essa mutação leva a uma expansão da repetição do trinucleotídeo GAA no gene que codifica uma proteína denominada *frataxina*, cujos níveis nas células se tornam diminuídos. A perda da função da frataxina leva ao acúmulo de ferro nas mitocôndrias, interferindo e prejudicando o metabolismo energético celular.

Quadro clínico

Em geral, a doença inicia-se entre os 5 e 15 anos de idade. Sua primeira manifestação é ataxia de marcha, com o paciente apresentando dificuldades para manutenção do equilíbrio em pé, e para correr. Após um tempo variável (meses a anos), começa a ocorrer incoordenação das mãos e, em seguida, disartria do tipo cerebelar (fala escandida). A marcha vai se tornando progressivamente mais atáxica, à medida que o componente de déficit de propriocepção (ataxia sensitiva) soma-se à ataxia cerebelar, e o paciente passa a apresentar marcha talonante e sinal de Romberg. Tremor cefálico, dismetria, disdiadococinesia, tremor de ação, piora da disartria e nistagmo horizontal sinalizam a progressão do quadro cerebelar. A incoordenação motora se torna tão intensa que o paciente apresenta dificuldade para rir, engolir e mesmo respirar; a fala se torna quase incompreensível. Os reflexos profundos são hipoativos, sinal de Babinski é presente e espasmos flexores podem ocorrer. Atrofia muscular pode ocorrer, e pode ser particularmente intensa nas formas com neuropatia periférica associada. Existe perda da sensibilidade profunda (proprioceptiva) desde o início do quadro, como já descrito, e posteriormente ocorre perda da sensibilidade superficial (tátil, térmica e dolorosa). Essa constelação de sintomas revela o acometimento combinado dos tratos corticospinais, espinocerebelares, tratos sensitivos ascendentes medulares, pedúnculos cerebelares, vérmis e núcleo denteado do cerebelo, bem como dos núcleos do VIII, X e XII nervos. A função cognitiva encontra-se preservada durante toda a evolução da doença.

Outras alterações presentes na ataxia de Friedreich incluem:
- Deformidades ósseas (pé cavo com "dedos em martelo" e cifoescoliose), secundárias à atrofia muscular e perda da coordenação postural dos músculos paravertebrais. A cifoescoliose pode ser tão intensa a ponto de restringir a função respiratória dos pacientes.
- Miocardiopatia hipertrófica: podendo levar a insuficiência cardíaca e arritmias. É a causa mais frequente de óbito nestes pacientes.
- Diabetes *mellitus* (DM) e intolerância a glicose: presente, em conjunto, em cerca de 20% dos casos.[9]

Em geral, após 10 a 20 anos do início dos sintomas, o paciente fica restrito à cadeira de rodas, e, posteriormente, restrito ao leito. A expectativa média de vida é de 30 a 40 anos a partir do início do quadro, podendo ser menor em decorrência da miocardiopatia, da restrição de função respiratória ou do diabetes. Em formas mais brandas, no entanto, os pacientes podem sobreviver até a sétima década de vida.

Uma forma variante da ataxia de Friedreich cursa com preservação dos reflexos profundos (ou até mesmo) hiper-reflexia e espasticidade. Embora representem uma pequena proporção dos casos, a identificação desses pacientes é importante, pois nessa forma não ocorre miocardiopatia ou cifoescoliose, e, portanto, esses indivíduos apresentam um prognóstico mais favorável.[10]

Diagnóstico

O diagnóstico da ataxia de Friedreich é baseado no quadro clínico e na identificação da mutação específica pelo teste genético. Exames de neuroimagem podem revelar atrofia da medula espinhal, e algum grau de atrofia cerebelar. Anormalidades cardíacas podem ser identificadas ao eletrocardiograma (ECG) e ecocardiograma, e níveis elevados de glicose sanguínea aparecem nos pacientes com DM e intolerância a glicose.

Tratamento

Não há tratamento medicamentoso específico para a ataxia de Friedreich. Algumas tentativas terapêuticas incluem:

- Administração oral de 5-hidroxitriptofano (droga serotoninérgica), que alterou, embora de modo pouco consistente, a gravidade dos sintomas cerebelares.[11]
- Uso da droga idebenone, um antioxidante análogo da coenzima-Q, que em alguns estudos pequenos demonstrou reduzir a progressão da miocardiopatia e do risco de morte súbita por arritmia, sem alterar o quadro cerebelar.[12] No entanto, esses resultados ainda são controversos e não conclusivos.[13]

Assim, o tratamento preconizado atualmente envolve o controle das alterações cardíacas e do DM pela administração das medicações que costumam ser utilizadas para esse fim, correção cirúrgica das deformidades ósseas, e reabilitação multidisciplinar por fisioterapia motora e respiratória, terapia fonoaudiológica para as dificuldades de deglutição e fala, e terapia ocupacional.

Atrofia olivopontocerebelar

A atrofia olivopontocerebelar (AOPC) é uma das formas sindrômicas da atrofia de múltiplos sistemas (AMS), que também engloba a degeneração estriatonigral e a doença de Shy-Drager. Na Degeneração Estriatonigral predominam os sintomas de parkinsonismo, e na Doença de Shy-Drager, os sintomas autonômicos.

Na AOPC, os sintomas predominantes são relacionados à disfunção cerebelar: ataxia de marcha (91% dos casos), ataxia de membros (87%), disartria (79%), nistagmo (38%), alterações do equilíbrio, tremor cefálico e de membros superiores (tremor de ação), alterações do olhar conjugado vertical. Outros achados incluem sinais de acometimento piramidal (hiper-reflexia, espasticidade, sinal de Babinski), déficits de sensibilidade profunda, amiotrofia e disfunção autonômica (sobretudo hipotensão ortostática). A progressão da doença pode levar a disfagia e anartria. A AOPC caracteriza-se por degeneração intensa dos pedúnculos cerebelares médios, da substância branca cerebelar, núcleos da ponte, e, o que constitui o achado mais típico dessa síndrome, pela extrema atrofia dos núcleos olivares no bulbo.

Recentemente, a descoberta de que as três entidades clínicas descritas antes podiam ocorrer em diferentes combinações no mesmo indivíduo, e compartilhavam o mesmo padrão histológico de depósito da proteína α-sinucleína no citoplasma de células gliais, levou à unificação das três doenças sob a denominação de atrofia de múltiplos sistemas (AMS), e a AOPC passou a ser denominada AMS-C (forma cerebelar) e a degeneração estriatonigral, MAS-P.[14]

No entanto, essa classificação engloba apenas as formas esporádicas (não familiares) da AOPC, e, embora uma grande parte destas representem um subtipo de AMS, existe uma proporção de casos que ocorre como uma doença independente.[4]

Já as formas hereditárias da AOPC não pertencem ao espectro das AMS, não contêm depósitos de α-sinucleína e muitas delas passaram a ser classificadas atualmente como ataxias espinocerebelares. Apenas duas formas são ainda definidas como AOPC hereditárias puras: a AOPC II (síndrome de Fickler-Winkler), de herança autossômica recessiva, e a AOPC V, que cursa com demência e sinais extrapiramidais, de herança autossômica dominante.

O sistema de classificação das ataxias cerebelares tem mudado rapidamente nas últimas décadas, graças aos avanços no campo da genética, e a classificação aqui apresentada provavelmente sofrerá modificações constantes nos próximos anos.

Os sintomas costumam surgir na quinta década de vida nas formas esporádicas e na terceira década nas formas familiares (média: 28 anos). Sua prevalência é de 3 a 5 casos/100.000 indivíduos. A evolução da doença é variável, sendo o tempo médio decorrido entre o início dos sintomas e a necessidade de apoio para deambular de três anos, para restrição em cadeira de rodas de três e meio a cinco anos, para restrição ao leito de cinco a oito anos e para o óbito, nove anos[15,16] para as formas esporádicas. Nas formas familiares, a evolução é mais longa, em torno de 15 anos. A causa de óbito quase sempre é decorrente de infecções pulmonares (pneumonia aspirativa).

O diagnóstico da AOPC baseia-se predominantemente no quadro clínico, e, dentre os exames subsidiários, destaca-se a RM de crânio, que evidencia atrofia nos hemisférios cerebelares e vérmis, ponte e bulbo.[17] Exames de função autonômica evidenciando hipotensão ortostática e variabilidade do ritmo cardíaco podem ser úteis, mas apenas nos casos em que não há sinais clínicos de acometimento parkinsoniano, já que é comum a presença de parkinsonismo ser acompanhada desses sintomas, tornando os achados inespecíficos.

Não há tratamento medicamentoso específico para a AOPC. Um pequeno estudo clínico com riluzole mostrou algum benefício quanto ao quadro atáxico, mas estudos mais robustos são necessários.[18] O suporte terapêutico de reabilitação multiprofissional também é fundamental nesses pacientes, a fim de minimizar as complicações motoras, respiratórias e de fala e deglutição.

Referências bibliográficas

1. Pascuzzi RM. Neuromuscular Update 2007. In: American Academy of Neurology 59th Meeting Syllabi. Boston, 2007.
2. Pringle CE, Hadson AS, Munoz DG, Kiernan JA, Brown WF, Ebers GC. Primary lateral sclerosis: Clinical features, neuropathology, and diagnostic criteria. Brain 1992; 115:495-520.
3. Brooks BR, Miller RG, Swash M, Munsat TL. El Escorial revisited: revised criteria for the diagnosis of amyotrophic lateral sclerosis. Amyotrophic Lateral Sclerosis and Other Motor Neuron Disorders 2000; 1:293-9.
4. Ropper HA, Samuels MA. Degenerative diseases of the Nervous System. In: Adams and Victor's Principles of Neurology. 9th ed. New York: McGraw-Hill 2009; 1011-80.
5. Cudkowicz ME. Treatment of Amyotrophic Lateral Sclerosis. In: American Academy of Neurology 59th Meeting Syllabi. Boston, 2007.
6. Bensimon G, Lacomblez L, Meininger V, ALS Riluzole Study Group. A controlled trial of Riluzole in amyotrophic lateral sclerosis. New England Journal of Medicine 1994; 330:585-91.
7. Lacomblez L, Bensimon G, Leigh P, Guillett P, Meininger V, ALS Riluzole Study Group. Dose-ranging study of riluzole in amyotrophic lateral sclerosis. Lancet 1996; 347:1425-31.

8. Krivickas LS, Dal Bello-Haas V, Danforth SE, Carter GT. Rehabilitation. In: Mitsumoto H, Przedborski S, Gordon P (eds). Amyotrophic Lateral Sclerosis. New York: Taylor and Francis 2006; 691-720.
9. Harding AE. Clinical features and classification of inherited ataxias. In: Harding AE, Deufel T (eds). Inherited Ataxias. New York: Raven Press 1993; 1-14.
10. Harding AE. Early onset cerebellar ataxia with retained tendon reflexes: A clinical and genetic study of a disorder distinct from Friedreich's ataxia. Journal of Neurology, Neurosurgery and Psychiatry 1981; 44:503-8.
11. Trouillas P, Serratrice G, Laplane D, Rascol A, Augustin P, Barroche G, et al. Levorotatory form of 5-hydroxytryptophan in Friedreich's ataxia. Results of a double-blind drug-placebo cooperative study. Archives of Neurology 1995; 52:456-60.
12. Filla A, Moss AJ. Idebenone for treatment of Friedreich's ataxia? Neurology 2003; 60:1569-70.
13. Lynch DR, Perlman SL, Meier T. A Phase 3, Double-blind, Placebo-Controlled Trial of Idebenone in Friedreich Ataxia. Archives of Neurology 2010; 67:941-7.
14. Rodnitzky RL. Multiple System Atrophy. In: American Academy of Neurology 59th Meeting Syllabi. Boston, 2007.
15. Watanabe H, Saito Y, Terao S, et al. Progression and prognosis in multiple system atrophy: an analysis of 230 Japanese patients. Brain 2002; 125:1070-83.
16. Tada M, Onodera O, Tada M, et al. Early development of autonomic dysfunction may predict poor prognosis in patients with multiple system atrophy. Archives of Neurology 2007; 64:256-60.
17. Hauser TK, Luft A, Skalej M, et al. Visualization and quantification of disease progression in multiple system atrophy. Movement Disorders 2006; 21:1674-81.
18. Ristori G, Romano S, Visconti A, et al. Riluzole in cerebellar ataxia: a randomized, double-blind, placebo-controlled pilot trial. Neurology 2010; 74:839-45.

Doenças do Sistema Nervoso Periférico

14

Márcia Radanovic

O sistema nervoso periférico (SNP) inclui as estruturas que se localizam no exterior da meninge pia-máter no tronco encefálico e na medula espinhal. Dele fazem parte, então, os nervos que saem do tronco encefálico e da medula espinhal, incluindo o sistema nervoso autônomo periférico. Os nervos (conjuntos de axônios) que saem diretamente do tronco encefálico formam os *nervos cranianos* (com exceção do I e II nervos, que são extensões do SNC). As fibras nervosas que saem diretamente da medula compõem as *raízes nervosas*, e as raízes dorsais são sensoriais, e as raízes ventrais, motoras (ver Capítulo 1 – *Princípios de Neuroanatomia e Neurofisiologia*). Ao emergir da medula, os nervos espinhais se juntam e misturam-se, formando os *plexos*, de onde sairão os nervos periféricos. Existem quatro plexos motores principais: cervical, braquial, lombar e sacral. O plexo cervical é formado pelos nervos das quatro primeiras vértebras cervicais; o plexo braquial é formado pelos nervos de C5 a C8 e parte de T1; o plexo lombar é formado pelos nervos que saem de L1 a L3, parte de L4, e eventualmente de T12; o plexo sacral é constituído por nervos que partem de L4 a S3. Dos plexos, emergem os troncos nervosos principais, que vão se ramificando em direção à periferia dos membros, em nervos cada vez menores e que inervam regiões mais específicas.

Todas as fibras nervosas do SNP são envolvidas pelas células de Schwann, que produzem a bainha de mielina, cuja função é aumentar a velocidade de condução das fibras nervosas (ver Capítulo 2 – *Anatomia Microscópica do Sistema Nervoso*). No entanto, nem todas as fibras do SNP são mielinizadas. Alguns exemplos de fibras *amielínicas* são as que veiculam a sensação de dor.

MECANISMOS DE LESÃO NO SNP

Os axônios contêm em seu interior uma série de microtúbulos cuja função é permitir o transporte de substâncias, como neurotransmissores, por longas distâncias (desde o corpo celular até a extremidade do axônio), além de manter a integridade das membranas celulares. Assim, a lesão axonal pode afetar o próprio neurônio onde esta ocorre, bem como os neurônios a que esse axônio se conecta. Os principais mecanismos de lesão do SNP são a *degeneração walleriana*, a *desmielinização segmentar* e a *degeneração axonal*. Na degeneração walleriana, ocorre desintegração do eixo cilíndrico do axônio e da bainha de mielina distalmente à lesão, acrescida de cromatólise central (morte do corpo celular). Na desmielinização segmentar, o axônio é poupado, havendo lesão apenas da bainha de mielina. Já na degeneração axonal, ocorre a destruição do eixo cilíndrico do axônio e da bainha de mielina distalmente à lesão. A capacidade de regeneração dos nervos periféricos é maior do que a de células do SNC, mas depende em grande parte de que não haja morte do corpo celular, e de que as células de Schwann permaneçam relativamente funcionais.

A recuperação da função ocorre muito mais rapidamente nos casos em que há apenas desmielinização segmentar, pois basta que ocorra a remielinização do axônio, já que o restante das estruturas encontra-se intacta. Já nos casos de degeneração walleriana e degeneração axonal, a recuperação será lenta (meses ou até mais de um ano), pois o axônio precisa regenerar-se para então reinervar as sua estruturas-alvo (músculo, órgão sensorial ou vaso sanguíneo). Em muitos casos, essa recuperação não ocorre de forma completa (Fig. 14.1).

Topografia das lesões de SNP: a distribuição anatômica dos feixes nervosos do SNP dá origem a diferentes síndromes clínicas, como exposto na Tabela 14.1 e Fig. 14.2.

As doenças de nervos periféricos podem se apresentar de forma aguda, subaguda ou crônica, podem ser predominantemente sensitivas, motoras ou mistas, e podem ter caráter hereditário ou ser adquiridas. Todas essas características são úteis para direcionar a investigação, já que existem inúmeras etiologias para as neuropatias periféricas.

Quadro clínico

As doenças dos nervos periféricos apresentam um conjunto de sinais e sintomas, que serão expostos a seguir. Esses sinais e sintomas aparecem em graus e combinações diferentes em função da etiologia subjacente à neuropatia, e sua topografia também é variável.

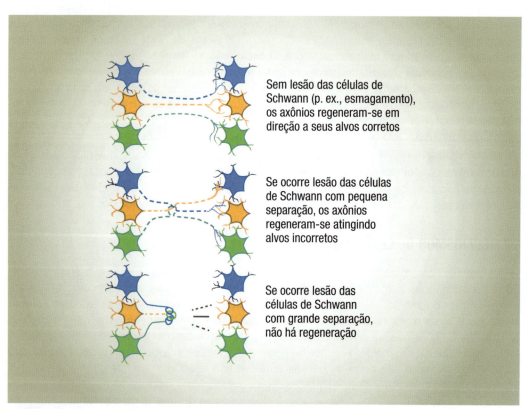

FIGURA 14.1. Potencial de recuperação nas lesões de SNP.

- Déficit de sensibilidade (hipoestesia): presente na maior parte das neuropatias periféricas, sua distribuição dependerá da topografia da lesão (Tabela 14.1 e Fig. 3.1 no Capítulo 3 – *Método Clínico em Neurologia*). Em geral, todas as modalidades sensitivas estarão afetadas (tato, pressão, temperatura, dor e propriocepção), embora isso possa ocorrer de forma desproporcionada, pelo menos até que a neuropatia se torne muito acentuada.
- Déficit motor: fraqueza muscular (paresia) que pode se instalar em dias, semanas ou meses, e, como descrito para o déficit de sensibilidade, sua distribuição dependerá da topografia da lesão. A lesão axonal leva a denervação dos músculos, o que provoca atrofia muscular, proporcional ao número de fibras motoras lesadas, e em lesões agudas pode levar a uma perda de até 80% do volume do músculo em um período de três a quatro meses. As lesões

TABELA 14.1. Topografia das lesões de SNP

LOCAL	CARACTERÍSTICAS
Raízes nervosas: radiculopatia	Acometimento de uma ou mais raízes nervosas espinhais. Dor é um achado proeminente, também ocorre déficit motor e sensitivo no dermátomo correspondente à raiz comprometida. Ex.: compressão de raiz por hérnia de disco (Fig. 14.3)
Plexos (braquial ou lombossacral): plexopatia	Acometimento de um plexo. Ocorre envolvimento de apenas um membro (braço ou perna) é característico, mas o padrão de acometimento motor, sensitivo e de reflexos é relativamente "confuso", pois é na região dos plexos que ocorre a "mistura" e redistribuição das fibras provenientes dos nervos mistos espinhais. Ex.: lesão traumática do plexo braquial por estiramento excessivo do braço (Fig. 14.2)
Nervo único: mononeuropatia	Acometimento de um nervo isolado. Ocorre perda de força ou sensibilidade no território circunscrito àquele nervo. Ex.: síndrome do túnel do carpo, comprimindo o nervo mediano (Fig. 14.4)
Múltiplos nervos: mononeurite *multiplex*	Acometimento de vários nervos simultaneamente, em geral em partes diferentes do corpo. O quadro clínico corresponde ao somatório dos sinais sensitivos e motores decorrentes do envolvimento de cada nervo isoladamente. É mais frequente em vasculites ou microangiopatias, que afetam os vasos sanguíneos que suprem os nervos. Ex.: lesão de nervo radial D e tibial E decorrente de diabetes ou poliarterite nodosa (Fig. 14.2)
Múltiplos nervos em sua porção distal: polineuropatia	Acomete vários nervos simultaneamente, porém em suas porções mais distais, o que leva a um quadro de dor, alterações sensitivas e motoras difusas, sem obedecer aos territórios específicos dos nervos, muitas vezes iniciando-se com a distribuição "em luva" e "em bota", que define o território envolvido em membros superiores e inferiores. Em geral, é bilateral e simétrica, e os MMII são acometidos mais precocemente, embora haja posterior envolvimento de MMSS. Ex.: polineuropatia diabética (Fig. 14.2)
Gânglios sensitivos posteriores: neuronopatia sensitiva (gangliopatia)	Acometimento dos gânglios sensitivos posteriores, levando a perda de sensibilidade proximal e distal de ampla distribuição (cabeça, tronco e extremidades), acompanhada de ataxia sensitiva. Ex.: neuronopatia sensitiva paraneoplásica

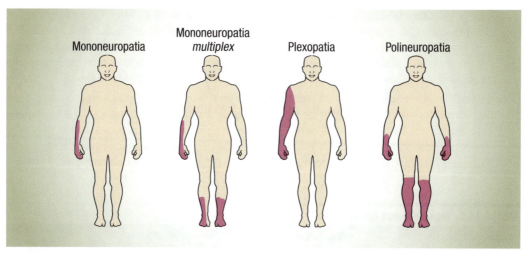

FIGURA 14.2. Distribuição anatômica de algumas formas de neuropatia periférica.

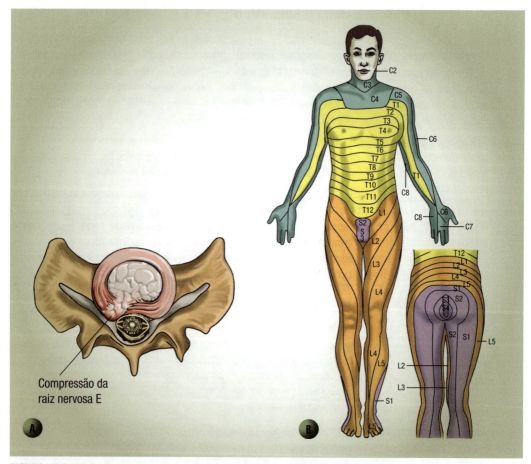

FIGURA 14.3. (A) Radiculopatia: compressão de raiz nervosa pelo deslocamento de um fragmento do disco intervertebral. (B) Dermátomos correspondentes a cada raiz nervosa.

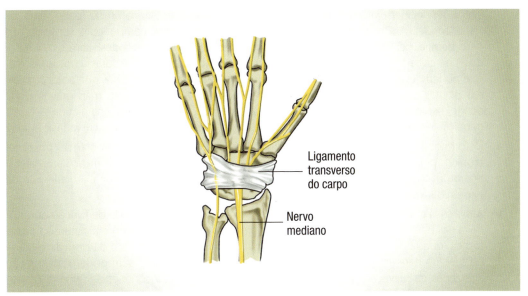

FIGURA 14.4. Mononeuropatia: compressão do nervo mediano pelo ligamento transverso do carpo.

desmielinizantes não levam a atrofia muscular importante, pois nesse caso não ocorre denervação (pode haver, no entanto, certo grau de atrofia por desuso). Após cerca de 6 a 12 meses, as fibras musculares denervadas iniciam um processo de degeneração, que se tornará irreversível se a reinervação não ocorrer dentro de um período de cerca de um ano.[1] Hipotonia muscular acompanha a perda de função motora.

- Diminuição dos reflexos profundos: em doenças do SNP, os reflexos profundos em geral estão hipoativos ou abolidos, sobretudo naquelas que acometem as fibras largas, altamente mielinizadas, já que são estas que veiculam os impulsos aferentes para os reflexos tendinosos.
- Dor, parestesias e disestesias: alterações da sensibilidade dolorosa também ocorrem com muita frequência nas neuropatias. A dor em si costuma ser descrita como "em queimação", ou "em peso"; algumas vezes, como nas radiculopatias e neuralgias de trigêmeo, a dor é intensa e debilitante, descrita como se "uma faca" estivesse sendo introduzida no corpo. Disestesias e parestesias são sensações anormais espontâneas ou provocadas por estímulos exógenos, e as disestesias provocam desconforto intenso (ver Capítulo 3 – *Método Clínico em Neurologia*). Parestesias e disestesias acompanhadas de dor são frequentes nas neuropatias diabética, alcoólica, por sarcoidose e na neuralgia por herpes-zoster.
- Causalgia: é um quadro de dor em queimação muito intenso que acompanha lesões parciais traumáticas de nervos, como mediano, ulnar, tibial, embora possa ocorrer em outros nervos.
- Hiperestesia, hiperpatia, alodínia: o primeiro termo refere-se a um aumento na sensibilidade tátil, que pode se tornar desagradável; o segundo refere-se a um aumento exagerado na resposta a um estímulo nociceptivo; alodínia é a sensação de dor provocada por um estímulo não nociceptiva.
- Ataxia sensitiva: causada pela perda da sensibilidade proprioceptiva na ausência de déficit motor, como nas neuronopatias posteriores (gangliopatias).
- Alterações tróficas: a perda da inervação em um segmento corporal pode levar a uma série de alterações de trofismo, sendo a principal delas a atrofia muscular, já descrita. Outras

alterações incluem úlceras de pressão ou decorrentes de traumatismos (pela perda da sensibilidade). Assim, pacientes com polineuropatia com forte componente sensitivo não percebem a ocorrência de traumatismos, sobretudo em extremidades, como os causados por calçados apertados, pequenos cortes ou abrasões, queimaduras, contusões etc., que podem levar a ulcerações crônicas da pele, com infecção secundária, que ao ocorrerem nas plantas dos pés são denominadas *mal perfurante plantar*. Em casos mais graves, pode ocorrer osteomielite, com consequente perda de dedos. A pele torna-se fina e atrófica, há diminuição no crescimento dos pelos na região afetada, e as unhas tornam-se curvadas e rígidas.

- Deformidades: sobretudo nas neuropatias hereditárias pode haver problemas posturais crônicos pela perda da harmonia na inervação entre os diversos grupos musculares (afetados ou não afetados pela neuropatia), levando a deformidades de coluna, articulares e de extremidades, especialmente pés.
- Alterações autonômicas: as duas manifestações mais comuns da perda de função autonômica nas neuropatias são a anidrose (diminuição da produção de suor) e hipotensão ortostática (queda de pressão arterial desencadeada pela mudança brusca da posição deitada ou sentada para em pé). Outras formas de disautonomia que também podem ocorrer são alterações da salivação, lacrimação, impotência, retenção ou incontinência urinária, constipação, alterações do ritmo respiratório, arritmias.
- Fasciculações, câimbras, espasmos musculares: são achados pouco comuns em neuropatias periféricas, mas podem ocorrer em quadros crônicos (sobretudo em radiculopatias)

A Tabela 14.2 mostra as principais doenças dos nervos periféricos, de acordo com sua forma de apresentação. Algumas etiologias podem provocar mais de uma forma de apresentação clínica.

TABELA 14.2. Principais síndromes de nervos periféricos

1. Neuropatia motora aguda com alteração variável da sensibilidade e função autonômica
Polineuropatia inflamatória desmielinizante aguda (síndrome de Guillain-Barré)
Difteria
Porfiria
Botulismo
Polineuropatia da doença crítica

2. Neuropatia sensorimotora subaguda (polineuropatias)
Deficiências nutricionais: alcoolismo (beribéri – vitamina B_1), pelagra (niacina – vitamina B_3), vitamina B_{12}
Envenenamento por metais pesados e solventes: arsênico, chumbo, mercúrio, inseticidas organofosforados, tálio
Toxicidade por drogas: isoniazida, hidralazina, nitrofurantoína, dissulfiram, vincristina, cloranfenicol, fenitoína, amitriptilina, dapsona, talidomida, amiodarona
Uremia
Paraneoplásicas
HIV

3. Mononeuropatia *multiplex*
Diabetes *mellitus*
Poliarterite nodosa e outras angiopatias (Churg-Strauss, granulomatose de Wegener, lúpus eritematoso sistêmico)
Sarcoidose
Doença de Lyme
HIV

Continua

TABELA 14.2. Principais síndromes de nervos periféricos (cont.)

4. Neuropatia sensorimotora crônica
   Paraneoplásicas (carcinomas, linfomas, mielomas)
   Polineuropatia desmielinizante inflamatória crônica
   Uremia
   Beribéri
   Diabetes *mellitus*
   Colagenoses
   Amiloidose
   Hanseníase (lepra)
   Hipotiroidismo
   Forma benigna do idoso

5. Polineuropatias sensorimotoras hereditárias
   Atrofia muscular fibular (doença de Charcot-Marie-Tooth)
   Polineuropatia hipertrófica de Dejerine-Sottas
   Doença de Refsum
   Leucodistrofia metacromática
   Adrenoleucodistrofia
   Amiloidose
   Porfiria
   Doença de Fabry
   Doença de Tangier

6. Neuropatia associada a doenças mitocondriais

7. Mononeuropatias ou plexopatias
   Mononeuropatia ou plexopatia braquiais
   Causalgia
   Plexopatia lombossacral
   Mononeuropatia crural
   Neuropatias compressivas

Tratamento

As particularidades do tratamento das neuropatias periféricas vão depender de sua etiologia. No entanto, os sintomas de dor e parestesias, muito frequentes nas neuropatias sensitivas, são tratados com drogas como a gabapentina, carbamazepina e amitriptilina. Hérnias de disco são tratadas com anti-inflamatórios e analgésicos, repouso relativo, e medidas de fortalecimento muscular; muitas vezes, no entanto, requerem tratamento cirúrgico, especialmente nos casos em que ocorrem déficits motores e sensitivos associados à dor.

■ POLINEUROPATIA INFLAMATÓRIA DESMIELINIZANTE AGUDA (POLIRRADICULONEURITE AGUDA – PRN AGUDA)

A PRN, também conhecida como *síndrome de Guillain-Barré*, é uma forma de polineuropatia inflamatória autoimune, cuja incidência é estimada em torno de 1-2/100.000 hab./ano, ocorrendo de forma igual nos dois sexos e podendo incidir em qualquer faixa etária.[2]

A PRN costuma ser precedida por uma infecção (muitas vezes uma simples infecção respiratória) ocorrendo 10-14 dias antes do início dos sintomas. Dentre os agentes identificados nessas infecções, figuram as bactérias *Campylobacter jejuni*, *Mycoplasma pneumoniae*, e os vírus Epstein-Barr, influenza e citomegalovírus.[3,4] Outros fatores associados ao desencadeamento de PRN são vacinação, parto e cirurgias.

Em geral, o quadro clínico da PRN tem início com o aparecimento súbito de parestesias em porções distais dos membros, de forma relativamente simétrica, rapidamente acompanhada de fraqueza muscular progressiva nos membros, de forma ascendente (iniciando-se nas pernas e posteriormente acometendo os braços). O quadro se instala de modo tão abrupto que o paciente costuma ser capaz de referir com exatidão a data e circunstâncias de início.[5] A progressão do quadro é rápida, atingindo o máximo de gravidade em duas semanas em 50% dos casos, e em quatro semanas em mais de 90% dos pacientes.[6] Dores ocorrem em cerca de 50% dos pacientes.[7] Hipoestesia leve pode ocorrer. Cerca de 80 a 90% dos pacientes ficam impossibilitados de andar durante a doença.[8] Há um espectro grande de variação da gravidade do quadro clínico da doença, que irá determinar a agressividade do tratamento, a permanência e intensidade das sequelas, e a taxa de mortalidade.

O exame neurológico desses pacientes mostra déficit de força nos quatro membros, inicialmente distal, mas podendo progredir para musculatura proximal, simétrica, com reflexos profundos hipoativos ou ausentes. Alterações de nervos cranianos incluem paresia facial e de musculatura faríngea. Disfunção autonômica está presente em 50% dos pacientes,[9] ocorrendo quase sempre sob a forma de taquicardia, mas arritmias mais graves também podem estar presentes, bem como alterações da regulação da pressão arterial (hipotensão ou hipertensão) e da motilidade gastrointestinal. Cerca de um terço dos pacientes com PRN necessita de intubação e suporte ventilatório, por causa da fraqueza do diafragma (por comprometimento do nervo frênico) e da musculatura orofaríngea.[10] O quadro clínico permanece estável após atingir seu nadir durante duas a quatro semanas, iniciando-se então a recuperação, que ocorre em meses, às vezes anos. O diagnóstico da PRN baseia-se no quadro clínico, no exame de LCR e na EMG. Na fase aguda, tanto o LCR quanto a EMG podem ser normais, mas o aumento da concentração de proteínas já está presente em 50% dos casos (com celularidade normal, o que é denominado "dissociação proteino-citológica"). Quando o quadro clínico atinge sua maior gravidade, elevação da proteína no LCR será encontrada em mais de 90% dos casos.[11] A EMG mostra um padrão de neuropatia desmielinizante: aumento da latência de resposta e diminuição da velocidade de condução para os nervos motores, bloqueio de condução nervosa, dispersão temporal, e diminuição da amplitude dos potenciais de ação musculares.

O exame neuropatológico (biopsia de nervo) revela um processo de desmielinização com infiltrado inflamatório contendo linfócitos e macrófagos nas raízes nervosas e nervos periféricos. Anticorpos antigangliosídeos* dirigidos contra as células de Schwann estão presentes. Ocasionalmente, o exame de RM pode ser útil revelando realce ao contraste nas raízes dos nervos acometidas.

O tratamento da PRN consiste na realização de plasmaferese e infusão intravenosa de imunoglobulinas nas primeiras semanas após a instalação do quadro, além da instituição das medidas de suporte ventilatório e tratamento das complicações autonômicas, quando necessário. Cerca de 20 a 30% dos pacientes podem não ter recuperação completa do quadro, com graus variáveis de sequela, e a taxa de mortalidade da doença é de 5%, podendo chegar a 20% nos pacientes que necessitam de ventilação mecânica.[5] Dores podem ser um sintoma de longa duração, necessitando de tratamento com gabapentina ou carbamazepina. A reabilitação motora e respiratória é de grande importância nesses pacientes.

---

*Gangliosídeos são lipídeos presentes nas membranas de células do sistema nervoso.

Formas variantes da PRN aguda

- Forma axonal: existem duas variantes da PRN, em que o ataque autoimune é dirigido diretamente aos axônios, e não às células de Schwann. Essas formas são a neuropatia axonal motor e sensorial aguda, e a neuropatia aguda axonal motora (respectivamente, AMSAN e AMAN, em inglês).
- Síndrome de Miller-Fisher: essa síndrome classicamente se apresenta com oftalmoparesia da musculatura ocular externa, diminuição dos reflexos profundos e ataxia cerebelar (presumivelmente por lesão das vias periféricas espinocerebelares), muitas vezes associados a alguns outros sintomas da PRN clássica.[12] Anticorpos antiganglisídeos GQ1b estão presentes em mais de 95% dos casos dessa síndrome.[13]

A encefalite de Bickerstaff é uma síndrome relacionada, em que ocorre alteração do nível de consciência e sinais de acometimento piramidal, associada a oftalmoparesia e ataxia. Paresia facial e disartria são particularmente comuns nessas variantes.

A síndrome de Miller-Fisher é uma doença de curso benigno e autolimitado, ocorrendo remissão da oftalmoparesia em cerca de um a dois meses e da ataxia em três a quatro meses, mesmo sem tratamento.[14]

POLINEUROPATIA INFLAMATÓRIA DESMIELINIZANTE CRÔNICA (PRN CRÔNICA)

A PRN crônica é uma doença que pode afetar indivíduos em todas as faixas etárias, havendo um pico de incidência entre os 40-60 anos de idade. É discretamente mais frequente no sexo masculino. Alguma associação com infecções respiratórias ou por *C. jejuni* é sugerida por alguns estudos, mas não tão bem estabelecida como na PRN aguda.

O quadro clínico se caracteriza pela presença de déficit motor proximal e distal, embora em alguns casos possa ser apenas distal. Os músculos faciais e flexores do pescoço são envolvidos com frequência, mas oftalmoparesia dos músculos oculares extrínsecos é rara. Na maioria dos pacientes ocorrem sintomas sensitivos, como adormecimento e formigamento (mais frequente), parestesias e déficits de propriocepção. Os reflexos profundos são hipoativos ou ausentes. O curso clínico pode ser progressivo ou em forma de surtos, este último sendo mais comum em pacientes mais jovens.[15]

O diagnóstico laboratorial da PRN crônica baseia-se no exame de LCR, EMG e biopsia de nervo. O exame de LCR mostra a mesma dissociação proteino-citológica descrita para a PRN aguda. A EMG revela os mesmos padrões de neuropatia desmielinizante já descritos para a PRN aguda. A biopsia de nervo mostra sinais de desmielinização e remielinização, além de infiltrado inflamatório. A RM pode ocasionalmente auxiliar o diagnóstico de PRN crônica, onde aparece alargamento das raízes espinhais e hipersinal em T2 com realce após contraste nas raízes dos plexos braquial ou lombosacral.[16]

O tratamento da PRN crônica é feito com o uso de corticosteroides (prednisona), plasmaferese e infusão de imunoglobulinas. Drogas imunossupressoras (azatioprina, ciclofosfamida, micofenolato e metotrexate) ou imunomoduladoras (como interferon-α e β), também são alternativas terapêuticas em pacientes não responsivos ao tratamento de primeira linha, ou que não toleram seus efeitos colaterais. O prognóstico da doença é variável, e mais estudos controlados são necessários para que se tenha ideia da evolução a longo prazo. Alguns estudos prospectivos mostram boa resposta a terapêutica em 63 a 76% com infusão de imunoglobulinas,[17] e 80% com plasmaferese.[18]

NEUROPATIA DIABÉTICA

A neuropatia periférica associada ao diabetes *mellitus* (DM) pode assumir várias apresentações clínicas, como mostra a Tabela 14.3.

TABELA 14.3. Formas de apresentação clínica da neuropatia diabética

Simétrica
- Polineuropatia sensitivomotora
- Neuropatia autonômica: hipotensão postural, alterações vasomotoras, diarreia, atonia gastrointestinal e vesical, impotência, disfunção pupilar, diminuição da lacrimação
- Neuropatia dolorosa distal com perda de peso (caquexia diabética)
- Neurite por insulina
- Polineuropatia após cetoacidose
- PRN crônica associada a DM

Assimétrica
- Radiculopatias/plexopatias (cervical, torácica, lombossacral)
- Mononeuropatias compressivas (síndrome do túnel do carpo, neuropatia ulnar e neuropatia fibular)
- Neuropatias cranianas: oculomotoras, faciais

A forma mais comum é a polineuropatia sensitivomotora (predominantemente sensorial), que acomete as porções distais dos membros inferiores, podendo haver algum acometimento autonômico associado, que aparece após alguns anos de evolução do diabetes. O envolvimento de membros superiores em geral é devido à coexistência de mononeuropatia ulnar ou de nervo mediano. Essa forma de neuropatia costuma ser assintomática, mas em alguns casos podem ocorrer dores e disestesias. A fisiopatologia da polineuropatia diabética parece estar relacionada com um efeito tóxico direto da hiperglicemia nos nervos, ou que a hiperglicemia afeta a função dos pequenos vasos sanguíneos, levando a isquemia dos nervos. O tratamento consiste principalmente na manutenção de níveis normais de glicemia, e, quando houver dor, no uso de amitriptilina, e outras drogas já descritas aqui.[19] Pacientes com polineuropatia diabética são suscetíveis a lesões, ulcerações e mal perfurante plantar, em decorrência da perda de sensibilidade tátil e dolorosa em MMII, e devem ser orientados a inspecionar os pés regularmente à procura de lesões e a usar calçados apropriados, a fim de prevenir tais complicações.

NEUROPATIA ALCOÓLICA

Ocorre em cerca de 9% dos pacientes alcoólatras crônicos, caracterizando-se como uma neuropatia periférica de membros inferiores, de predomínio sensorial, hiporreflexia e leve déficit motor distal. Hiperestesias são comuns nesses quadros. A fisiopatologia desta neuropatia ainda não está totalmente determinada, podendo ser resultado de deficiências nutricionais (especialmente das vitaminas do complexo B) que geralmente estão presentes nesses pacientes, ou devido a um efeito tóxico direto do etanol sobre os nervos. Ambas as causas podem estar presentes simultaneamente. O tratamento consiste na interrupção do consumo de álcool e correção dos déficits nutricionais. Ocorre melhora num período de meses, mas pode haver algum grau de sequela.[20]

HANSENÍASE

A hanseníase (lepra) é uma infecção que acomete primariamente o SNP e a pele, causada pelo *Mycobcterium leprae*, e transmitida por contato respiratório (perdigotos da saliva de um indivíduo infectado que penetram na mucosa respiratória do receptor). Estima-se que sua prevalência seja de 2/10.000 habitantes no Brasil (dados do Ministério da Saúde, 2007).[21] A doença se manifesta com áreas de alteração da coloração da pele (esbranquiçada ou avermelhada), onde há inicialmente alteração da sensibilidade térmica, seguida de hipoestesia tátil e dolorosa, rarefação dos pelos e anidrose, devido ao acometimento de nervos cutâneos. Se não tratada, a doença passa a acometer nervos motores por contiguidade, sendo o nervo ulnar o mais afetado (levando à "mão em garra"). Os nervos tornam-se espessados, podendo ser palpados. A perda de sensibilidade pode levar a lesões tróficas, como já discutido neste capítulo. O diagnóstico é feito pela biopsia de nervo ou pele, com pesquisa da presença do agente etiológico. O tratamento é realizado com politerapia com rifampicina e dapsona, e eventualmente clofazimina por um período de 6 a 24 meses, dependendo da gravidade da doença. No tratamento, também devem estar incluídos os aspectos de reabilitação e correção de deformidades, quando presentes. No Brasil, a hanseníase é uma doença de notificação compulsória.

PORFIRIA AGUDA INTERMITENTE

A porfiria aguda intermitente (PAI) é uma das formas de porfiria hepática (sendo a outra a porfiria *variegata*, em que ocorre fotossensibilidade cutânea), em que há uma polineuropatia motora grave, de progressão rápida e simétrica, acompanhada de dor abdominal e psicose (*delirium* ou confusão mental). A PAI é uma doença de herança autossômica dominante, em que o defeito metabólico está no fígado, havendo produção e excreção urinária aumentada de porfobilinogênio e do ácido Δ-aminolevulínico. Em geral, o quadro se inaugura com cólicas abdominais, constipação e distensão abdominal, com vômitos. Os sintomas da polineuropatia podem se iniciar em membros inferiores e progredir de forma ascendente, ou em membros superiores (mãos e braços), envolvendo tronco e membros inferiores em um período de dias. Em 50% dos casos pode ocorrer déficit sensitivo (acometendo o tronco), e nos casos mais graves, paralisia facial, disfagia e oftalmoplegia. Sintomas autonômicos, como taquicardia e hipertensão, são frequentes na fase aguda, bem como febre. O curso clínico da polineuropatia é variável, podendo haver regressão dos sintomas em poucas semanas. No entanto, nos casos em que há disfunção autonômica intensa o prognóstico pode ser pior, pela ocorrência de arritmias cardíacas e falência respiratória.

A PAI costuma se manifestar na adolescência, e evolui em surtos. Embora normalmente o prognóstico de recuperação de um surto seja bom, pode haver acúmulo de lesões em SNP devido às recorrências.

O exame neuropatológico mostra uma neuropatia desmielinizante e axonal, mas a relação entre as alterações da síntese de porfirinas pelo fígado e a lesão nos nervos ainda não é bem compreendida.

O diagnóstico é confirmado pela elevação dos níveis de porfobilinogênio e ácido Δ-aminolevulínico na urina (que se torna escura). O tratamento é realizado com a administração de hematina** e glicose intravenosa, além do suporte respiratório e tratamento das disfunções autonômicas associadas. A prevenção deve ser feita orientando-se o paciente a que evite o uso de drogas que podem precipitar uma crise, como sulfonamidas, griseofulvina, barbitúricos, estrógenos, fenitoína, dentre outras.[1]

Outra forma de porfiria é a porfiria eritropoiética congênita, em que também ocorre fotossensibilidade cutânea, mas não há envolvimento do sistema nervoso.

ATROFIA MUSCULAR FIBULAR (DOENÇA DE CHARCOT-MARIE-TOOTH)

Esta doença faz parte do grupo das neuropatias hereditárias sensitivomotoras (HMSN, em inglês), que têm uma prevalência estimada de 1/2.500 habitantes na população, o que as coloca

---

**Hematina é a proteína presente nas hemácias que gera o radical HEME da hemoglobina, o qual contém o ferro.

entre as doenças genéticas neurológicas mais frequentes. A doença de Charcot-Marie-Tooth (CMT) possui varias formas de transmissão, sendo mais comum a forma autossômica dominante; ocorre também uma forma de transmissão autossômica recessiva, e, mais raramente, uma forma ligada ao cromossomo X. As mutações mais encontradas localizam-se nos cromossomos 1 e 17. Todas as mutações levam a alterações na composição básica da mielina, sendo o fator subjacente à fisiopatologia dessas neuropatias. A doença de CMT divide-se em tipo I e tipo II, de acordo com os achados à EMG.[22]

A CMTI inicia-se em uma idade mais precoce, em geral na primeira década de vida, e o quadro clínico é mais grave. As crianças acometidas apresentam dificuldade para correr, com frequentes torções de tornozelo e tropeções. A degeneração crônica dos nervos periféricos leva a atrofia muscular dos músculos distais, inicialmente em membros inferiores, como os fibulares, tibiais e músculos intrínsecos dos pés (o que leva a deformidades nos ossos dos pés, como pé cavo e "dedos em martelo"); posteriormente, ocorre o acometimento das mãos. A atrofia muscular é progressiva, envolvendo panturrilha e coxas. Nos membros superiores, afetados posteriormente, pode haver atrofia das mãos e antebraços. Alterações sensitivas estão presentes, tanto da sensibilidade superficial quanto da propriocepção, bem como parestesias, mas quase sempre em graus leves. Os reflexos profundos são hipoativos. A doença evolui lentamente em um período de décadas, parecendo estabilizar-se por alguns períodos. Os principais prejuízos que a doença causa ao longo do tempo são a dificuldade progressiva de deambulação, a instabilidade dos tornozelos e o "pé caído".[1]

A CMTII tem início mais tardio (segunda década de vida), e curso muito mais benigno; muitos indivíduos nem percebem os sintomas e o diagnóstico pode ser apenas um "achado" quando o paciente realiza um estudo eletromiográfico para investigação de um problema não relacionado, ou quando descobrem ter um parente afetado.

As duas formas de CMT podem ser bem diferenciadas pelo EMG: em ambas, ocorre diminuição dos potenciais de ação musculares e sensoriais; no entanto, na CMTI há diminuição da velocidade de condução nervosa (indicativa de lesão desmielinizante), enquanto na CMTII as velocidades de condução são quase normais, com sinais de denervação (indicativos de lesão axonal).

Não há tratamento específico para essas formas de neuropatia. A intervenção ortopédica para estabilização das articulações dos tornozelos e a realização de exercícios e fisioterapia motora para desacelerar a perda muscular são recomendados para permitir melhor funcionalidade ao paciente.

Referências bibliográficas

1. Ropper HA, Samuels MA. Disorders of the Peripheral Nerves. In: Adams and Victor's Principles of Neurology. 9th ed. New York: McGraw-Hill 2009; 1251-325.
2. Chio A, Cocito D, Leone M, et al. Guillain-Barré Syndrome: A prospective, population-based incidence and outcome survey. Neurology 2003; 60:1146-50.
3. Jacobs BC, Rothbarth PH, van der Meche FG, et al. The spectrum of antecedent infections in Guillain-Barré Syndrome: A case-control study. Neurology 1998; 51:1110-5.
4. Willison HJ. The immunobiology of Guillain-Barré Syndromes. Journal of Peripheral Nervous System 2005; 10: 94-112.
5. Burns TM. Guillain- Barré Syndrome (GBS). In: American Academy of Neurology 59st Meeting Syllabi. Boston, 2007.
6. Asbury AK, Cornblath DR. Assessment of current diagnostic criteria for Guillain-Barré Syndrome. Annals of Neurology 1990; 27(Suppl):S21-4.
7. Hughes RA, Cornblath DR. Guillain-Barré Syndrome. Lancet 2005; 366:1653-66.
8. Winer JB, Hughes RA, Osmond C. A prospective study of acute idiopathic neuropathy. I. clinical features and their prognostic value. Journal of Neurology, Neurosurgery and Psychiatry 1988; 51:605-12.
9. Zochodne DW. Autonomic involvement in Guillain-Barré Syndrome: A review. Muscle and Nerve 1994; 17:1145-55.
10. Hughes RA, Wijdicks EF, Benson E, et al. Supportive care for patients with Guillain-Barré Syndrome. Archives of Neurology 2005; 62:1194-98.

11. Ropper AH. The Guillain-Barré Syndrome. New England Journal of Medicine 1992; 326:1130-6.
12. Overell JR, Willison HJ. Recent developments in Miller Fisher Syndrome and related disorders. Current Opinion in Neurology 2005; 18:562-6.
13. Chiba A, Kusunoki S, Obata H, Machinami R, Kanazawa I. Serum anti-GQ1b IgG antibody is associated with ophthalmoplegia in Miller Fisher Syndrome and Guillain-Barré Syndrome: Clinical and immunohistochemical studies. Neurology 1993; 43:1911-17.
14. Mori M, Kuwabara S, Fukutake T, Yuki N, Hattori T. Clinical features and prognosis of Miller Fisher Syndrome. Neurology 2001; 56:1104-6.
15. Hattori N, Misu K, Koike H, et al. Age of onset influences clinical features of chronic inflammatory demyelinating polyneuropathy. Journal of Neurological Sciences 2000; 184:57-63.
16. Saperstein DS. Chronic acquired demyelinating polyneuropathies. In: American Academy of Neurology 59st Meeting Syllabi. Boston, 2007.
17. Mendell JR, Barohn RJ, Freimer ML, et al. Working Group on Peripheral Neuropathy: Randomized controlled trial of IVIg in untreated chronic inflammatory demyelinating polyradiculoneuropathy. Neurology 2001; 56:445-9.
18. Hahn AF, Bolton CF, Pillay N, et al. Plasma-exchange therapy in chronic inflammatory demyelinating polyneuropathy: A double-blind, sham-controlled, cross-over study. Brain 1996; 119:1055-66.
19. Dyck PJB. Diabetic Neuropathies: Classification, Clinical Features and Pathophysiological Basis. In: American Academy of Neurology 59st Meeting Syllabi. Boston, 2007.
20. Marchiori PE, Hirata MTA. Neuropatias Periféricas. In: Nitrini R, Bacheschi LA (eds). A Neurologia que Todo Médico Deve Saber. 2ª ed. São Paulo: Atheneu 2003; 341-53.
21. Portal do Ministério da Saúde: Hanseníase. Disponível em: portalsaude.saude.gov.br/index.php/o-ministerio/principal/secretarias/svs/hanseniase.
22. Chance PF, Shapiro BE, Hannibal MC. Inherited Motor and Sensory Neuropathies. In: American Academy of Neurology. 59st Meeting Syllabi. Boston, 2007.

Miopatias e Doenças da Junção Neuromuscular

15

Márcia Radanovic

■ MIOPATIAS

O grupo das doenças musculares ou miopatias é composto por doenças que afetam primariamente os músculos estriados, e a queixa principal dos pacientes é "cansaço" ou "fraqueza". Como veremos neste capítulo, esse sintoma apresenta características peculiares que permitem a diferenciação clínica com outras causas de perda de força, como a que ocorre nas neuropatias periféricas, ou nas doenças dos tratos motores de SNC.

Doenças musculares podem ser causadas por uma grande variedade de condições clínicas, desde doenças genéticas até alterações metabólicas adquiridas e uso de medicamentos.

Na Tabela 15.1 estão expostas as principais causas de doenças musculares. Neste capítulo discutiremos o quadro clínico comum à maior parte das miopatias, e discorreremos sobre algumas das doenças mais importantes e frequentes na prática clínica.

Quadro clínico

O conjunto de sinais e sintomas associados às miopatias pode ser classificado em *negativo* e *positivo*. Esses sinais e sintomas aparecem em diferentes graus e combinações nas várias formas de doenças musculares, não sendo obrigatória a existência de todos eles para configurar uma miopatia, do mesmo modo que a ausência de alguns não impede o diagnóstico. De fato, alguns sinais e sintomas podem ser característicos de determinadas doenças musculares e a sua presença/ausência pode auxiliar na diferenciação das várias etiologias.

Os sinais e sintomas negativos são:
- Fraqueza muscular: é a queixa mais comum dos pacientes com doenças musculares; na maior parte das miopatias, o padrão de apresentação da fraqueza é proximal, ou seja, afeta os músculos mais próximos das cinturas escapular e pélvica. Nas doenças que envolvem os membros superiores, os pacientes se queixam de dificuldade para pentear os cabelos, levantar objetos acima da cabeça, pendurar roupas etc. Nos casos de doenças que envolvem os membros inferiores, os indivíduos acometidos têm dificuldade para subir escadas, erguer-se da posição sentada ou ajoelhada sem apoio, ou levantar-se quando agachados.

TABELA 15.1. Classificação das miopatias

Hereditárias
- Distrofias musculares: Duchenne, Becker, distrofia forma de cinturas, distrofia fáscio-escápulo-umeral, distrofia muscular congênita
- Miotonias: nessa categoria, estão as miopatias em que ocorre o *fenômeno miotônico* (ver Quadro Clínico), e engloba a distrofia miotônica (doença de Steinert), que será apresentada em conjunto com as distrofias, e as doenças dos canais iônicos
- Doenças dos canais iônicos: paralisia periódica hipocalêmica/hipercalêmica, miotonias congênitas (Thomsem, Becker), paramiotonia congênita, hipertermia maligna
- Miopatias congênitas: miopatia tipo *central core*, miopatia nemalínica, miopatia miotubular
- Miopatias metabólicas: glicogenoses (deficiências na estocagem de glicogênio), lipidoses (deficiências do metabolismo lipídico), defeitos da β-oxidação
- Miopatias mitocondriais: MELAS, MERRF

Adquiridas
- Miopatias inflamatórias: polimiosite, dermatomiosite, miosites por corpos de inclusão
- Miopatias infecciosas: virais: HIV, HTLV-I Coxsackie B; bacterianas: *Clostridium* (p. ex.: botulismo); parasitas: toxoplasmose, cisticercose, triquinose
- Miopatias endócrinas: miopatias tireodianas, miopatias relacionadas com o corticoide, insuficiência adrenocortical, miopatias associadas a doenças da paratireoide e deficiência de vitamina D, miopatias associadas a doenças da hipófise
- Miopatias associadas a outras doenças sistêmicas: paraneoplásicas
- Miopatias induzidas por drogas: álcool, estatinas, diuréticos, laxantes, cloroquina, amiodarona, colchicina, vincristina, d-penicilamina, cimetidina, ciclosporina, labetalol, rifampicina, corticosteroides
- Miopatias tóxicas: inseticidas organosfosforados, venenos de cobra, intoxicação por cogumelos

Em algumas formas de miopatias, pode haver fraqueza de predomínio distal, e nesse caso os pacientes apresentam dificuldade em atividades que exigem força em mãos e pés, como tirar tampas de potes, girar a chave para ligar o carro ou abrir portas, e podem tropeçar ao andar ("pé caído"). Mais raramente, as miopatias podem acometer músculos cranianos, levando a disartria, disfagia, dificuldades de mastigação e ptose palpebral.

- Fadiga: é o sintoma menos específico, pois pode estar presente em condições que variam desde doenças cardíacas e pulmonares até estados ansiosos crônicos e depressão.
- Intolerância ao exercício.
- Atrofia muscular: a atrofia muscular que ocorre nas doenças musculares varia em intensidade de acordo com a etiologia, sendo muito exuberante, por exemplo, nas distrofias. Diminuição dos reflexos profundos (tendinosos) pode ocorrer nas doenças musculares, mas não é um achado tão exuberante quanto nas neuropatias periféricas e está intimamente relacionada com o grau de atrofia muscular.
- Hipotonia muscular: em geral, acompanha a atrofia muscular, caracterizando-se pela perda do tônus, ou seja, da resistência natural que todo músculo apresenta ao ser estirado. A hipotonia muscular faz com que as articulações se tornem extremamente móveis quando se realiza o seu balanço passivo, pela perda da resistência e elasticidade dos músculos que as sustentam.

A força muscular pode ser avaliada objetivamente por meio de manobras, como pedir que o paciente realize movimentos com os membros afetados, inicialmente de forma livre, em seguida

TABELA 15.2. Escala de avaliação da força muscular (Medical Research Council of Great Britain)[1]

GRAU	INTENSIDADE DA FORÇA
5	Força normal
5-	Duvidoso, fraqueza quase indetectável
4+	Fraqueza detectável, porém leve
4	Capaz de mover a articulação contra a gravidade e alguma resistência
4-	Capaz de mover a articulação contra a gravidade e mínima resistência
3+	Capaz de resistência transitória, mas perde a força abruptamente
3	Movimento ativo da articulação contra a gravidade
3-	Movimento ativo da articulação contra a gravidade, mas não em toda sua amplitude
2	Movimento da articulação, porém sem vencer a gravidade
1	Presença de contração muscular, sem movimento da articulação
0	Sem contração muscular

contra algum tipo de resistência. A fim de caracterizar de modo mais exato a força do indivíduo, e acompanhar a melhora (ou piora) do quadro clínico longitudinalmente, usa-se uma escala de graduação de força muscular que varia de 0 a 5, mostrada na Tabela 15.2.

Os sinais e sintomas positivos das doenças musculares são:

- Dor muscular (mialgia): também é um dos sintomas inespecíficos, e não muito frequente, podendo ser episódica, como no caso das miopatias metabólicas, ou constante, como nas doenças inflamatórias.
- Câimbras: dores musculares são muito mais comuns quando ocorrem as câimbras, que são contrações musculares involuntárias, em uma região específica do músculo, as quais podem durar de segundos a minutos. Câimbras nem sempre são indicativas de doença muscular, sendo um fenômeno comum em indivíduos normais, e muitas vezes decorrentes de desidratação ou alterações metabólicas, como hiponatremia ou uremia.
- Contraturas: embora possam se parecer de modo superficial com as câimbras, as contraturas musculares têm duração mais longa e com mais frequência nas miopatias metabólicas. Câimbras e contraturas podem ser diferenciadas pelo padrão do traçado de EMG: nas câimbras, aparecem disparos rápidos das unidades motoras, enquanto nas contraturas, ocorre silêncio eletromiográfico.
- Miotonia: define a dificuldade de relaxamento muscular, que ocorre com muita lentidão, após a contração voluntária realizada com força, sendo as mãos e as pálpebras os locais mais afetados. Alguns exemplos que podem ser relatados pelos pacientes são dificuldade para abrir a mão após tentar retirar a tampa de um pote, ou após um aperto de mão.
- Mioglobinúria: refere-se ao aumento de excreção urinária de mioglobina, causada pela destruição maciça e rápida de fibras musculares (rabdomiólise). A mioglobina é uma proteína que contém ferro, presente nas fibras musculares, sendo responsável pela cor vermelha

característica dos músculos. Quando muito intensa, a mioglobinúria pode causar necrose dos túbulos renais, levando a insuficiência renal. A urina do paciente com mioglobonúria torna-se vermelha ou marrom.
- Mioedema: trata-se do edema muscular, presente especialmente nos processos inflamatórios.
- Pseudo-hipertrofia: caracteriza-se por um aparente aumento do volume muscular, que, no entanto, deve-se à substituição de parte do músculo atrofiado por células gordurosas, um achado comum nas distrofias musculares.
- Fasciculações: trata-se de contrações espontâneas isoladas de grupos de fibras musculares, que, embora sejam muito mais tipicamente encontradas nas doenças do neurônio motor inferior, podem ocorrer também nas doenças musculares, e são indicativas de aumento de irritabilidade das fibras musculares. Às vezes, podem ocorrer fasciculações em indivíduos normais, em situações de fadiga muscular, sobretudo em pálpebras e polegares, sendo nesse caso um fenômeno benigno.

Diagnóstico

O diagnóstico das doenças musculares é baseado primariamente na sua forma de apresentação. Em virtude grande número de etiologias que levam a doenças musculares, torna-se necessário um método sistematizado para orientar a investigação. Assim, o raciocínio clínico deve levar em conta aspectos que permitam a progressiva exclusão de grupos de miopatias, a fim de que a indicação dos exames subsidiários seja feita do modo o mais objetivo possível. Esse "padrão de reconhecimento" das miopatias inclui, principalmente:
- Serem hereditárias ou adquiridas.
- Padrão de fraqueza muscular: proximal ou distal.
- Sinais e sintomas associados: presença de dor, contratura, pseudo-hipertrofia, mioglobinúria etc.
- Idade de início: congênitas, início na infância, início na idade adulta.
- Nas hereditárias: padrão de transmissão.
- Sinais e sintomas de acometimento sistêmico: insuficiência respiratória, insuficiência cardíaca, arritmias, anormalidades de outros órgãos (como catarata, hipogonadismo, alterações ósseas).

Uma vez realizada a triagem inicial das possíveis causas da doença, de acordo com os critérios clínicos, os seguintes exames subsidiários são úteis para a determinação do diagnóstico:
- Dosagem sérica enzimas presentes no interior das fibras musculares, que são liberadas na corrente sanguínea quando ocorre a destruição destas; dentre elas, se destaca a creatinoquinase (CK), por ser a mais sensível e específica na sinalização da lesão muscular. Essa enzima está presente também no cérebro, existindo em três formas: MM (muscular), MB (músculo-cérebro – *brain*), e BB (cerebral). A forma mais específica para o diagnóstico da lesão em músculo estriado é a MM, que está em níveis muito elevados (acima de 1.000 U/L) na maior parte das miopatias. A forma MB, presente no músculo cardíaco, é utilizada no diagnóstico de infarto agudo do miocárdio. Outras enzimas, menos específicas das afecções musculares, são a aldolase, as transaminases e a desidrogenase láctica (DHL).
- Dosagem de mioglobina na urina (mioglobinúria).
- Estudo eletrofisiológico: eletroneuromiografia (ver Capítulo 3 – *Método Clínico em Neurologia*). A eletroneuromiografia é constituída de duas etapas: o estudo da velocidade de condução dos nervos e a eletromiografia (EMG), que avalia o comportamento do músculo

propriamente dito, por meio da inserção de uma agulha através da qual a atividade elétrica das fibras musculares pode ser monitorada. Nas doenças musculares, o estudo de condução nervosa costuma ser normal. A EMG, por sua vez, mostra evidências de comprometimento muscular, como diminuição da amplitude, duração e forma dos potenciais das unidades motoras*. Caracteristicamente, nas miopatias, ocorre uma diminuição das fibras musculares em cada unidade motora, o que resulta em potenciais com baixa amplitude e menor duração, além de um grande recrutamento de unidades motoras, desproporcional à contração muscular realizada.[2]

- Biopsia muscular: espécimes de biopsia muscular podem ser utilizados para análise de seu aspecto (por microscopia de luz e eletrônica), e para a realização de estudos bioquímicos e reações imunológicas, cujas especificidades permitem a caracterização de várias formas de miopatias. Alguns exemplos dessas alterações são a presença de atrofia, inflamação, vasculite, alterações histoquímicas na composição das suas proteínas, depósitos anormais de substancias etc.
- Neuroimagem: exames de neuroimagem, como a tomografia computadorizada e a ressonância magnética, passaram a ser utilizados a fim de identificar alterações na estrutura dos músculos (como infiltração por gordura), as quais podem contribuir de modo não invasivo para o diagnóstico de algumas formas de doença muscular.

MIOPATIAS INFLAMATÓRIAS

As principais formas de miopatia inflamatória são a *dermatomiosite (DM)* e a *polimiosite (PM)*. Ambas podem aparecer em forma relativamente "pura" ou associadas a doenças do tecido conjuntivo, como artrite reumatoide, lúpus eritematoso sistêmico, esclerodermia. Polimiosite também pode estar associada a neoplasias malignas, sobretudo de pulmão e cólon.

Na dermatomiosite, há acometimento dos músculos e da pele, e a doença pode ocorrer em crianças e adultos.[3] Seu quadro clínico inclui fraqueza muscular proximal simétrica, acompanhada de eritema cutâneo de coloração variável entre rosa e violeta em face, pálpebras, superfícies extensoras das articulações e outras regiões expostas ao sol. Em adultos, a doença é mais frequente em mulheres. As alterações patológicas nos músculos mostram sinais de atrofia perifascicular e infiltrado inflamatório perivascular de predomínio linfomonocitário, além de alterações do endotélio e microinfartos vasculares, que também estão presentes na pele e no tecido subcutâneo.

Na polimiosite, ocorre um quadro clínico semelhante, porém sem as lesões de pele. Pode ocorrer acometimento de músculos cranianos e do pescoço, levando a disfagia e disfonia, bem como a dificuldade em manter a cabeça fixa. A doença inicia-se com mais frequência na faixa etária dos 30 aos 60 anos de idade, e predomina em mulheres. As alterações patológicas incluem destruição disseminada das fibras musculares, com processo inflamatório de predomínio linfomonocitário.

Em ambas as doenças, ocorre atrofia muscular, mas não há mialgia. Os níveis de CK e aldolase séricas são elevadas, e alterações típicas de miopatia são encontradas à EMG.

Tanto na DM como na PM, pode haver acometimento de outros órgãos, como o coração e trato gastrointestinal. Em uma parcela dos pacientes, podem ser identificados autoanticorpos contra vários componentes do citoplasma celular, como anti-Jo1, anti-SRP, ou anti MI-2.[4]

O tratamento medicamentoso tem como objetivo tentar suprimir a resposta imunológica anormal, com a administração de corticosteroides, imunossupressores (como a azatioprina ou metotrexate) nos casos mais refratários, e infusão intravenosa de imunoglobulinas. Em geral, os corticosteroides são mais efetivos na PM, e as imunoglobulinas na DM.[5] A maioria dos pacientes tem

*Denomina-se *unidade motora* ao conjunto composto por um motoneurônio alfa e as fibras musculares por ele inervadas.

um prognóstico favorável, com melhora dos sintomas em cerca de dois a três anos, podendo haver longas remissões em cerca de 20% dos casos, e até mesmo recuperação completa.[6]

DISTROFIAS MUSCULARES

As distrofias musculares são doenças hereditárias em que ocorre degeneração progressiva da musculatura estriada. A Tabela 15.3 mostra as principais características de alguns tipos de distrofia, e aspectos particulares relativos a algumas delas serão expostos a seguir.

TABELA 15.3. Principais distrofias musculares

TIPO	PADRÃO DE HERANÇA	ALTERAÇÃO GENÉTICA/ CROMOSSÔMICA	IDADE DE INÍCIO	PADRÃO CLÍNICO
Duchenne	Recessiva, ligada ao cromossomo X Incidência: 1/3.300 meninos nascidos	Gene da distrofina no cromossomo Xp21	1ª década	Início na musculatura proximal, posterior Acometimento distal Alterações cardíacas
Becker	Recessiva, ligada ao cromossomo X Incidência: 3 a 6/100.000 meninos nascidos	Gene da distrofina no cromossomo Xp21	1ª década	Início na musculatura proximal, posterior Acometimento distal Alterações cardíacas
Fáscio-escápulo-umeral	Autossômica dominante Incidência: 5/100.000 indivíduos/ano	Deleções no cromossomo 4q	1ª a 4ª décadas (em geral, entre os 6 e 20 anos)	Face (especialmente os mm. orbiculares dos olhos e boca, e zigomático), cintura escapular (trapézio, peitoral, esternocleidomastóideo, serrátil, romboide) e mm. tibiais anteriores
Forma de cinturas	Autossômica dominante (tipo 1) – engloba sete formas clínicas Autossômica recessiva (tipo 2) – engloba 11 formas clínicas	São reconhecidas atualmente mais de 15 mutações em diferentes cromossomos	Variável de acordo com o subtipo	Cintura escapular Cintura pélvica Combinações das duas formas
Distrofia miotônica (doença de Steinert)	Autossômica dominante	Aumento de repetições CTG no cromossomo 19q	1ª ou 2ª década	Fraqueza distal (mm. elevador das pálpebras, faciais, masseter, laringe, faringe, esternocleidomastóideo, antebraço, mão e pré-tibiais), miotonia, catarata, atrofia testicular, calvície, arritmias cardíacas

As distrofias de Duchenne e Becker acometem apenas meninos, pois estes apresentam apenas um cromossomo X, e se este for afetado, é suficiente para que a doença se manifeste; esse cromossomo é transmitido pela mãe (já que o pai transmitirá o cromossomo Y). No caso das meninas, a existência de dois cromossomos XX, sendo um deles normal (paterno), faz com que a doença usualmente não se manifeste, mas torna a menina portadora do gene afetado, podendo transmiti-lo a seus filhos homens, numa probabilidade de 50% para cada filho.

No entanto, em muitos casos, as mães dos meninos afetados por distrofia de Duchenne apresentam algum grau de envolvimento muscular. Em 30% dos casos da doença, não há história familiar, constituindo mutações espontâneas.

O quadro clínico dessa distrofia em geral está bem definido ao redor do terceiro ano de vida, e metade das crianças já apresenta dificuldades quando começa a andar. Retardo mental leve acontece em uma parcela dos casos. Os primeiros músculos acometidos são o ileopsoas, quadríceps e glúteos, seguidos pelos pré-tibiais. Com isso, as crianças apresentam progressivamente maior dificuldade para andar, correr, subir escadas; a marcha torna-se "anserina" (com inclinação do corpo de um lado para outro), aparece intensa lordose lombar (por fraqueza dos músculos abdominais e paravertebrais), e a fraqueza dos músculos tibiais leva ao aparecimento do "pé-caído" e andar na ponta dos pés. Os músculos da cintura escapular são afetados mais tardiamente. Apesar de haver pseudo-hipertrofia em alguns músculos inicialmente (como na panturrilha), rapidamente ocorre atrofia muscular global, incluindo os músculos do tronco.

Com a evolução da doença, os músculos distais das pernas e dos braços são progressivamente afetados, e, nos estágios finais, os músculos da face, esternocleidomastóideo e diafragma. As musculaturas ocular, bulbar e das mãos normalmente são poupadas. Alterações cardíacas ocorrem, levando a vários tipos de arritmias. Pacientes com distrofia de Duchenne costumam sobreviver, em média, até o final da adolescência, podendo chegar à terceira década de vida em cerca de 20 a 25% dos casos, passando seus últimos anos de vida em cadeira de rodas e, posteriormente, restritos ao leito. Em geral, a causa do óbito é insuficiência respiratória, infecções pulmonares ou insuficiência cardíaca.

A distrofia de Becker apresenta um quadro clínico semelhante ao da distrofia de Duchenne, porém bem mais brando. A idade média de início é aos 12 anos de idade, e embora alguns casos possam iniciar-se na primeira infância, outros só se manifestam na idade adulta. A regra é que cheguem à idade adulta ainda deambulando, alterações cardíacas são muito menos frequentes, bem como alterações mentais. A sobrevida desses pacientes é bem mais longa do que a dos indivíduos com a forma de Duchenne.

O defeito bioquímico principal que ocorre nesses dois tipos de distrofia é a alteração na proteína *distrofina*, que se expressa nos músculos esqueléticos, cardíaco, músculo liso e cérebro. Na forma Duchenne, a distrofina está ausente; na forma de Becker, a distrofina está presente, porém em quantidades menores, ou é estruturalmente anormal. Sua função está relacionada com a estabilidade da membrana da célula muscular.

Embora a associação do quadro clínico e elevação dos níveis séricos de CK tenham uma boa acurácia para o diagnóstico, sobretudo no caso da distrofia de Duchenne, já é possível a realização do teste genético para identificação da mutação do gene da distrofina por meio da análise de DNA, que permite também a diferenciação entre os dois tipos de distrofia.

MIOPATIA CAUSADAS POR DROGAS

Entre estas, pela sua frequência de ocorrência, destacamos a miopatia pelo uso de estatinas e a miopatia alcoólica.

TABELA 15.4. Formas de miopatia induzidas pelo uso de álcool

CURSO	FORMA CLÍNICA	MECANISMO	TRATAMENTO
Subagudo (dias ou semanas)	Predominantemente proximal, sem dor Aumento de enzimas hepáticas e níveis de CK	Hipocalemia (por vômitos e diarreia) Após período de ingesta excessiva	Reposição dos níveis séricos de potássio
Aguda	Dor muscular intensa (espontânea e à palpação) e edema em tronco e membros Necrose muscular, com altos níveis séricos de CK e aldolase Rabdomiólise e mioglobinúria, podendo levar ocasionalmente a insuficiência renal	Toxicidade direta do álcool Após período de ingesta excessiva	Suspensão do uso do álcool A recuperação pode levar semanas a meses
Aguda	Fraqueza difusa e câimbras Níveis elevados de CK	Toxicidade direta do álcool Após período de ingesta excessiva	Suspensão do uso do álcool
Crônica	Fraqueza e atrofia de músculos proximais (especialmente pernas), sem dor	Toxicidade direta do álcool? Deficiência nutricional?	Suspensão do uso do álcool Nutrição adequada

Estatinas

Em decorrência do uso disseminado das estatinas (sinvastatina, lovastatina, provastatina, atorvastatina, fluvastatina), drogas cujo efeito é a diminuição dos níveis de colesterol no sangue, a toxicidade da droga para os músculos tornou-se um problema relativamente comum na prática clínica. Os sintomas podem variar desde leves dores musculares com pouca elevação dos níveis séricos de CK, até quadros mais dramáticos com rabdomiólise. A descontinuação da droga promove reversão do quadro, e o prognóstico é favorável desde que o paciente não tenha sofrido consequências mais graves, como insuficiência renal.

Álcool

O uso crônico de álcool pode causar miopatia por uma série de mecanismos diferentes, conforme descrito na Tabela 15.4. Além dos mecanismos expostos nessa tabela, alcoólatras crônicos muitas vezes sofrem lesão muscular de causa compressiva: devido ao rebaixamento de nível de consciência (podendo levar ao coma) após ingestão excessiva, os indivíduos podem permanecer durante muitas horas na mesma posição, o que causa isquemia e lesão da musculatura sob pressão do peso do corpo.

MIOPATIAS ENDÓCRINAS

Neste grupo, destacamos as miopatias relacionadas com as doenças da tireoide, que podem se apresentar nas seguintes formas:

- Miopatia tireotóxica crônica: ocorre na presença de hipertireodismo (clínico ou subclínico) e caracteriza-se por fraqueza muscular progressiva (semanas a meses), especialmente da cintura pélvica e das coxas. A musculatura de membros superiores, bulbar e até mesmo ocular também pode ser acometida. De modo contrário ao que ocorre na maior parte das miopatias, os reflexos tendinosos estão vivos, e os níveis de CK e EMG são normais. Há regressão do quadro após o tratamento adequado da disfunção hormonal.

- Oftalmoplegia com exoftalmo: esse quadro também ocorre como complicação do hipertireodismo, sendo caracterizado pela fraqueza da musculatura ocular e exoftalmo (protrusão dos globos oculares). A causa exata do fenômeno não é bem compreendida, e entre as teorias propostas inclui-se um mecanismo autoimune. Em geral, o quadro é autolimitado, não requerendo outras medidas além da normalização dos hormônios tireodianos, salvo nos casos em que o exoftalmo seja muito grave, com edema intenso, o que pode comprometer a estrutura dos globos oculares ou da musculatura adjacente. Nessas circunstâncias, o uso de corticosteroides pode ser benéfico.

- Paralisia periódica associada a tireotoxicose: nessa forma clínica, ocorrem crises de fraqueza muscular em tronco e membros, que podem durar minutos ou horas. O mecanismo subjacente é a hipocalemia associada aos altos níveis de hormônio tireodiano. O tratamento consiste na reposição dos níveis de potássio e tratamento do hipertireodismo.

- Miopatia associada ao hipotireodismo: os baixos níveis de hormômio tireodiano podem levar a alterações musculares que se manifestam com dor e aumento do volume muscular, rigidez e lentificação tanto na contração como no relaxamento, o que leva a que os reflexos tendinosos também tenham resposta lenta. Muitas vezes, o aumento do volume muscular leva ao crescimento da língua, que pode ficar protruída (um achado característico em bebês com hipotireoidismo). O tratamento com reposição hormonal corrige todas as anormalidades musculares.

O mecanismo pelo qual os hormônios tireoideanos influenciam as fibras musculares ainda não é totalmente conhecido, mas algumas evidências indicam que a tireoxina influencia os processos de contração muscular, de tal modo que a elevação de seus níveis leva a um aumento da velocidade dos processos de contração, o oposto acontecendo quando os níveis do hormônio estão baixos.

Uso de corticosteroides

A elevação dos níveis séricos de corticosteroides, tanto em caso de aumento de produção endógena (como na doença de Cushing) quanto na administração exógena, como anti-inflamatório, pode levar a uma miopatia proximal, de instalação aguda ou crônica, que em geral regride com a suspensão da medicação (ou normalização dos níveis de produção endógena), embora a melhora possa ser lenta (semanas a meses). Esse fato é de considerável importância na prática clínica devido ao grande número de doenças em que o uso de altas doses de corticosteroides é o tratamento de escolha, como doenças autoimunes, doenças reumatológicas, doenças infecciosas, e doenças neurológicas (em muitas das quais o acometimento muscular já faz parte do quadro clínico). Assim, o conhecimento desse potencial efeito dos corticosteroides é fundamental para que se possa administrar adequadamente a relação risco-benefício em seu uso.

DOENÇAS DOS CANAIS IÔNICOS (CANALOPATIAS)

Neste grupo, estão doenças em que o defeito primário é a mutação nos genes que codificam os canais iônicos[**] de cloro, sódio ou cálcio nas membranas celulares. Essas doenças subdivi-

---

[**]Canais iônicos são proteínas presentes nas membranas das células e que permitem a passagem de íons do meio intracelular para o extracelular e vice-versa.

dem-se em três subgrupos principais: miotonias congênitas, paralisias periódicas e hipertermia maligna.

No grupo das miotonias congênitas, como o nome indica, estão as doenças em que ocorrem as miotonias (ver Quadro Clínico), associadas ao outros sintomas de miopatia. Dessas, duas formas são ligadas a alterações dos canais de cloro (formas de Thomsen e Becker), e três relacionam-se com mutações no gene que codifica os canais de sódio (miotonia flutuante, miotonia permanente e paramiotonia congênita). Em todas essas doenças, o padrão de transmissão é autossômico dominante, com exceção da miotonia congênita de Becker, que apresenta herança autossômica recessiva.

As paralisias periódicas caracterizam-se pela ocorrência de crises transitórias de fraqueza muscular generalizada, que se inicia de modo abrupto, podendo acometer inclusive a musculatura respiratória. Todas estão relacionadas com os níveis séricos de potássio, e têm transmissão autossômica dominante:

- Forma hipocalêmica (baixos níveis de potássio): desencadeada pela ingestão de carboidratos, álcool, infecções, frio e estresse emocional.
- Forma hipercalêmica (altos níveis de potássio): provocada pela ingestão de alimentos ricos em potássio, estresse emocional e jejum.
- Forma normocalêmica (níveis normais de potássio): provavelmente uma forma variante das descritas anteriormente.

O tratamento das doenças dos canais iônicos consiste em corrigir o defeito primário pelo uso de drogas que estabilizem os canais iônicos. No caso dos defeitos de canais de cálcio, usam-se drogas antiarrítmicas; no caso dos defeitos de canais de sódio, a acetazolamida.

Finalmente, a hipertermia maligna (HM) é uma síndrome em que ocorre aumento exagerado da temperatura corporal, acidose (diminuição do pH sanguíneo), intensa rigidez muscular, com rabdomiólise e mioglobinúria maciças, taquicardia, taquipneia e falência circulatória. Está relacionada a uma mutação no cromossomo 19q13.1. É um quadro extremamente grave, cuja taxa de mortalidade pode chegar a 80%. Em geral, é uma complicação anestésica (estimada em 1 caso para cada 50.000 procedimentos de anestesia geral), desencadeada por anestésicos inalatórios (halogenados) e relaxantes musculares (succinilcolina). É tratada através do uso de dantroleno.

A *síndrome neuroléptica maligna* compartilha algumas características com a HM, como o aumento exagerado da temperatura corporal e a intensa necrose muscular, mas é uma entidade clínica distinta, sendo desencadeada pelo uso de neurolépticos (haloperidol, clorpromazina, prometazina, clozapina, olanzapina, risperidona, entre outros).

DOENÇAS DA JUNÇÃO NEUROMUSCULAR

Neste grupo de doenças, ocorre uma disfunção na *junção neuromuscular* ou *placa motora*, ou seja, na sinapse entre o neurônio motor e a fibra muscular. Esta consiste numa região pré-sináptica, onde está a porção terminal de uma fibra nervosa envolta por uma célula de Schwann, e uma região pós-sináptica formada por uma região especializada da fibra muscular, denominada *sarcoplasma juncional*. O neurotransmissor liberado na junção neuromuscular é a acetilcolina (ACh).

Assim, nessas doenças, a contratilidade muscular fica prejudicada, levando o paciente a exibir sintomas de fraqueza muscular flutuante, que piora com a execução de atividades motoras e melhora com o repouso.

A mais representativa e frequente das doenças desse grupo é a miastenia *gravis*, que será exposta a seguir.

MIASTENIA *GRAVIS*

A miastenia *gravis* (MG) é uma doença que costuma ter início entre os 20 e 40 anos de idade, com predomínio em mulheres. Outro pico de ocorrência é entre a sexta e a sétima década de vida, e nesse caso afeta igualmente ambos os sexos. Sua prevalência é estimada em 20/100.000 indivíduos.

Sua etiopatogenia está relacionada com um mecanismo autoimune, havendo produção de anticorpos antirreceptores nicotínicos da acetilcolina (anti-AChR) dos músculos esqueléticos[7] (Fig. 15.1). Os anticorpos anti-AChR reduzem o número de receptores de acetilcolina por diversos mecanismos, como aumento da sua degradação, lesão da membrana pós-sináptica e bloqueio direto dos sítios de ligação da acetilcolina.[8]

Quadro clínico

A queixa principal de pacientes miastênicos é a fadiga ou fraqueza muscular, que deve ser diferenciada de estados de fadiga crônica, astenia ou falta de energia relacionados com outras doenças, como já discutido na seção Miopatias. Caracteristicamente, os pacientes conseguem referir com objetividade quais músculos apresentam fraqueza, o que é um fator importante no diagnóstico diferencial. A fadiga muscular piora com a realização de atividades motoras ou exercícios físicos, é mais intensa no final do dia, e pode piorar com a exposição ao calor e estresse intensos. Ocorre melhora da força muscular após um período de repouso.

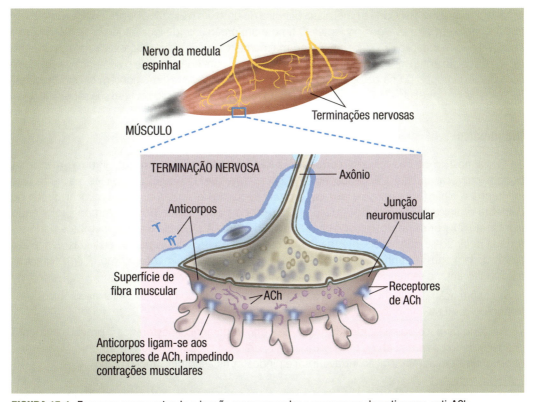

FIGURA 15.1. Esquema representando a junção neuromuscular e a presença de anticorpos anti-ACh.

Sintomas oculares iniciam o quadro na maior parte dos pacientes (45 a 50%), que se queixam de ptose palpebral, diplopia, ou visão borrada, que pioram após exercício ou atividades que exijam maior uso da musculatura ocular (como mover os olhos em várias direções ao dirigir) ou fixação ocular (como leitura).

A musculatura bulbar também é particularmente vulnerável, e cerca de 20% dos pacientes apresentam início do quadro com disartria (com piora após períodos extensos de uso da fala, como conversas telefônicas, palestras etc.), disfagia (inicialmente para alimentos sólidos) e dificuldade de mastigação progressiva no decorrer de uma refeição. A voz pode se tornar anasalada, por acometimento dos músculos do palato.[9]

Em cerca de 30 a 35% dos casos, o início dos sintomas acontece com fraqueza nos membros, de caráter proximal, e os pacientes se queixam de dificuldade para subir escadas, levantar da posição sentada ou agachada sem apoio, pentear os cabelos, pendurar roupas, de modo semelhante aos pacientes com miopatia.

Um número muito reduzido de pacientes apresentará fraqueza de músculos distais ("pé caído") ou queixas respiratórias, como sintomas iniciais da doença.[10]

O curso clínico é bastante variável. Alguns pacientes permanecem durante anos com os mesmos sintomas; outros apresentam acometimento progressivo de vários músculos. Remissões curtas (um a dois meses) podem ocorrer nos primeiros anos da doença. Pioras do quadro em pacientes estáveis podem acontecer na vigência de infecções.

A gravidade da MG pode ser estadiada, a fim de facilitar o acompanhamento clínico e programação terapêutica. A Tabela 15.5 mostra o sistema de estadiamento atualmente utilizado (Myasthenia Gravis Foundation Task Force).[11]

A MG pode estar associada a hiperplasia benigna do timo em 65 a 75% dos paciente, e tumores de timo ocorrem em 10 a 15% dos pacientes. O timo é um órgão linfoide localizado no mediastino, responsável pela maturação dos linfócitos T, e normalmente sofre involução progressiva após a puberdade. A associação entre anormalidades do timo e MG leva a conclusão de que o aumento da atividade do órgão está implicado na patogênese da doença. Além do mais, o timo contém células "mioides" (semelhantes ao músculo estriado) que apresentam receptores de acetilcolina em sua superfície.

Diagnóstico

O diagnóstico da MG inicia-se com a realização do exame físico, em que algumas manobras podem provocar fadiga, colocando em evidência a fraqueza muscular. Pedir ao paciente que mantenha o olhar fixo para cima por cerca de 30 segundos é suficiente para provocar queda da pálpebra e diplopia. Do mesmo modo, solicitar que o paciente fale por um tempo prolongado (contar até 50, por exemplo), provocará disfonia e disartria. A musculatura dos membros pode ser testada pedindo-se que o paciente mantenha os braços abertos ou as pernas elevadas, vencendo a gravidade. Pode-se também pedir que o paciente execute movimentos como abrir e fechar as mãos ou levantar e sentar de uma cadeira sem apoio repetidas vezes.

A confirmação do diagnóstico clínico na MG pode ser realizada por testes farmacológicos, eletrofisiológicos (EMG), imunológicos e biopsia muscular.

No teste farmacológico, a administração de uma droga anticolinesterásica*** provoca aumento imediato da força muscular. As drogas utilizadas para esse propósito são o edrofônio (Tensilon) e neostigmina (em administração intravenosa) e piridostigmina (administração oral).

***Drogas anticolinesterásicas bloqueiam a ação da enzima colinesterase, que degrada a acetilcolina nas sinapses, prolongando, assim, a sua ação.

TABELA 15.5. Estadiamento clínico da MG

Classe I:	Acometimento de qualquer músculo ocular Pode haver fraqueza ao fechamento dos olhos Músculos restantes apresentam força normal
Classe II:	Fraqueza leve afetando outros músculos (além dos oculares) Pode haver fraqueza dos músculos oculares de qualquer gravidade *II a:* Afeta predominantemente membros, músculos axiais, ou ambos 　Pode haver envolvimento dos músculos orofaríngeos (em grau menor) *II b:* Afeta predominantemente músculos orofaríngeos, respiratórios, ou ambos 　Pode haver envolvimento dos membros, músculos axiais, ou ambos (em grau semelhante ou menor)
Classe III:	Fraqueza moderada afetando outros músculos (além dos oculares) Pode haver fraqueza dos músculos oculares de qualquer gravidade *IIIa:* Afeta predominantemente membros, músculos axiais, ou ambos 　Pode haver envolvimento dos músculos orofaríngeos (em grau menor) *IIIb:* Afeta predominantemente músculos orofaríngeos, respiratórios, ou ambos 　Pode haver envolvimento dos membros, músculos axiais, ou ambos (em grau semelhante ou menor) 　Necessidade de uso de sonda para alimentação
Classe IV:	Fraqueza grave afetando outros músculos (além dos oculares) Pode haver fraqueza dos músculos oculares de qualquer gravidade *IVa:* Afeta predominantemente membros e/ou músculos axiais 　Pode haver envolvimento dos músculos orofaríngeos (em grau menor) *IVb:* Afeta predominantemente músculos orofaríngeos, respiratórios, ou ambos 　Pode haver envolvimento dos membros, músculos axiais, ou ambos (em grau semelhante ou menor)
Classe V:	Necessidade de intubação, com ou sem emprego de ventilação mecânica

A realização da EMG na MG inclui a realização da *estimulação nervosa repetitiva*, levando a depleção dos estoques de acetilcolina na placa motora, o que provoca a diminuição da amplitude do potencial de ação de contração muscular observado.

As provas imunológicas incluem a dosagem sérica de anticorpos anti-AChR, cuja elevação apresenta sensibilidade de 70 a 95% nos casos de MG de forma generalizada, e de 50 a 75% nos casos de MG forma puramente ocular.[12] No entanto, níveis normais desses anticorpos não excluem o diagnóstico. Outros anticorpos relacionados com a MG podem ser dosados, em situações clínicas especiais, como anticorpos contra músculo estriado (StrAb) e anticorpos contra a tirosinoquinase muscular (anti-MuSK), uma proteína presente na junção neuromuscular.[13]

A realização de biopsia muscular é necessária apenas nos poucos casos em que a EMG não é conclusiva, e os níveis de anticorpos anti-AChR são normais. O achado clássico na biopsia é a diminuição do número de receptores de acetilcolina na junção neuromuscular.[14]

A coexistência de hiperplasia ou tumores de timo deve ser investigada por meio da realização de exame de TC ou RM de tórax.

Tratamento

O tratamento de primeira linha da MG baseia-se no uso de drogas anticolinesterásicas (ver Testes Farmacológicos), que prolongam a ação da acetilcolina na junção neuromuscular. São usadas a piridostigmina (Mestinon), neostigmina (Prostigmine) e ambenônio (Mytelase), em comprimidos por via oral.

A remoção do timo (timectomia), mesmo que não haja hiperplasia ou tumor é indicada no tratamento da MG. Quando realizada precocemente (um a dois anos após o início da doença), leva a remissão em 35% dos pacientes e induz algum grau de melhora clínica em outros 50%.[15] No entanto, mesmo pacientes com maior tempo de doença beneficiam-se da realização da timectomia.

Pacientes com fraqueza moderada ou grave e que não apresentam boa resposta ao uso de anticolinesterásicos devem ser tratados com corticosteroides (prednisona). Imunossupressores, como azatioprina, ciclosporina e micofenolato, podem ser necessários quando o tratamento com corticosteroides não é suficiente para garantir uma boa resposta. Nos casos muitos graves (ver Crise Miastênica), está indicada a plasmaferese e o uso imunoglobulinas por administração intravenosa****.[16]

O prognóstico da MG é variável, e relaciona-se com o modo de instalação da doença. Pacientes que permanecem por longo tempo apresentando apenas sintomas oculares têm menor chance de conversão para a forma generalizada. Do mesmo modo, quanto mais jovem o indivíduo ao se manifestar a doença, tanto mais benigno será seu curso. Após um período que varia entre quatro e sete anos, a doença tende a se estabilizar, e o risco de crises graves diminui. Hoje, a taxa de mortalidade nos primeiros anos de doença, com tratamento apropriado, é inferior a 5%, e a maioria dos pacientes é capaz de ter boa qualidade de vida. A causa mais frequente de óbitos em pacientes miastenicos é decorrente de complicações de infecções pulmonares.[17]

Algumas drogas são capazes de causar uma síndrome miastênica ou desencadear uma crise de piora aguda em pacientes com MG, por exercerem efeitos em estruturas pré- ou pós-sinápticas. Essas drogas devem ser evitadas por pacientes miastênicos, ou usadas apenas sob estrita supervisão médica e quando forem extremamente necessárias. Dentre elas figuram, além dos agentes anestésicos, antibióticos da classe dos aminoglicosídeos (amicacina, gentamicina, estreptomicina, neomicina), tetraciclinas e quinolonas (como a ciprofloxacina) e inseticidas organofosforados.

Crise miastênica

Denomina-se crise mastência à piora grave e abrupta de um paciente, podendo levar a quadriparesia e falência respiratória. Pode ser desencadeada por uma infecção respiratória, ou pelo uso das drogas descritas anteriormente, e requer tratamento intensivo, muitas com emprego de ventilação assistida. O período de recuperação pode se estender por semanas.

Síndrome de Eaton-Lambert

Trata-se de um tipo especial de miastenia, em que o quadro clínico predominante é de fraqueza em tronco e músculos proximais dos membros. Esse tipo afeta mais homens do que mulheres, em uma proporção de 5:1. Em dois terços dos casos, trata-se de uma síndrome paraneoplásica, presente em pacientes com neoplasias de pulmão do tipo "pequenas células" (60% dos casos), carcinomas de mama, próstata, trato gastrointestinal e linfomas. O restante dos casos parece ter um mecanismo autoimune, em que ocorre a produção de anticorpos contra os canais de cálcio pré-sinápticos da junção neuromuscular. Nos casos associados a tumores o prognóstico é ruim, havendo uma média de sobrevida de poucos meses ou anos. Além disso, a resposta ao tratamento é pobre.[17]

****Plasmaferese é o processo de filtragem do plasma do paciente a fim remover imunoglobulinas (anticorpos), utilizado em doenças autoimunes. As imunoglobulinas administradas IV, por sua vez, ligam-se aos anticorpos circulantes, reduzindo sua ação.

Referências bibliográficas

1. Medical Research Council. Aids to the Examination of the Peripheral Nervous System. London, Balliere Tindall, 1986.
2. Livramento JA, Machado LR, Neto ASF, Anghinah, R, Brotto MWI. Exames complementares em Neurologia. In: Nitrini R, Bacheschi LA (eds). A Neurologia que Todo Médico Deve Saber. 2ª ed. São Paulo, Atheneu, 2003; 85-92.
3. Reed AM. Myositis in children. Current Opinion in Rheumatology. 2001; 13:428-33.
4. Pestronk A. Immune Myopathies: diagnosis and treatment. In: American Academy of Neurology 58th Meeting Syllabi. San Diego, 2006.
5. Dalakas MC. Intravenous Immunoglobulin in the Treatment of Autoimmune. Neuromuscular Diseases: Present Status and Practical Therapeutic Guidelines. Muscle and Nerve 1999; 22:1479-97.
6. Ropper HA, Samuels MA. The Infectious and Inflammatory Myopathies. In: Adams and Victor's Principles of Neurology. 9th ed. New York: McGraw-Hill 2009; 1353-65.
7. Lindstrom JM, Lennon VA, Seybold ME, Whittingham S. Experimental autoimmune myasthenia gravis and myasthenia gravis: biochemical and immunochemical aspects. Annals of the New York Academy of Sciences 1976; 274:254-74.
8. Vincent A, Drachman DB. Myasthenia gravis. In: Pourmand R, Harati Y (eds). Advances in Neurology: Neuromuscular Disorders. Philadelphia, Lippincott Williams & Wilkins 2002; 159-88.
9. Vincent A, Palace J, Hilton-Jones D. Myasthenia gravis. Lancet 2001; 357:2122-28.
10. Dushay KM, Zibrak JD, Jensen WA. Myasthenia gravis presenting as respiratory failure. Chest 1990; 97:232-4.
11. Jaretzki A, Barohn RJ, Ernstoff RM, et al. Myasthenia gravis. Recommendations for clinical research standards. Neurology 2000; 55:16-23.
12. Lindstrom J. An assay for antibodies to human acetylcholine receptor in serum from patients with myasthenia gravis. Clinical Immunology and Immunopathology 1977; 7:36-43.
13. Meriggioli MN. The Diagnosis of Myasthenia Gravis. In: American Academy of Neurology 59th Meeting Syllabi. Boston, 2007.
14. Engel AG, Sahashi K, Fumagalli G. The immunopathology of acquired myasthenia gravis. Annals of New York Academy of Sciences 1981; 377:158-74.
15. Buckinghan JM, Howard FM Jr., Bernatz PE, et al. The value of thymectomy in myasthenia gravis: A computer-assisted matched study. Annals of Surgery 1976; 184:453-8.
16. Wolfe GI. Treatment of Myasthenia Gravis. In: American Academy of Neurology 59th Meeting Syllabi. Boston, 2007.
17. Ropper HA, Samuels MA. Myasthenia Gravis and related disorders of the neuromuscular junction. In: Adams and Victor's Principles of Neurology. 9th ed. New York: McGraw-Hill, 2009; 1405-21.

Cefaleias

16

Márcia Radanovic

As cefaleias ou "dores de cabeça" estão entre as queixas mais frequentes nos consultórios médicos, rivalizando apenas com as "dores nas costas". É uma queixa universal, ocorrendo em todas as partes do mundo, e por causa de sua alta frequência torna-se difícil estimar sua real prevalência.

Dados da Sociedade Brasileira de Cefaleia indicam que, ao longo da vida, a prevalência de dor de cabeça seja de 93% nos homens e 99% nas mulheres.[1] Em um mês, 57% dos homens e 76% das mulheres têm pelo menos um episódio de cefaleia. Assim, podemos dizer que, apenas no Brasil (onde a população estimada pelo IBGE é de 190 milhões de habitantes), 126 milhões de pessoas sofrem pelo menos um episódio de dor de cabeça/mês.

As causas da cefaleia são muito variadas, e, na sua maior parte, não refletem problemas graves de saúde. Relacionam-se com diversos processos que ocorrem no organismo e, na sua maioria, não são indicativas de problemas neurológicos. Mesmo assim, o neurologista é o especialista responsável pelo correto conhecimento do diagnóstico diferencial das cefaleias e seu tratamento.

Neste capítulo, serão abordados alguns conceitos gerais sobre as dores de cabeça e serão discutidas algumas das cefaleias mais comuns na prática neurológica.

CONCEITO

O termo "cefaleia" designa qualquer dor que se localize na região do *crânio*. Esse conceito exclui dores localizadas em algumas partes do rosto, orelhas, boca e faringe, muito embora essas estruturas se localizem no segmento cefálico e, portanto, na cabeça.

As cefaleias são muito frequentes em parte porque o segmento cefálico possui um número muito maior de receptores para dor do que diversas outras partes do organismo, tendo em vista o número de estruturas delicadas e de importância vital para o indivíduo que contém (embora o cérebro em si, a mais importante delas, *não* possua receptores dolorosos).

As estruturas cranianas que apresentam sensibilidade à dor são:

- Pele.
- Tecido subcutâneo.
- Músculos.
- Artérias extracranianas.

- Periósteo do crânio.
- Olhos.
- Ouvidos.
- Cavidade nasal.
- Seios paranasais.
- Seios venosos intracranianos e seus grandes tributários, principalmente estruturas próximas ao seio cavernoso.
- Dura-máter da base do crânio.
- Artérias no interior da dura-máter, sobretudo as partes proximais da artéria cerebral anterior, cerebral média e parte intracraniana da artéria carótida interna.
- Artérias meníngea média e temporal superficial.
- Nervos óptico, oculomotor, trigêmeo, glossofaríngeo, vago e os três primeiros ramos cervicais.

A sensação dolorosa cefálica é veiculada através do nervo trigêmeo, especialmente pela sua primeira e segunda divisões (oftálmica e maxilar), que inerva a região da testa, órbita e fossa anterior e média do crânio. Os ramos esfenopalatinos do nervo facial veiculam sensações dolorosas da região naso-orbital. Os nervos glossofaríngeo (IX) e vago (X) e os três primeiros nervos cervicais inervam a fossa posterior do crânio. Assim, dores que têm sua origem nas regiões supratentoriais (acima da tenda do cerebelo) são referidas nos dois terços anteriores do crânio (território trigeminal). Dores provenientes da região infratentorial (fossa posterior) são referidas ao topo e parte posterior da cabeça e do pescoço. As dores veiculadas pelo ramo esfenopalatino do facial, glossofaríngeo, e vago são referidas à região nasorbital, ouvido e garganta. Dores originadas nos dentes e na articulação temporomandibular (ATM) são veiculadas pela segunda e terceira divisões do trigêmeo (maxilar e mandibular). Dor na porção cervical da artéria carótida interna é referida na sobrancelha e região orbital superior, e dores nas porções superiores da coluna vertebral cervical são referidas na região occipital.

MECANISMOS DA DOR CRANIANA

Existem alguns mecanismos básicos através dos quais as dores de cabeça são produzidas, que estão sumarizados na Tabela 16.1.

TIPOS DE CEFALEIA

Como já mencionado, são inúmeras as causas de cafaleia, que podem ser *primárias*, ou seja, não relacionadas com nenhuma anomalia estrutural ou doença, e *secundárias*, quando são causadas por alguma doença orgânica, ingestão de substâncias etc. Algumas cefaleias primárias, como a migrânea, podem ser intensas e trazer grande prejuízo funcional ao paciente, mas têm evolução benigna, por não oferecerem maiores riscos aos pacientes. Já as cefaleias secundárias devem ser adequadamente investigadas, pois podem representar um sintoma de diversas doenças, de maior ou menor gravidade.

A Sociedade Internacional de Cefaleia (International Headache Society – IHS)[3] elaborou uma classificação das cefaleias, com seus critérios diagnósticos, a fim de uniformizar a nomenclatura das mesmas em caráter mundial. Essa classificação já está em sua segunda edição e é mostrada de forma sumarizada na Tabela 16.2.

TABELA 16.1. Mecanismos de produção da dor craniana

1. Deformação, deslocamento ou tração de vasos ou dura-máter na base do crânio. Ex.: lesões intracranianas com efeito de massa
2. Dilatação de artérias intra- ou extracranianas. Ex.: ingestão de álcool, nitratos, febre, aumento súbito da pressão sanguínea (relacionada com tosse ou exercícios físicos intensos)
3. Infecção ou bloqueio dos seios paranasais, por aumento da pressão intrasinusal e irritação da sua mucosa
4. Dor causada por afecções oculares: • Erros de refração: mais frequentemente na hipermetropia e astigmatismo (não na miopia), pela contração sustentada da musculatura extraocular, frontal e temporal a fim de conseguir focalizar objetos próximos por tempo prolongado • Iridociclite (inflamação da íris) e glaucoma de ângulo fechado, pelo aumento da pressão intraocular
5. Doenças dos ligamentos, músculos e articulações da porção superior da coluna vertebral
6. Irritação meníngea (ver Capítulo 10 – *Infecções do Sistema Nervoso Central*)
7. Hipotensão liquórica: por tração das estruturas durais devido à pressão intracraniana negativa quando o indivíduo fica em pé

Adaptado de Ropper e Samuels, 2009.[2]

AVALIAÇÃO DAS CEFALEIAS

Em decorrência da alta prevalência da queixa de dor de cabeça nos consultórios médicos e pronto-socorros, e do grande número de causas subjacentes, das mais benignas às potencialmente graves, é fundamental que o médico saiba detectar os sinais e sintomas que separam os grupos de cefaleias dentre as que são provavelmente primárias e de bom prognóstico, das que necessitam de investigação mais aprofundada e rápida. Além disso, deve ser levado em conta o alto custo (financeiro e de tempo) de se investigar com toda sorte de exames subsidiários cada caso de cefaleia, sem levar em conta a real probabilidade de que o paciente tenha uma doença que justifique a disponibilização de seus recursos.

Para atingir esse fim, uma boa anamnese e um exame neurológico bem realizado são fundamentais. Muitos tipos de cefaleia são diagnosticados apenas com uma boa história, restando pouco a ser confirmado por exames subsidiários.

Essa anamnese deve levar em conta principalmente as características da dor, como se segue:

- Início da dor: há quanto tempo o paciente tem cefaleia? Há anos? Ou nunca teve e começou a tê-la recentemente?
- Tipo de dor: em peso, em aperto, pulsátil ("latejante"), em pontadas, são os termos mais usados pelos pacientes para descrever a dor.
- Localização da dor: hemicraniana, generalizada, em pontos específicos do crânio.
- Intensidade da dor: deve ser questionada, mas não existe relação direta entre intensidade da dor e gravidade da doença subjacente.
- Periodicidade: ocorre todos os dias? Em crises ou é contínua? Qual a frequência em um tempo determinado (por exemplo, em uma semana)? Tem horário preferencial?
- Fatores desencadeantes: alimentos, atividades etc.
- Fatores de melhora: incluindo, mas não se restringindo, à medicação utilizada.

TABELA 16.2. Classificação das cefaleias (Sociedade Internacional de Cefaleia, 2004)

Cefaleias primárias
1. *Migrânea (enxaqueca):* sem aura, com aura, da criança, retiniana, complicações, provável
2. *Cefaleia tensional:* infrequente, frequente, crônica, provável
3. *Cefaleia em salvas e outras cefaleias trigeminais autonômicas:* cefaleia em salvas, hemicrania paroxística, cefaleia neuralgiforme unilateral com engurgitamento conjuntival e lacrimação, provável cefaleia trigeminal autonômica
4. *Outras:* tosse, esforço, atividade sexual, hípnica, primária em pontadas, hemicrânia contínua, cefaleia recente diária persistente

Cefaleias secundárias
5. *Cefaleia associada a trauma de crânio ou pescoço:* aguda pós-traumática, crônica pós-traumática, aguda e crônica associadas a lesão "em chicote" (pescoço), hematoma intracraniano traumático, outros traumas de crânio e pescoço, pós-craniotomia
6. *Cefaleia associada a doença vascular intracraniana ou cervical:* AVEi, AIT, HIP, MAV, arterite, dor em artérias carótidas ou vertebrais, trombose venosa, outras
7. *Cefaleia associada a doença intracraniana não vascular:* hipertensão liquórica, hipotensão liquórica, doença inflamatória não infecciosa, neoplasias intracranianas, injeção intratecal, crise epiléptica, mal-formação de Chiari tipo I*, síndrome da cefaleia e déficit neurológico associado a linfocitose no LCR, outras
8. *Cefaleia associada a uso ou abstinência de substâncias:* induzida por uso ou exposição aguda, abuso de medicações, efeito adverso do uso crônico de medicação, abstinência de substância
9. *Cefaleia associada a infecção:* intracraniana, sistêmica, HIV/SIDA, crônica pós-infecciosa
10. *Cefaleia associada a desordens da homeostase:* hipóxia e/ou hipercapnia, diálise, hipertensão arterial, hipotireoidismo, jejum, cardíaca, outras
11. *Cefaleia ou dor facial associada a desordens do crânio, pescoço, olhos, ouvidos, nariz, seios da face, dentes, boca ou outras estruturas da face ou crânio:* ossos cranianos, pescoço, olhos, ouvidos, rinossinusite, dentes, mandíbula ou estruturas associadas, disfunção temporomandibular, outras
12. *Cefaleia associada a desordens psiquiátricas:* somatização, psicose

Neuralgias craniais, dor facial e outras cefaleias
13. *Neuralgias cranianas e causas centrais de dor facial (principais formas):* neuralgia do trigêmeo, associada ao frio, dor constante causada por compressão, irritação ou distorção de nervos cranianos ou raízes cervicais superiores por lesões estruturais, neurite óptica, herpes-zoster
14. *Outra cefaleia, neuralgia craniana, dor facial central ou primária:* não classificada, não especificada

*Condição em que ocorre herniação parcial das tonsilas cerebelares através do forame magno, causando compressão da medula cervical, quando a conformação dos ossos da base do crânio é muito pequena para acomodar todas as suas estruturas.

- Mudança recente nas características da dor: intensidade, periodicidade, fatores desencadeantes e de melhora, localização.
- Tipo e quantidade de medicação analgésica para obter alívio da dor.
- História familiar de quadro semelhante.
- Sintomas associados à dor: náuseas, vômitos, borramento visual, convulsões, outros sintomas neurológicos.
- Doenças preexistentes e medicações habitualmente utilizadas pelo paciente.

Após a caracterização de todos estes fatores na história, os exames físicos geral e neurológico podem revelar pistas, pela presença de pontos dolorosos à palpação do crânio, alterações focais, edema de papila etc. A partir da coleta desses dados, muitas vezes o diagnóstico já pode ser estabelecido. Em outros casos, alguns exames subsidiários auxiliarão no diagnóstico diferencial, sendo o mais usado deles a neuroimagem. No entanto, a escolha dos exames complementares estará diretamente relacionada com os dados obtidos na história e no exame físico.

A seguir, discorreremos sobre algumas causas de cefaleia de origem neurológica. Outras formas já foram mencionadas em outros capítulos deste livro (AVE, Infecções, Tumores etc.).

Migrânea (enxaqueca)*

É a mais comum das cefaleias primárias, sendo sua prevalência estimada entre 15 a 25% na população, ocorrendo mais em mulheres (17%) do que em homens (6%). É uma causa importante de disfuncionalidade, sendo um dos principais motivos de falta ao trabalho e incapacidade de cumprir compromissos de forma plena na vida diária.

Na migrânea, em geral a dor é hemicraniana (em região frontotemporal) e de caráter pulsátil (latejante). A intensidade da dor nos enxaquecosos é variável, mas pode assumir um caráter totalmente incapacitante, sobretudo quando a crise dura vários dias. Sintomas que podem acompanhar a dor são náuseas e vômitos, fotofobia (aversão à luz), fonofobia (aversão a ruídos), aversão a cheiros fortes, fenômenos vasomotores (palidez cutânea, sudorese), e até mesmo diarreia.[4]

As crises de migrânea podem ter seu início na infância ou adolescência. Na maioria parte dos casos, os pacientes com predisposição para o problema se tornam sintomáticos até o início da idade adulta, embora com menos frequência o quadro possa se instalar em indivíduos mais velhos.

Existem duas formas de migrânea: a migrânea comum (sem aura) e a clássica (com aura). Na migrânea comum, a dor inicia-se de forma insidiosa e progressiva, aumentando de intensidade progressivamente. Na migrânea com aura, a dor é precedida em alguns minutos por algum sintoma focal neurológico, geralmente visual: luzes brilhantes ou escotomas (pontos escuros) em um hemicampo visual, hemianopsia homônima; após o surgimento desses sintomas, a dor se inicia, também de forma insidiosa, mas progredindo em intensidade, e podendo ser acompanhada dos sintomas já citados. Algumas vezes, a aura pode ser sensação de parestesia em face ou membros, déficit motor (monoparesia braquial, hemiparesia), afasia, vertigem e, eventualmente, confusão mental. A migrânea com aura tem caráter hereditário em 60 a 80% dos casos. A aura pode permanecer durante todo o período de dor, ou até persistir após sua remissão, o que é então denominado "migrânea complicada".

Uma crise de migrânea dura, na maioria dos casos, entre 4 e 24 horas, mas pode durar vários dias seguidos. Muitos pacientes apresentam dor de grande intensidade, que os obriga a suspender as atividades habituais e permanecer deitados em local escuro, praticamente imóveis. Com o passar das horas a dor, de início hemicraniana e pulsátil, passa a ter um caráter mais generalizado e em peso, e a pele do crânio se torna sensível ao toque. O intervalo entre as crises é varia muito entre os indivíduos, podendo ser de dias, semanas ou meses, mas esse padrão pode se alterar devido a diversos fatores (períodos de estresse, uso de álcool, privação de sono, permanecer longo tempo em jejum, mudança abrupta de rotina) e durante fases da vida. Nas mulheres, a influência hormonal é grande: uso de anticoncepcionais orais pode piorar a frequência e intensidade das crises. Já na gestação, em geral ocorre melhora das crises a partir do segundo trimestre, e há mulheres que só apresentam migrânea nos dias que antecedem o período menstrual (migrânea catamenial). Normalmente, as crises se tornam mais esparsas e menos intensas com o passar da idade, tanto

---

*Recentemente a SBC renomeou a enxaqueca como "migrânea", de acordo com a sua nomenclatura original greco-latina (*hemigrania*), que bem descreve o caráter hemicraniano da dor. De fato, na maior parte das línguas ocidentais a doença é denominada a partir desse vocábulo. Portanto, atualmente, o termo *migrânea* deve ser utilizado em textos científicos, embora seja provável que o nome enxaqueca ainda permanecerá em uso na prática clínica por muitos anos.

em homens quanto em mulheres, embora nestas não haja uma relação exata com a chegada da menopausa (em alguns casos, ocorre diminuição das crises; em outros, aumento).

Embora alguns elementos tenham sido implicados como "disparadores" de crises de migrânea, sobretudo alimentos (como chocolate), essa associação não foi comprovada consistentemente em estudos controlados para a maior parte das substâncias "suspeitas". Hoje, acredita-se além dos fatores já descritos aqui, apenas a exposição a estímulos sensoriais intensos (como clarões de luz) e o uso excessivo ou a abstinência de cafeína parecem ter um efeito facilitador em desencadear as crises.

A fisiopatologia da migrânea ainda não é bem compreendida. Sabe-se que os indivíduos predispostos apresentam um fenômeno de depressão da atividade elétrica cortical (depressão alastrante) até 24 horas antes do início da dor,[5] que leva a liberação de substâncias inflamatórias, causando irritação no nervo trigêmeo, e liberação de substância P e do peptídeo relacionado com o gene da calcitonina (CGRP), levando a inflamação asséptica dos vasos sanguíneos. Estudos com PET demonstraram que regiões do mesencéfalo e ponte dorsal estão implicadas na fisiopatologia da migrânea, atualmente entendida como uma desordem da modulação, que permite a passagem excessiva de estímulos sensoriais normalmente filtrados, o que provoca um estado de hiperexcitabilidade sensorial,[6,7] que associado a níveis baixos de serotonina, provoca constrição (causando a aura), seguida de dilatação dos vasos (que provoca a dor), sendo a dor amplificada pelo processo inflamatório já desencadeado[2] (Fig. 16.1). Esse mecanismo de hiperexcitabilidade sensorial explica por que tantos estímulos ambientais desencadeiam as crises de migrânea.

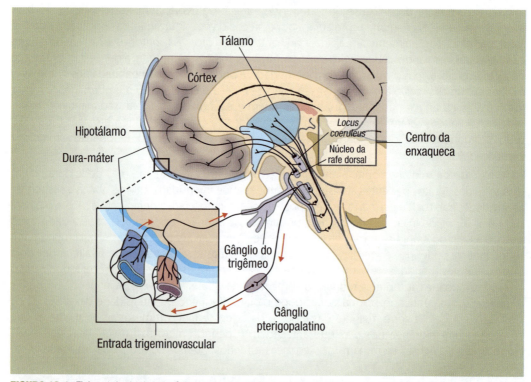

FIGURA 16.1. Fisiopatologia da migrânea: a depressão alastrante provocaria alterações hipotalâmicas e nos núcleos dorsais da rafe e *locus coeruleus*, levando a liberação de substâncias inflamatórias que provocariam a irritação do nervo trigêmeo e os fenômenos vasculares secundários.

Pacientes com migrânea apresentam exame neurológico normal fora das crises (e, mesmo durante as crises, somente aqueles em que ocorre aura podem eventualmente apresentar alguma anormalidade ao exame neurológico) e nenhuma alteração em exames subsidiários. Exames de neuroimagem são indicados, na maioria dos casos, apenas para assegurar ao paciente de que ele não é portador de um tumor ou aneurisma cerebral.

O tratamento da migrânea depende da frequência de ocorrência das crises e da intensidade da dor e dos sintomas associados. Pacientes que apresentam no máximo duas crises por mês, com dor de até média intensidade, podem fazer uso de analgésicos comuns (como dipirona, paracetamol) antiinflamatórios não hormonais (aspirina, naproxeno), vasoconstritores (derivados da ergotamina, isometepteno, triptanos): é o denominado tratamento *sintomático*, em que o paciente toma a medicação apenas quando tem a crise. Muitas formas comerciais dos vasoconstritores contêm cafeína em sua fórmula, que potencializa sua ação. Já os pacientes que apresentam mais de duas crises por mês, ou aqueles em que a dor é intensa e incapacitante, de longa duração e acompanhada de muitos sintomas (mesmo que ocorram com frequência menor do que duas vezes por mês), devem ser submetidos ao tratamento *profilático*, que pode ser feito com drogas betabloqueadoras (propranolol), antidepressivos tricíclicos (amitriptilina), ou drogas inibidoras da recaptação de serotonina (fluoxetina, paroxetina), que devem ser tomadas diariamente. Além disso, está incluído no tratamento preventivo que o indivíduo evite se expor aos fatores desencadeantes da crise, sobretudo aqueles que decorrem do aprendizado por experiência própria.

Cefaleia tensional

Esta é a forma mais comum de cefaleia na população. Manifesta-se como uma dor de cabeça bilateral, podendo ser occipitonucal, temporal ou frontal, ou difusa a partir do topo da cabeça. É geralmente descrita como "em aperto" ou "pressão", como se houvesse "algo enrolado ao redor da cabeça, apertando-a" (Fig. 16.2). A cefaleia tensional costuma ter início na idade adulta, afeta mais

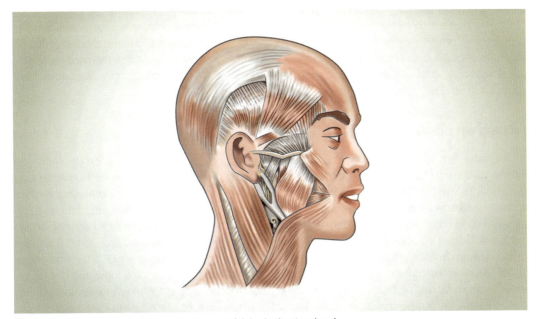

FIGURA 16.2. Locais mais comuns da dor na cefaleia do tipo tensional.

as mulheres, e coincide com fases difíceis da vida do indivíduo, em que ocorrem altos índices de fadiga, privação de sono, ansiedade e depressão. Sua prevalência é de cerca de 5% nos países ocidentais.[8] A dor tem caráter contínuo, podendo durar dias, semanas ou meses, sendo denominada *cefaleia do tipo tensional crônica diária* quando persiste por mais de 15 dias em um mês durante seis meses consecutivos. Embora o paciente consiga dormir, a dor se inicia logo após o seu despertar e é aliviada apenas parcialmente por analgésicos comuns. Outros sintomas (como nas migrâneas) não ocorrem, e o paciente apresenta exame neurológico normal. Também aqui exames subsidiários, como a neuroimagem, têm por objetivo tranquilizar o paciente quanto à não existência de uma doença cerebral grave. A associação desse tipo de cefaleia com depressão é elevada.

A fisiopatologia da cefaleia tensional também não é bem compreendida, sendo essa classicamente atribuída à contratura muscular excessiva dos músculos pericranianos e trapézio.[9] Recentemente, o óxido nítrico foi implicado na gênese da cefaleia tensional, pela criação de um mecanismo de sensibilização central das vias dolorosas à estimulação sensorial de estruturas cranianas, com hiperexcitabilidade de neurônios nociceptivos no núcleo espinhal do trigêmeo, tálamo e córtex cerebral.[10,11]

O tratamento da cefaleia tensional pode ser feito com o uso de analgésicos comuns (aspirina, acetaminofeno), anti-inflamatórios não hormonais quando a dor é episódica e de baixa a média intensidade. Dores persistentes devem ser tratadas como antidepressivos tricíclicos (amitriptilina). Técnicas de relaxamento, massagem e *biofeedback* podem ser muito úteis como terapia coadjuvante.

Cefaleia cervicogênica

Doenças da porção superior da coluna cervical podem causar cefaleia por diversos mecanismos, como artropatia, compressão da raiz nervosa C2, calcificação do ligamento amarelo e artrite reumatoide. Uma forma especial de cefaleia cervicogênica é a "cefaleia do terceiro nervo occipital", causada por artropatia traumática ou degenerativa das articulações apofisárias C2-C3, com compressão desse nervo (um ramo do nervo C3) (Fig. 16.3). A dor geralmente é nucal e occipital. Para que uma cefaleia seja considerada cervicogênica, é necessário que haja confirmação de alterações ósseas ou de tecidos moles na região cervical por exames de imagem, que sejam consideradas compatíveis com a sintomatologia do paciente, e que haja resposta positiva ao teste terapêutico de bloqueio anestésico do terceiro nervo occipital, com abolição da dor.[2] O tratamento medicamentoso consiste no uso de anti-inflamatórios não hormonais e infiltração local de corticosteroides, bem como em medidas de realinhamento postural.

Cefaleia em salvas

A cefaleia em salvas é um tipo de cefaleia em que ocorre dor de início súbito, de caráter muito intenso, lancinante (já tendo sido descrita como uma das piores dores que um ser humano pode experimentar), em região orbital unilateral, com irradiação para testa, região temporal e bochechas, acompanhada de fenômenos vasomotores, como lacrimação, congestão nasal, rinorreia, ingurgitamento conjuntival, miose, vermelhidão e edema da bochecha, sudorese facial e ptose palpebral ipsilateral à dor (Fig. 16.4). Em geral, tem início na adolescência ou idade adulta (20 a 50 anos) e predomina em homens, numa proporção de 5:1; sua prevalência é estimada em 0,1 a 0,3% da população.[12] As crises costumam ser noturnas, ocorrendo uma a duas horas após o indivíduo dormir, ou várias vezes durante a noite, mas eventualmente podem ocorrer de dia, e repetir-se todas as noites durante semanas ou meses (daí o nome "em salvas", ou *cluster headache*), para então ocorrer um período de remissão. Após meses, ou mesmo anos, pode haver recorrência do quadro. A crise dura

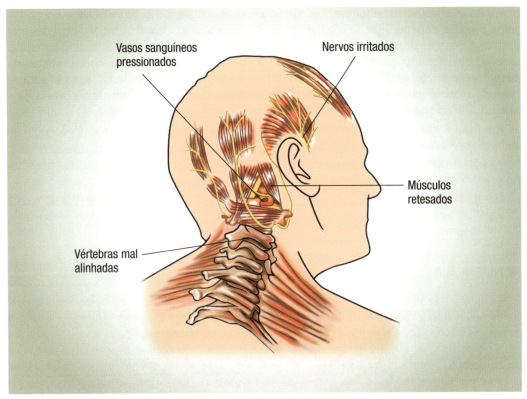

FIGURA 16.3. Cefaleia cervicogênica: origem das alterações degenerativas na coluna cervical.

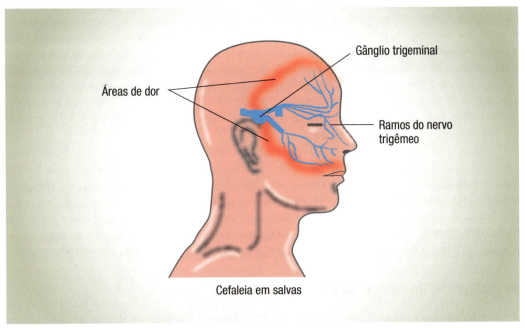

FIGURA 16.4. Região de acometimento na cefaleia em salvas.

em média 45 minutos, mas pode ser mais curta ou mais prolongada (15 a 180 minutos), e a dor pode desaparecer tão subitamente como começou, ou de modo mais gradual. Ao contrário dos pacientes com migrânea, que preferem deitar e permanecer imóveis, pacientes em crise da cefaleia em salvas tornam-se inquietos e agitados. Fatores desencadeantes incluem nitroglicerina, exercício físico, aumento da temperatura ambiental e o consumo de álcool (este último apenas durante os períodos de crises, deixando de ter esse efeito nas fases de remissão). A doença pode ter um caráter genético, de herança autossômica dominante, em 5% dos casos.

A fisiopatologia da cefaleia em salvas é obscura, mas seu caráter cíclico e relacionado com o ritmo circadiano levou à formulação da hipótese da participação do hipotálamo em sua gênese, tendo sido evidenciado a ativação da sua região supraquiasmática e substância cinzenta posterior em estudos com PET,[13,14] que gera a ativação de um reflexo autonômico via nervo trigêmeo.

O tratamento da cefaleia em salvas na fase aguda consiste na administração de O_2 a 100% por máscara, ou com o uso do bloqueador de cálcio verapamil. Ergotamina, sumatriptan, verapamil e lítio são algumas das drogas utilizadas na prevenção de novos ataques.

NEURALGIA DO TRIGÊMEO

A neuralgia do trigêmeo, também conhecida como *tic douloureux*, é um tipo de dor craniana em que ocorrem ataques paroxísticos de dor, na maior parte dos casos na segunda e na terceira divisão do nervo trigêmeo (maxilar e mandibular) unilateralmente, que pode durar de alguns segundos até cerca de dois minutos. A dor é intensa, e tem características "em pontada", associada a sensação de "queimação", sendo, assim, muito desconfortável para o paciente. As crises ocorrem de forma recorrente, várias vezes ao dia, durante períodos que podem durar semanas ou mais. A neuralgia do trigêmeo é mais comum em mulheres do que em homens (proporção 3:1), e costumeiramente inicia-se na faixa etária ao redor dos 50 anos, na sua forma idiopática. Início em idades mais precoces sugere alguma causa compressiva do nervo trigêmeo, como tumores, causas vasculares ou esclerose múltipla. No entanto, hoje sabe-se que muitos casos antes considerados como "idiopáticos" são causados por compressão de ramos da artéria basilar sobre o nervo, graças à melhoria da resolução dos métodos de neuroimagem (Fig. 16.5). Alguns fatores são descritos como "gatilho" para o desencadeamento das crises, como tocar estruturas faciais próximas ao nervo, mastigar, bocejar, sorrir, assoar o nariz, escovar os dentes ou falar. Nos casos idiopáticos, não há alteração ao exame neurológico, nem mesmo na região do nervo trigêmeo. O diagnóstico dessa entidade é clínico, e os exames subsidiários visam excluir as causas que podem levar a neuralgia do trigêmeo secundária (ver anteriormente), em que exames de neuroimagem estrutural (RM) e arteriografia podem ser necessários.

O tratamento da neuralgia trigeminal consiste no uso de agentes antiepilépticos, que tem a propriedade de estabilizar a membrana celular dos neurônios, diminuindo sua excitabilidade. Dentre eles, os mais usados são a fenitoína, o ácido valpróico, o clonazepam, a gabapentina e a carbamazepina. Alguns pacientes, refratários ao tratamento medicamentoso, podem necessitar de intervenção cirúrgica; a cirurgia pode ser de descompressão vascular (reposicionamento de ramos da artéria basilar que podem estar comprimindo o nervo), ou lesão estereotáxica (anatomicamente dirigida ao alvo pelos métodos de imagem) do nervo, por técnicas como termocoagulção ou radiocirurgia.[2]

DISFUNÇÃO DA ARTICULAÇÃO TEMPOROMANDIBULAR

A disfunção de articulação temporomandibular (ATM) é uma forma de dor craniofacial secundária a problemas de oclusão da mandíbula, ou alterações de mastigação secundárias a problemas odontológicos, que levam a degeneração da ATM (Fig. 16.6), provocando dor na região facial anterior ao ouvido, irradiada para as têmporas e outras regiões da face.[15] Ao exame físico, encontram-se dor à palpação da ATM, crepitação da articulação quando o paciente abre a boca e limitação da abertura da mandíbula. Uma manobra importante para confirmar o diagnóstico é palpar a articulação a partir do meato auditivo externo (pressionando o dedo anteriormente, em direção à ATM). A investigação adequada e o tratamento dessa disfunção são realizados pelo ortodontista, cabendo ao neurologista apenas a realização do diagnóstico diferencial com outras formas de dor craniofacial.

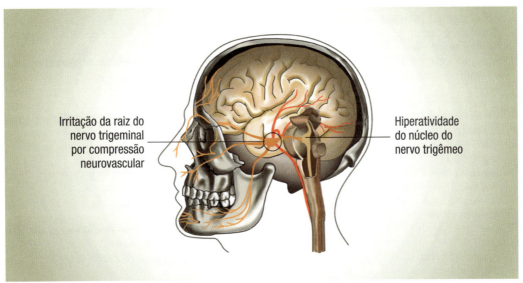

FIGURA 16.5. Representação esquemática do mecanismo fisiopatológico de grande parte das neuralgias trigeminais.

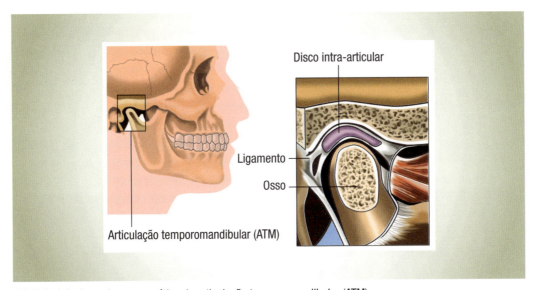

FIGURA 16.6. Desenho esquemático da articulação temporomandibular (ATM).

Referências bibliográficas

1. Sociedade Brasileira de Cefaleia – disponível em http://www.sbce.com.br, 2014.
2. Ropper HA, Samuels MA. Headache and other Craniofacial Pains. In: Adams and Victor's Principles of Neurology. 9th ed. New York: McGraw-Hill 2009; 162-88.
3. International Headache Society Classification: ISH Classification ICHD-II (2004). Disponível em http://ihs-classification.org, 2014.
4. Bacheschi LA, Fortini I. Cefaleias. In: Nitrini R, Bacheschi LA (eds). A Neurologia que Todo Médico Deve Saber. 2ª ed. São Paulo: Atheneu, 2003; 283- 96.
5. Lauritzen M. Pathophysiology of the migraine aura. The spreading depression theory. Brain 1994; 117:199-210.
6. Bahra A, Matharu MS, Buchel C, Frackowiak RSJ, Goadsby PJ. Brainstem activation specific to migraine headache. The Lancet 2001; 357:1016-7.
7. Matharu MS, Bartsch T, Ward N, Frackowiak RSJ, Weiner RL, Goadsby PJ. Central neuromodulation in chronic migraine patients with suboccipital stimulators: a PET study. Brain 2004; 127:220-30.
8. Lanteri-Minet M, Auray JP, El Hasnaoui A, et al. Prevalence and description of chronic daily headache in the general population in France. Pain 2003; 102:143-9.
9. Sakai F, Ebihara S, Akiyama M, Horikawa M. Pericranial muscle hardness in tension-type headache. A non-invasive measurement method and its clinical application. Brain 1995; 118:523-31.
10. Ashina M, Lassen LH, Bendtsen L, Jensen R, Olesen J. Effect of inhibition of nitric oxide synthase on chronic tension-type headache: a randomized crossover trial. Lancet. 1999; 353:287-9.
11. Ashina S, Bendtsen L, Ashina M. Pathophysiology of tension-type headache. Current Pain and Headache Reports 2005; 9:415-22.
12. Sjaastad O, Bakketeig LS. Cluster headache prevalence. Vaga study of headache epidemiology. Cephalalgia 2003; 23:528-33.
13. May A, Bahra A, Buchel C, Frackowiak RS, Goadsby PJ. PET and MRA findings in cluster headache and MRA in experimental pain. Neurology 2000; 55:1328-35.
14. Goadsby PJ. Pathophysiology of cluster headache: a trigeminal autonomic cephalgia. Lancet Neurology 2002; 1:251-7.
15. Guralnick W, Kaban LB, Merrill RG. Temporomandibular-joint afflictions. New England Journal of Medicine 1978; 299:123-9.

Índice

A

Abscessos cerebrais, 192
Abulia, 71
Acalculia, 50
Acidente(s)
    automobilísticos, 87
    com traumatismos, 167
    vascular
        cerebral na fase aguda, tratamento, 121
        encefálico
            alterações dos vasos sanguíneos cerebrais que podem provocar, 106
            classificação etiopatogênica, 109
            conceito, 105
            diagnóstico, 119
            epidemiologia, 105
            fatores de risco, 105
            isquêmico
                áreas cerebrais acometidas, 116
                quadro clínico, 116
                territórios arteriais, 116
            prognóstico, 122
            quadro clínico, 115
            tipos, 108
            tratamento, 121
            vascularização cerebral, 106
Acinesia, 173
Acromegalia, 222
Adenoma de hipófise, 221, 223
Afasia, 49
Agitação crepuscular, 132

Agnosia, 49, 131
Agrafias, 49
"Agregação familiar", padrão, 206
"Agulhadas", 55
Álcool, miopatias induzidas pelo uso de, 258
Alerta
    comportamental, 69
    mecanismos de, estruturas relacionadas aos mecanismos de, 69
Alexias, 49
Alien hand, 144
Alodínia, 241
Amígdala, 4
Amnésia, 50
Anaplasia, 216
Anel de Kayser-Fleischer, 184
Anestesia, 55
Aneurisma(s)
    micóticos, 115
    sacular(es), 114
        na artéria comunicante posterior, 120
Anisocoria, 75
Anserina, 257
Anticorpo NMO, 212
Antígeno de histocompatibilidade, 206
Apalestesia, 55
Apoptose, 190
Apraxia, 50, 131
    de marcha, 54
Aquaporina-4, 213
Aqueduto cerebral, 1
Aracnoide, 1

Áreas de Broadmann, 26
Articulação temporomandibular, desenho esquemático, 277
Artéria(s)
    do cérebro, 32, 107
    dos sistemas carotídeos e vertebrobasilar, 108
    temporomandibular
        degeneração da, 277
        disfunção da, 276
Artrestesia, 55
Aspergillus sp., 194
Astrocitoma, classificação dos, 217
Ataque
    isquêmico transitório, 108
    vascular encefálico isquêmico, 109
Ataxia(s), 51
    cerebelares, 207, 231
    de Friedreich
        diagnóstico, 233
        quadro clínico, 232
        tratamento, 233
    sensitiva, 232, 241
Atenção, 67
Aterosclerose, 106
Ativação cortical, mecanismos da, estruturas relacionadas aos, 69
Atrofia
    de múltiplos sistemas, 233
    em regiões frontal e temporal, 144
    muscular, 252
        fibular, 247, 11
    olivopontocerebelar, 233
Auras, 155
Autoconsciência, 68
Axônio, 6, 37

B

Bacilo de Koch, 195
Bainha de mielina, 40
Bandas oligoclonais, 211
Barreira(s)
    encefálicas, 33
    hematoencefálica, representação esquemática, 190
Bateria Breve de Rastreio Cognitivo (BBRC-Edu), 49
Biomarcadores, 133
Biopsia
    exames de, 65
    muscular, 255

Blefaroespasmo, 185
Botões sinápticos terminais, 38
Bradicinesia, 140, 173
Bulbo(s), 4, 10
    estruturas, 14
    funções, 14
    olfatório, 2, 4

C

C. jejuni, 245
Câimbra(s), 253
    do escrivão, 185
    "dos músicos", 185
    "ocupacional", 185
Calcitonina, 272
Calosotomia, 167
Campo visual, alterações do, 57
Canalopatias, 259
Candida albicans, 194
Cápsula interna, 28
Carcinomatose meníngea, 224
Causalgia, 241
Cefaleia(s)
    avaliação das, 269
    cervicogênica, 274
    classsificação, 270
    conceito, 256
    do tipo tensional, dor na, 273
    em salvas, 274
    tensional, 273
    tipos, 268
Célula de Schwann, 220
Cerebelo, 4, 20
    conexões, 24
    divisão funcional, 22, 23
    estrutura, 24
        anatômica, 21
    núcleos, 24
Cérebro, 4, 24
Choque
    medular, estágio de, 100
    neurogênico, 100
Cifoescoliose, 232
Circuitos frontoestriatais, 169
Circulação liquórica, 31
Cirurgia descompressiva, 85
Cisticercos, 200

Clônus, 52
Coágulo, 111
Coluna vertebral, estrutura da, 9
Coma
    conceito, 67
    definições, 67
    etiologias, 73
    exame neurológico do, 74
    paciente com, avaliação, 73
    prognóstico, 79
    tratamento inicial, 79
Complexo(s)
    espícula-onda generalizados a 3 Hz, 162
    HIV-demência, 148
Comportamento
    alterações de, na doença de Alzheimer, 131
    exame do, 50
Comprometimento cognitivo leve
    classificação, possibilidades de, 128
    conceito, 127
    tipo amnéstico, 128
Compulsão por doces, 142
Concussão
    clássica, 93
    leve, 93
    medular, 97
Cone medular, 5
Conexão(ões)
    aferentes, 3
    córtico-estriato-talâmicas-cerebelares-corticais, 20
"Congelamento", 174
Consciência
    conteúdo, 67
    flutuações transitórias da, 68
    nível de, 67
        alterações do, 68
Contragolpe, 88
Contraturas, 253
Contusão cerebral, 91
Convulsão(ões), 117, 208
    febris, 164
Corpo(s)
    caloso, 24
    celular, 37
    de Lewy, 140
        demência com, 139
    estriado, 4

Córtex
    cerebral, 4, 25
        divisões, 5
    de associação, 25
    sensitivo
        auditivo, 25
        primário, 26
Corticectomia, 167
Corticosteroides, 259
Craniofaringioma, 222
Crise(s), 48
    atônicas, 159
    clônicas, 159
    convulsivas produzidas por tumor, 216
    de ausência, 158
        na infância, 162
    de migrânea, 271
    epilépticas
        classificação, 155
        focais, descrição, 156
        formas clínicas, 157
    focal temporal, 163
    miastênica, 264
    mioclônicas, 159
    tônicas, 158
    tonicoclônicas generalizadas, 158
Critério El Escorial, 230
Curva da complacência de Langfitt, 82

D

Decomposição dos movimentos, 51
Decorticação, 131
Decussação das pirâmides, 3
"Dedos em martelo", 232
Déficit
    de sensibilidade, 239
    isquêmico tardio, 118
    motor, 239
Deformidades, 242
    ósseas, 232
Degeneração
    axonal, 237
    corticobasal, 144
    dos motoneurônios do corno anterior da medula, 229
    walleriana, 237
Degradação, 42
Déjà vu, 157

Delirium, 68, 140
Demência(s), 50
    avaliação cognitiva das, 149
    avaliação cognitiva e funcional das, 149
    com corpos de Lewy
        diagnóstico, 141
        provável, critérios dignósticos de, 139
        quadro clínico, 140
        tratamento farmacológico, 141
    comprometimento cognitivo leve, 127
    conceitos, 126
    cortical, 145
    definições, 125
    degeneração corticobasal, 144
    degenerativas, 126
    doença de Alzheimer, 128
    etiologia, 126
    frontotemporal
        critérios do FTDC Consortium para diagnóstico clínico, 142
        diagnóstico, 144
        quadro clínico, 142
        tratamento farmacológico, 144
    na doença de Parkinson, 146, 175
    subcorticais, 145
        principais etiologias, 147
    vascular, 134
        classsificação
            da AHA-ASA para os tipos, 135
            de acordo com o quadro clínico, 136
        critérios
            da AHA-ASA para diagnóstico, 135
            do NINDS-AIREN para diagnóstico, 134
        diagnóstico, 137
        quadro clínico, 136
        tratamento farmacológico, 138
Dendritos, 37
Depressão alastrante, 272
Dermatomiosite, 255
Dermátomos, 99
    correspondentes a cada raiz nervosa, 240
Descargas elétricas, 156
Desmielinização segmentar, 237
Despertar comportamental, 68
Despolarização, 41
Diabetes *mellitus*, 232
Diencéfalo, 4, 10
Dilatação ventricular, 119
Diparesia, 51
Diplegia, 51
Diplopia, 208
Disastria, 197
Disautonomia, 242
Disdiadococinesia, 51
Disesterias, 55
Disfagia, 58
Disfonia, 58
Disfunção(ões)
    atencional, 146
    da articulação temporomandibular, 276
    executiva, 146
    visoespaciais, 50, 146
Dismetria, 51
"Dissociação luz-perto", 197
Distrofia(s)
    de Becker, 257
    de Duchenne, 66, 257
    musculares, principais, 256
Distrofina, 257
Doença(s)
    cerebrovascular, 105
    curso, 48
    da junção neuromuscular, 260
    de Wilson
        diagnóstico, 184
        gene da, 184
        tratamento, 185
    de Alzheimer
        alterações de comportamento, 131
        critérios diagnósticos, 130
        desenvolvimento da, fatores de risco para, 129
        diagnóstico, 132
        epidemiologia, 128
        fatores de risco, 128
        fisiopatologia, 129
        forma
            pré-senil, 128
            senil, 128
        quadro clínico, 130
        tratamento farmacológico, 133
    de Binswanger, 109
    de Charcot-Marie-Tooth, 247
    de Cushing, 222
    de Devic, 212
    de Huntington, 66, 178

aconselhamento genético, 181
alterações neurobiológicas, 179
definida, 180
diagnóstico, 180
escala(s)
de avaliação, 181
unificada para avaliação da, 182
forma de Westphal, 180
juvenil, 178
provável, 180
quadro clínico, 178
tratamento, 181
de Lafora, 164
de Parkinson
alterações cognitivas e comportamentais, 174
aspectos neurobiológicos na, 171
definição, 172
diagnóstico, 175
critérios para, 176
epidemiologia, 172
quadro clínico, 173
tratamento, 177
de Schilder, 213
degenerativas do sistema motor
ataxias cerebelares, 231
esclerose lateral amiotrófica, 229
desmielinizantes
do SNC, 206
encefalomielite dissemida aguda, 213
esclerose
cerebral difusa, 213
múltipla, 205
neuromielite óptica, 212
do eixo I, 125
do sistema nervoso periférico
atrofia muscular fibular, 247
hanseníase, 246
mecanismos de, 237
neuropatia
alcoólica, 246
diabética, 245
polineuropatia inflamatória desmielinizante aguda, 243
crônica, 245
porfiria aguda intermitente, 247
topografia das, 239
dos canais iônicos, 259

evolução da, 48
preexistentes, 48
priônicas, 201
Dor
craniana, mecanismos de produção, 269
muscular, 253
Doutrina neuronal, 37
Droga(s)
anticolinesterásicas, 262
antiepilépticas, 166
miopatias causadas por, 257
no sistema nervoso, efeitos das, mecanismos, 45
"quelantes" do cobre, 185
Drop attacks, 159
Dura-máter, 1

E

Eclâmpsia, 164
catamenial, 164
Ecolalia, 131
Edema, 111
EEG, ver Eletroencefalograma
ELA, ver Esclerose lateral amiotrófica
Eletroencefalograma, 61
ictal, 156
pós-ictal, 156
tipos de ondas e suas características, 61
Eletroneuromiografia, 62
Eletro-oculograma, 62
Emaranhados neurofibrilares, 129, 133
EMG, ver Eletroneuromiografia
Empiema subdural, 192
Encefalite, 189, 194
de Bickerstaff, 245
herpética, 195, 9
Encéfalo, 1, 4
Encefalomielite disseminada aguda, 213
Enterovírus, 193
Enxaqueca, 271
Epêndima, 30
Ependimomas, 218
Epilepsia(s)
benigna com espículas centrotemporais, 161
classificação, 154
complicações, 167
conceito, 153
de causa desconhecida, 154
desencadeadas por eventos tóxicos, 164

diagnóstico, 165
do lobo
    frontal, 161
    occipital, 163
    parietal, 163
    temporal
        lateral, 163
        mesial com esclerose hipocampal, 163
epidemiologia, 153
estruturais-metabólicas, 154
fisiopatologia, 155
genéticas, 154
intratáveis, 166
mioclônica(s)
    juvenil, 162
    progressivas, 164
pós-traumática, 96
quadro clínico, 157
reflexas, 162
refratárias, 166
tratamento, 165
    cirúrgico, 166
Epstein-Barr, 193
Equilíbrio, exame do, 53
"Erros do pensamento", 23
Escala
    de avaliação da força muscular, 253
    de coma de Glasgow, 74
    de Hoehn & Yahr modificada, 176
    de prognóstico de Glasgow, 74
    Unificada para Avaliação da Doença de Huntington, 182
Esclerose
    cerebral difusa, 213
    concêntrica de Balo, 213
    hipocampal, 163, 165
    lateral amiotrófica
        diagnóstico, 230
        formas variantes, 231
        quadro clínico, 229
        tratamento, 231
    mesial temporal, 163
    múltipla
        "benigna", 211
        critérios clínicos para diagnóstico de, 208
        curso clínico, 208
        diagnóstico, 210
        etiologia, 205
        forma progressiva primária, progressão incapacidade em função do tempo na, 210
        forma progressiva recorrente, progressão incapacidade em função do tempo na, 210
        forma recorrente-remitente, progressão da incapacidade em função do tempo na, 209
        forma secundariamente progressiva, progressão incapacidade em função do tempo na, 209
        prognóstico, 211
        quadro clínico, 207
        tratamento, 212
            medicamentoso, 212
Escore isquêmico de Hachinski, 136, 137
Esmagamento, 88
Espaço intracraniano, 81
Espasmos infantis, 159
Esquistossomose, 199
Estado
    confusional agudo, 140
    de consciência mínima, 71
        critérios diagnósticos, 72
    de mal epiléptico, 168
    lacunar, 109, 136
    vegetativo
        permanente, 70
            critérios diagnósticos, 71
        persistente, 70
Estatinas, 258
Estimulação nervosa negativa, 263
Estupor, 69
État lacunnaire, 109

F

Fadiga, 252
Fala
    "explosiva", 179
    "telegráfica", 143
Fasciculações, 62, 242, 254
Fascículo longitudinal medial, 208
Fenômeno(s)
    de Todd, 159
    experienciais, 157
    pupilar de Argyll-Robertson, 197
Festinação, 174
Fibrilações, 62

Fissura de Sylvius, 25
Flacidez, 78
Flavivírus, 193
Flutter palpebral, 163
Fluxo sanguíneo cerebral, mecanismo de autorregulação do, 81
Foice do cérebro, imagem, 83
Forame interventricular de Monro, 1
Força muscular, escala de avaliação, 253
Fraqueza muscular, 239, 251
Frataxina, 232
Freezing, 174
Função(ões)
    autonômica, 55
    cognitivas, exame das, 49
    motora, exame da, 50
    neurovegetativa, 55

G

Gânglio, 1
Gangliocitoma, 223
Ganglioglioma, 223
Gangliopatias, 241
Gangliosídeos, 244
"Gatilho" ambiental, 207
Glicose, intolerância à, 232
Gliomas, 217
Golpe, 88
Goma sifilíca, 197
Granulação aracnoides, 31
Grasping, 53

H

H. influenzae, 193
Hakim, tríade de, 148
Hálux, hipertensão, 52
Hanseníase, 246
Hematina, 247
Hematoma
    epidural, 90
    extradural, 89
    intracraniano traumático, 91
    intraparenquimatoso, 111, 115
        locais mais frequentes de ocorrência de, 118
    subdural
        agudo, 90, 91
        crônico, 91
Hemianopsia, 57
    bitemporal, 10, 221

Hemiparesia, 50
Hemiparesteia, 207
Hemiplegia, 50
Hemisferectomia, 167
Hemisférios cerebais, 24
Hemorragia
    subaracnoide, 111, 113, 117
        classificação de acordo com a World Federation of Neurological Surgeons, 119
    traumática, 94
Hérnia subfalcina, 84
Herniação(ões)
    cerebrais, 83
        processo de, 83
    do parênquima cerebral, 84
    uncal, 85
Hérnias
    subfalcinas, 83
    transtentoriais, 83
Herpes simples, 193
Hidrocefalia, 33, 118
    aguda obstrutiva, 119
    de pressão normal, 148
    pós-traumática, 96
Hiperestesia, 241
Hiperfagia, 142
Hiperpatia, 241
Hiperpolarização, 41
Hiper-reflexia, 52
    estágio de, 100
Hipertensão
    intracraniana, 80, 111
        aguda, 82
        crônica, 82
        subaguda, 82
        tratamento, 85
Hipertonia, 51
    plástica, 173
Hiperventilação neurogênica central, 77
Hipocampo, 4
Hipocinesia, 173
Hipoestesia, 55, 207, 239
Hipófise
    adenoma de, 221, 223
    tumores de, 221
Hipotálamo, 10
    núcleos, 17

Hipotonia muscular, 252
Histoplasma capsulatum, 194
HIV-demência, complexo, 148
Homocisteína, 106

I

Inchaço, 84
Infarto(s)
    cerebral, 109
    lacunares, 137
Infecção do sistema nervoso central
    diagnóstico, 200
    quadro clínico, 191
    tratamento, 201, 202
Informações
    motoras, 10
    sensitivas, 10
Instabilidade postural, 173
Interneurônios, 37
Intolerância
    à glicose, 232
    ao exercício, 252
Irritação meníngea, sinais de, 59

J

Junção neuromuscular, doenças da, 260

L

Laforina, 164
Langfitt, curva da complacência de, 82
Lasègue, sinal de, 59
Lepra, 246
Lesão(ões)
    axonal difusa, 88, 93
    completa, 98
    de coluna vertebral, 97
    de sistema nervoso periférico, potencial de recuperação, 238
    desmielinizantes em substância branca com hipersinal em T2, 211
    destrutivas, 72
    difusas, 72
    expansivas, 72
    focais, 72
    incompleta, 98
    intracranianas, 89
    medular, estágios clínicos, 100
    medulares, quadro clínico, 98
    por anteroflexão, 97
    por mecanismo de chicote, 97
    primária, 87
    secundária, 88
Letargia, 69
Leucoencefalopatia periventricular isquêmica de Binswanger, 136
Liga Brasileira de Epilepsia, 153
Linfomas primários do sistema nervoso central, 219
Líquido
    cefalorraquidiano, 30
        análise do, 60
        exame do, 60
    cérebro-espinhal, 30
Liquor, 30
Lobectomia
    amígdalo-hipocampectomia, 167
    temporal, 167
Lobo temporal, processo expansivo em, 85
Locked-in, 71
Locus coeruleus, 68
"Luta e fuga", reações de, 2

M

M. tuberculosis, 201
Malária, 199
Malformações arteriovenosas, 115
Manobra
    de Mingazzini, 50
    dos "olhos de boneca", 75
    dos braços estendidos, 50
"Mão cadavérica", 230
Mapa(s)
    citoarquitetônico de Brodmann, 27
    da sensibilidade superficial, 56
    neurais, 3
Marcha
    a pequenos passos, 174
    apraxia de, 54
    cerebelar, 54
    em bloco, 174
    escarvante, 54
    espinhal, 100
    exame da, 53
    frontal, 54
    jacksoniana, 157
    parkinsoniana, 54
    talonante, 54

Medula espinhal, 1, 4, 5
    estrutura, 9
    tratos da, origem, destino e função dos, 7
    vascularização da, 33
    vias ascendentes e descendentes, 6
MEEM, ver Miniexame do Estado Mental
Membrana de Descemet, 184
Memória
    explícita, alteração de, 146
    implícita, alteração de, 146
Meninges, 1
    representação esquemática, 189
Meningiomas, 218
    localizações mais frequentes, 219
    parassagital, 220
Meningites, 189
    bacterianas, 191
        agentes etiológicos, 192
    fúngicas, 193
    virais, 193
Meningoencefalite(s), 189, 194
    bacterianas, 195
    herpética, 194
    provocadas por parasitas, 199
    virais, 194
Mesencéfalo
    estruturas, 15, 18
    funções, 18
Mesencéfalo, 4, 10
Metástases
    cerebrais, 223
    em cerebelo, 224
Método clínico em neurologia, 47-66
Mialgia, 253
Miastenia *gravis*
    diagnóstico, 262
    estadiamento, 263
    quadro clínico, 261
    tratamento, 264
Micro-hemorragias, TC de crânio mostrando, 93
Midríase, 74
Mielina, bainha de, 40
Mielinização dos sistemas nervosos periférico e central, 40
Mielite transversa, 207
Migrânea
    complicada, 271
    fisiopatologia, 272

Mingazzini, manobra de, 50
Miniexame do Estado Mental, 49
Miocardiopatia hipertrófica, 232
Mioclonias, 197
Mioedema, 254
Mioglobinúria, 253, 254
Miopatia(s)
    associada ao hipertireoidismo, 259
    causadas por drogas, 257
    classificação, 252
    diagnóstico, 254
    endócrinas, 258
    inflamatórias, 255
    quadro clínico, 251
    tireotóxica crônica, 258
Miótomos, 99
Miotonia(s), 253
    focais, 185
MoCA, ver Montreal Cognitive Assessment
Mononeuropatia, 241
Monoparesia, 51
Monoplegia, 51
Montreal Cognitive Assessment, 49
Morte
    encefálica, 78
        exame neurológico para diagnóstico, 80
    súbita, 117, 168
Motivação, 71
Motoneurônios, 37
Motricidade ocular
    extrínseca, 58
        exame da, 75
    intrínseca, 57
        exame da, 74
Movimento(s)
    de "agarrar", 53
    de convergência, 57
    distônicos, 185
    involuntários, 170
    oculares extrínsecos, 57
    transtornos do, 169-187
Musculatura bulbar, 262
Mutismo acinético, 71
Mycobacterium tuberculosis, 195

N

N. meningitidis, 193
Necrose, TC de crânio mostrando, 93

Negligência, 50
Nervo(s)
    abducente, 57
    acessório, 59
    cervicais, 9
    cranianos, 8, 237
    espinhais, 5
    facial, 58
    glossofaríngeo, 58
    hipoglosso, 59
    intermédio, 58
    lombares, 9
    oculomotor, 57
    olfatório, 56
    óptico, 56
    sacrais, 9
    torácicos, 9
    trigêmeo, 57
    troclear, 57
    vago, 58
        estimulação do, 167
    vestibulococlear, 58
Neuralgia
    do trigêmeo, 276
    trigeminais, mecanismo fisiopatológico, representação esquemática, 277
Neurite óptica, 207
Neurocisticercose, forma
    epiléptica, 199
    hipertensiva, 199
Neuroimagem
    estudos de, 62
    métodos, 63
Neurologia
    método clínico em
        exame(s)
            clínico, 48
            complementares, 60
            neurológico, 49
        história clínica, 48
        reflexos faciais, 53
    raciocínio clínico em, 65
Neurolues, 197
Neuromielite óptica, 212
Neurônio(s)
    de adaptação
        lenta, 43
        rápida, 44

    estrutura básica do, 38
    moduladores, 41
    motores, 37
    pré-sináptico, 38
    tipos de, 39
    ultraestrutura de um, 39
    unipolares, 38
Neuropatia
    alcoólica, 246
    diabética, 245
        apresentação clínica, formas de, 246
    periférica, distribuição anatômica, 240
Neuroproteção, efeito de, 134
Neuropsicofarmacologia, princípios de, 44
Neurossífilis, 197
Neurotoxoplasmose, 200
Neurotransmissores, 37
    liberação, 43
    locais de origem e ação, 42
    metabolização, 43
    síntese, 43
Neurotraumatologia
    trauma raquimedular, 97
    traumatismo cranioencefálico, 87
Neurotuberculose, 195, 196
Nistagmo, 207
Nódulo de Ranvier, 40
Núcleo
    accumbens, 28
    caudado, 28
    de base, 4, 28
    lentiforme, 28

O

Obnubilação, 69
Oftalmoplegia, 208
    com exoftalmo, 259
Oligodendrogliomas, 218
Ondas
    agudas, 157
    lentas, 157
Organização segmentar, 5

P

Padrão
    de "agregação familiar", 206
    de resposta motora anormal, 78
    hipsarritmia, ECG, 161

motor, exame do, 77
respiratório, exame do, 77
Palilalia, 131
Pares cranianos, 12
    do tronco encefálico, divisão funcional, 13
Parafasias, 131
Paralisia
    em face, 208
    geral progressiva, 197
    periódica associada a tireotoxicose, 259
    supranuclear progressiva, 143, 148
Paramixovírus, 193
Paraparesia, 51
Paraplegia, 51
    em flexão, 102
Parasita, meningoencefalites provocadas por, 199
Paresia, 50, 239
Parestesias, 55, 207
Parkinsonismo, 171
    plus, 171
Pars
    compacta, 29
    reticulata, 29
"Pé caído", 257
Pedúnculos cerebelares, 20
Percepção visual, 174
Perceptividade, 68
Pia-máter, 1
Piscamento, 163
Placa(s)
    amiloides, 129
    motora, 260
    senis, 129, 133
Plasmaférese, 264
Plasmodium falciparum, 199
Plegias, 50
Plexos coroides, 30
Polígono de Willis, 34, 112
Polimiosite, 255
Polineuropatia
    inflamatória desmielizante
        aguda, 243
        crônica, 245
Polirradiculoneurite aguda, 243
Polissonografia, 62
Ponte, 4, 10
    estruturas, 15, 16
    funções, 16

Porfiria aguda intermitente, 247
Postura
    de decorticação, 78
    de descerebração, 78
    em decorticação, 78
    fletida, 173
Potencial(is)
    de ação, 41
    evocados, 62
PPA, ver Proteína precursora do amiloide
Presbiacusia, 127
Presbiopia, 127
Pressão
    arterial sistêmica, 81
    intracraniana, 80
Proteína
    aquaporina-4 de astrócitos, 213
    frataxina, 232
    huntingtina, 178
    precursora do amiloide, 129
Pseudocrises, 165
Pseudounipolares, 38
Psicose, 247
Pupila(s), 74
    tamanho das, 74
    uncal, 75
Putâmen, 28

Q

Quadrantanopsia, 57
"Queimação", 55
    sensação de, 276
Quiasma óptico, 221

R

Rabdomiólise, 253
Radiculopatia, 224, 240
Radiotraçadores do transporte dopaminérgico, 177
Reação de "luta e fuga", 2
Reatividade, 68
Recaptação, 42
Reflexo(s)
    bulbocavernoso, 100
    corneopalpebral, 77
    de afocinhar, 53
    de palmomentual, 53
    de preensão, 53

de sucção, 53
de tríplice flexão e retirada, 100
em massa, 100
faciais, 53
fotomotor, 74
mandibular, 53
mentoniano, 53
oculocefálico, 75, 76
oculovestibular, 76
orbicular dos olhos, 53
oro-orbicular, 53
profundos
 diminuição dos, 241
 exame, 52
 níveis de integração, 52
tendinosos, 252
Região(ões)
 pré-frontal, 25
 sensitivas primárias, 25
Relês, 3
Respiração
 apnêustica, 77
 atáxica, 77
 de Cheyne-Stokes, 77
 de Kussmaul, 77
 em salvas, 77
 periódica de ciclo curto, 77
Ressangramento, 117
Rigidez, 173
 de nuca, 191
 muscular, 140

S

Sarcoplasma juncional, 260
Schistosoma mansoni, 199
Schwannoma(s), 220
 de acústico, 221
Sela túrcica, 221
 localização com a glândula hipófise em seu interior, 222
Sensibilidade
 cinético-postural, 55
 exame da, 54
 profunda, 55
 superficial, 54
 mapa da, 56
 térmica, 55
 vibratória, 55

Sinal
 da roda denteada, 51
 de Lasègue, 59
 de Babinski, 52, 197
 de irritação meníngea, 59
 de Lhermitte, 208
 de "liberação frontal", 53
 de Romberg positivo, 197
 do canivete, 51
Sinapses, 37, 38
Síndrome(s)
 anterior da medula, 99
 axodendríticas, 38
 central da medula, 99
 da amenorreia-galactorreia, 222
 da "mão estrangeira", 144
 de Brown-Séquard, 99
 de deaferentação, 71
 de Eaton-Lambert, 264
 de Gerstmann, 118
 de Guillain-Barré, 40, 243
 de inatenção, 50
 de irritação meníngea, 191
 de Landau-Kleffner, 161
 de Lennox-Gastaut, 161
 de Miller-Fisher, 245
 de nervos periféricos, 242
 de Rasmussen, 167
 de Sturge-Weber, 167
 de West, 159
 do neurônio motor inferior, 53
 epilépticas, 159
 medulares, 99
 paraneoplásicas, 225
 parkinsoniana, 171
 Parkinson-*plus*, 171, 172
 pós-concussional, 95
 toxêmica, 191
Sinergismo
 em flexão, 78
 extensor, 78
Sinestesias, 100
Sintomas, forma de instalação dos, 48
Siringomelia, 102
Sistema(s)
 límbico, 24
 liquórico, 30
 motor, doenças degenerativas do, 229-235

nervoso
- ação de drogas no, mecanismos de, 45
- anatomia macroscópica, 37
- central
  - atividade do, 1
  - infecções do, 189-203
  - linfomas primários de, 219
  - mielinização do, 40
  - subdivisão funcional, 5
- divisão geral do, 2
- periférico, 2, 40
  - doenças do, 237-249
  - mielinização do, 2, 40
- princípios de microfisiologia do, 40
- subcomponentes do, inter-relação entre os vários, 3
- subdivisão anatômica do, 4
- tumores do, 215-228
- vascularização, 33
- ventricular, 30

Snouting, 53
Striatum, 4, 28
Substância
- branca, 4,5
  - lesões desmielinizantes com hipersinal em T2, 211
- cinzenta, 1, 5

Sulco central, 25
Sundowning, 132
Surdez, 208
Surtos, 48
"Sustos", 159
Swelling, 84, 94

T

Tabes dorsalis, 197
Taenia solium, 199
Tálamo, 19
Telencéfalo, 4
Tenda do cebebelo, 72
- imagem de RM, 83

Teste(s)
- de Wada, 167
- genéticos, 66

Tetraparesia, 51
Tetraplegia, 51
Tic douloureux, 276
Todd, fenômeno de, 159

Torcicolo espasmódico, 185
Torpor, 69
Toxoplasma gondii, 200
Transformação hemorrágica, 111
Transmissão sináptica, 41
Transtorno
- do movimento
  - distonias focais, 185
  - doença
    - de Huntington, 178
    - de Parkinson, 172
    - de Wilson, 181
  - parkinsonismo, 171
  - tremor essencial, 186

Trato(s), 1
- amielínicos, 40
- espinocerebelar anterior, 2

Trauma raquimedular
- diagnóstico, 101
- estágios clínicos da lesão medular, 100
- prognóstico, 102
- quadro clínico, 97
- síndromes medulares, 99
- tratamento, 101

Traumatismo craniencefálico
- aberto, 89
- biomecânica, 88
- classificação, 89
- conceito, 87
- epidemiologia, 87
- fechado, 89
- fisiopatologia, 87
- grave, 89
- leve, 89
- moderado, 89
- prognóstico, 95
- tratamento, 94

Tremor
- de ação, 197
- de repouso, 173
- essencial, 186
- familiar, 186

Treponema pallidum, 197
Tríade
- de Cushing, 82
- de Hakim, 148

Trigêmeo, neuralgia do, 276
Tronco encefálico, 1, 4, 8
- divisões, 11

Trypanosoma cruzi, 199
Tuberculose, 195
Tumor(es)
    a distância, 217
    "cerebral", 215
    comportamento biológico de um, 216
    crises convulsivas produzidas por, 216
    do sistema nervoso
        central, 215
            diagnóstico, 226
            prognóstico, 227
            tratamento, 226
        medulares, 225
        metástases cerebrais, 223
    medulares, 225
    primários do sistema nervoso central, 217

U
Unidade motora, 255

V
Varicela-zoster, 193
Vascularização cerebral, 106
Vasoespasmo cerebral, 118
Ventriculites, 192
Ventrículos laterais, 1
Vertigem, 207
Vigília, 68

W
Wada, teste de, 167
Westphal, 180

Z
Zona de hipossinal, 110
Zumbido, 208